C·H·Beck
PAPERBACK

Nürnberg 1946: Es war eine einzigartige Versammlung von weltberühmten Schriftstellern, Journalistinnen, Reportern und solchen, die später einmal Berühmtheit erlangten. Erich Kästner war dort und Erika Mann, John Dos Passos und Martha Gellhorn. Augusto Roa Bastos kam aus Paraguay, Xiao Qian aus China. Im Gerichtssaal blickten sie den Verbrechern ins Angesicht, die sich für den Krieg und den Holocaust verantworten mussten. Im Press Camp auf Schloss Faber-Castell versuchten sie, das Unfassbare in Worte zu fassen, damit die Welt davon erfahren konnte. Dabei trafen im Mikrokosmos des Faber-Schlosses Exil-Rückkehrer auf Überlebende des Holocaust, Kommunisten auf Vertreter westlicher Medienkonzerne, Frontberichterstatter auf extravagante Starreporter. Man schlief auf Feldbetten und begegnete sich in der Bar, im Salon, im Spielzimmer und im Kino, die die Alliierten in der globalen Herberge eingerichtet hatten. Und während die Schlossbewohner in den Abgrund der Geschichte sahen, während sie über Schuld, Sühne und Gerechtigkeit nachdachten, veränderten sich nicht nur sie, sondern auch die Art, wie sie schrieben.

Uwe Neumahr ist promovierter Romanist und Germanist. Er arbeitet als Literaturagent und freier Autor. Bei C.H.Beck ist von ihm erschienen: *Miguel de Cervantes. Ein wildes Leben. Biografie* (2015).

Uwe Neumahr

DAS SCHLOSS DER SCHRIFTSTELLER

Nürnberg '46
Treffen am Abgrund

C.H.Beck

Dieses Buch erschien zuerst 2023 in gebundener Form im Verlag C.H.Beck.
2.–5. Auflage. 2023

Mit 31 Abbildungen

1. Auflage in C.H.Beck Paperback. 2024

www.chbeck.de
Umschlaggestaltung: geviert.com, Andrea Wirl
Umschlagabbildung: Schloss Faber-Castell in Stein, Foto: Faber-Castell AG, Ralf Hanisch (bearbeitet)
Satz: Janß GmbH, Pfungstadt
Druck und Bindung: Druckerei C.H.Beck, Nördlingen
Printed in Germany
ISBN 978 3 406 82455 5

verantwortungsbewusst produziert
www.chbeck.de / nachhaltig

INHALT

ANHANG

VORWORT

Xiao Qian war erstaunt. Als er im Oktober 1945 das erste Mal durch das zerstörte Nürnberg lief, erinnerte ihn die Stadt als einzige von allen europäischen Städten an Peking. Nicht nur der alten Stadtmauer wegen, des Flusses, der sich hindurchschlängelte, oder der Trauerweiden, sondern auch wegen der Ruhe, die die Stadt ausstrahlte. Als chinesischer Kriegsberichterstatter während des Zweiten Weltkriegs hatte Xiao Qian (1910–1999) mit der britischen Armee 1945 den Rhein überquert. Nach einem Aufenthalt im eroberten Berlin erreichte er im Herbst Nürnberg. Die touristische Bedeutung der einstigen Reichsstadt war ihm bekannt, doch «heutzutage», so Xiao Qian in seiner Reportage vom 9. Oktober 1945, «kommen die Touristen nicht wegen kultureller und historischer Sehenswürdigkeiten nach Nürnberg (die finden sich jetzt unter Schutt und Asche), auch nicht wegen der berühmten Nürnberger Lebkuchen. Heute steht Nürnberg im Mittelpunkt weltweiter Aufmerksamkeit, weil hier 23 Hauptverbrecher des Nazi-Regimes vor Gericht stehen. […] Es ist ein großes Ereignis.»[1]

Was Xiao Qian seiner Leserschaft in China in einführenden Worten als «großes Ereignis» beschrieb, war die internationale Antwort auf unvorstellbare Gräuel: der Nürnberger Prozess gegen die deutschen Hauptkriegsverbrecher, mit dem der Moment der Sühne kam. Weltweit wollten Menschen miterleben, wie die Gesichter der NS-Diktatur demaskiert wurden. Einige Beobachter sahen in dem Prozess den Grundstein für die Umsetzung eines modernen Völkerstrafrechts. Die Anwesenheit von NS-Prominenz im Gerichtssaal, das juristische Novum eines von vier Siegermächten durchgeführten Tribunals, dazu die Neugier auf ein Land, das in der Wahrnehmung vieler rätselhaft war, machten den Prozess tatsächlich zu einem Großereignis. Eine entsprechende Anzahl an Journalisten wurde nach Nürnberg geschickt, darunter, als einziger Chinese, Xiao Qian, der spätere Vorsitzende der chinesischen Schriftstellervereinigung. Die Berichterstatter sollten gleichsam das Fenster in einer abgeschotteten Enklave bilden, durch das die Außenwelt das Geschehen verfolgen konnte.

Unter Führung der amerikanischen Besatzungsbehörde wurde ein Presselager gesucht, das den Ansturm bewältigte. Doch ein Gebäude zu finden, das groß genug war, um mehrere hundert Pressevertreter aufzunehmen, stellte in einer Stadt, die während des Zweiten Weltkriegs häufig bombardiert worden war, ein schwieriges Unterfangen dar. Schließlich wurde man in der nahegelegenen Ortschaft Stein fündig. Das beschlagnahmte Schloss der Schreibwarenfabrikanten Faber-Castell, ein im Stil des Historismus erbauter burgartiger Komplex, der den Krieg ohne nennenswerten Schaden überstanden hatte, wurde in ein internationales Press Camp umgewandelt. Das Faberschloss, wie man das Press Camp auch nannte, diente als Herberge und Arbeitsstätte zugleich.[2] Die Korrespondenten wohnten dort in Zimmern mit bis zu zehn Betten und fingen die Ereignisse wie Seismografen ein, während nur ein paar Kilometer entfernt in den Gefängniszellen in Nürnberg Männer wie Göring oder Ribbentrop, Streicher oder Heß auf die Urteile des internationalen Militärtribunals warteten.

Einige der wichtigsten Journalisten und bekanntesten Schriftsteller wurden nach Nürnberg geschickt, damit sie für Zeitungen, Agenturen und Radiosender über die Verhandlungen berichteten. Die Liste liest sich teils wie die Crème de la Crème der damaligen Presse- und Literaturszene. Sie reicht von Berühmtheiten wie Erika Mann, Erich Kästner, John Dos Passos, Ilja Ehrenburg, Elsa Triolet, Rebecca West und Martha Gellhorn bis zu Persönlichkeiten, die damals noch weitgehend unbekannt waren, aber später literarischen, medialen oder politischen Ruhm erlangten. Zu letzteren zählen Wolfgang Hildesheimer, der als Dolmetscher bei den Nürnberger Nachfolgeprozessen arbeitete, Augusto Roa Bastos, der als bedeutendster Autor Paraguays gilt, Robert Jungk, Zukunftsforscher und Träger des «Alternativen Nobelpreises», die amerikanische Fernsehlegende Walter Cronkite oder Walter Lippmann, der in den USA als einflussreichster politischer Schriftsteller des 20. Jahrhunderts betrachtet wird. Ganz zu schweigen von Willy Brandt, dem späteren Bundeskanzler, Markus Wolf oder Autoren wie Joseph Kessel, Peter de Mendelssohn und Gregor von Rezzori. Bis heute waren wohl nie mehr so viele prominente Schriftsteller aus aller Welt unter einem Dach versammelt wie zu dieser «Stunde null» auf Schloss Faber-Castell, als Weltliteratur auf Weltgeschichte traf. Rückkehrer aus der inneren Emigration oder dem Exil begegneten kriegserfahrenen Offizieren, Résistance-Kämpfer Überlebenden des Holocaust, Kommunisten Vertretern westlicher Medienkonzerne, Frontberichterstatter extravaganten Starreportern. Sie alle einte die Suche nach Antworten, wie diese Katastrophe geschehen konnte, was die Angeklagten für Menschen waren und was sie zu ihrer Verteidigung vorbringen würden.

Das Press Camp in Stein, wo buchstäblich Geschichte geschrieben wurde, war ein Ort der Gegensätze. Erika Mann, offiziell Angehörige des US-Militärs, lebte im Presselager mit ihrer Partnerin zusammen, einer amerikanischen Journalistin, obwohl homosexuelle Beziehungen im Militär verboten waren. Willy Brandt, damals Korrespondent der skandinavischen Arbeiterpresse, traf dort Markus Wolf, jenen Mann, der ihn später als Chef des DDR-Auslandsnachrichtendienstes über einen Kanzleramtsspion stürzte. Ray D'Addario, der als amerikanischer Militärfotograf legendäre Prozessfotos machte und bis 1949 in Nürnberg blieb, wurde auf seiner Hochzeit im Schloss von Hitlers Hausintendanten verköstigt. Wie *Der Spiegel* im September 1948 berichtete, war Arthur Kannenberg, ehemaliger Organisationschef für den Haushalt in Hitlers Reichskanzlei, nach seiner Entnazifizierung Küchenchef auf Schloss Faber-Castell geworden. Vor dem Krieg hatte ein Bekannter Kannenberg, der Hitler auch mit Akkordeonspiel und Gesang unterhalten hatte, um seine Nähe zu Hitler beneidet: «Was wenigen Sterblichen ist beschieden, was der sehnlichste Wunsch von Millionen ist», hatte er Kannenberg hymnisch geschrieben, «dieses grosse Glück hast du hienieden, der Du alltäglich um Ihn bist.»[3] Hitlers «Hofnarr an der Quetschkommode», wie Wolfgang Wagner Kannenberg spöttisch nannte,[4] war nun aber nicht mehr vom «Führer» und dessen Entourage umgeben, sondern von internationalen Pressevertretern.

Das Press Camp, das bis zum Ende der Nürnberger Nachfolgeprozesse 1949 aufrechterhalten wurde, war ein Ort hektischer journalistischer Betriebsamkeit, aber auch künstlerischer Kreativität. Neben unzähligen Artikeln, Prozessreportagen und Radiobeiträgen entstanden dort Zeichnungen, Karikaturen, Romane und Erzählungen. Die Romanvorlage für Sergei Prokofjews Oper *Die Geschichte vom wahren Menschen*, Boris Polewois *Der wahre Mensch*, wurde im Presselager geschrieben. Prokofjew wollte unbedingt jene «intensivste Literaturerfahrung der letzten Zeit» vertonen. Wolfgang Hildesheimer, der ursprünglich plante, bildender Künstler zu werden, malte im Schloss abstrakte Bilder.

Eigene, eigenartige Sitten und Gebräuche hatten sich in der globalen Herberge herausgebildet, bemerkte ein *Prawda*-Korrespondent in seinem Tagebuch. Auf engstem Raum zusammenlebend, waren die Korrespondenten enormen Spannungen ausgesetzt. Der Konkurrenzdruck war groß, insbesondere unter den amerikanischen Berichterstattern. Reporter, die sich gerade noch freundlich beim Frühstück unterhalten hatten, konnten wenig später erbitterte Widersacher werden. Viele waren auf der Jagd nach einer exklusiven Geschichte, wollten einen Scoop landen. Emmy Göring, die Frau von Hermann Göring, wurde mit Interviewanfragen überschüttet, und aufdringliche Pressefotografen stellten den Ehefrauen der Angeklagten nach. Ein AP-Foto zeigt den Journalisten Wes Gallagher, wie er nach der Urteilsverkündung aus dem Gerichtssaal rennt, um als Erster ein Überseetelefon zu erreichen. Die Konkurrenz hatte zur Folge, dass einige Berichterstatter in ihren Beiträgen heftig übertrieben. Vorgetäuschte Nachrichten, um der höheren Auflage oder der Propaganda willen, gelangten immer wieder an die Öffentlichkeit. Selbst ein Autor wie Alfred Döblin, der unter Pseudonym für die französische Besatzungsbehörde über den Prozess schrieb, gab gegenüber seinen Lesern vor, er sei im Gericht anwesend, obwohl er 1945/46 nicht in Nürnberg war.

Das internationale Großereignis zog auch Geschäftemacher an, Verleger anglo-amerikanischer Medienunternehmen witterten das große Geld. Gelegentlich traf man sie beim abendlichen Dinner im Presselager, nachdem sie mit den Verteidigern der Kriegsverbrecher über die Memoiren ihrer Mandanten verhandelt hatten.

Das Misstrauen der Großmächte und der sich anbahnende Kalte Krieg führten dazu, dass sich sowjetische und westliche Korrespondenten im Press Camp nicht zu nahe kommen sollten. Insbesondere die Zügel aus Moskau waren straff. Die nach Nürnberg Entsandten hatten

Wes Gallagher rennt nach der Urteilsverkündung aus dem Gerichtssaal, 1. Oktober 1946

strikte Anweisung, wie sie sich zu verhalten hatten, und liefen bei Zuwiderhandlung Gefahr, denunziert zu werden. Die kleinste Abweichung oder ein falsches Wort konnten nicht nur den sofortigen Abzug und das Ende der Karriere bedeuten, sondern auch Repressalien für die Familie nach sich ziehen.

Im Gericht sahen die Prozessteilnehmer sich tagsüber mit den unfassbaren Verbrechen der Angeklagten konfrontiert, mit Bildern aus Konzentrationslagern, von Massenerschießungen und den Aussagen von Opferzeugen. Abends betäubten sich viele mit Alkohol, spät in der Nacht fielen alle Schranken, man tanzte miteinander und trank. «Die Amerikaner trinken als ob sie dafür bezahlt bekämen», bemerkte Wolfgang Hildesheimer, «und es kommt nicht selten vor, dass jemand zurückgeschickt wird, weil er (oder sie) *delirium tremens* hat. Sonst sind sie prüde, freundlich und unwissend.»[5]

Das Press Camp war durch das interkulturelle Zusammenleben auch ein gesellschaftliches Experiment, ein sozialer Testlauf. Für die Verhältnisse der Zeit war es in vielerlei Hinsicht fortschrittlich. Den okkupierten Deutschen wurde das Ideal einer freien Presse vorgelebt und Pressefreiheit praktiziert, zumindest weitgehend von den westlichen Medien. Auch in Fragen der Emanzipation war man dem von der nationalsozialistischen Ideologie geprägten Deutschland voraus. Alfred Rosenberg, einer der angeklagten Hauptkriegsverbrecher, hatte in seinem NS-Grundlagenwerk *Der Mythus des 20. Jahrhunderts* die «Emanzipation der Frau von der Frauenemanzipation» gefordert. Die nationalsozialistische Diktatur hatte eine patriarchalische Ordnung praktiziert, in der die Rolle der Frau vor allem die der Mutter, weniger die der Berufstätigen war. Umso mehr musste es Rosenberg und seine Mitangeklagten irritieren, wie viele Korrespondentinnen im Gerichtssaal anwesend waren. Während der Reichsverband der deutschen Presse 1944 einen Frauenanteil von 13 Prozent unter seinen Mitgliedern ausmachte – die meisten davon im Zeitschriftenbereich, nur wenige im politischen Journalismus[6] –, war die Frauenquote unter den Journalisten im Press Camp deutlich höher. Auch wenn es zu weit gehen würde, das Presselager als einen Ort der Gleichberechtigung zu bezeichnen, kam die Institution einer Gleichstellung schon relativ nahe. Die Journalistinnen waren in einem eigenen Gebäude untergebracht, der Villa im Schlosspark. Allein die *New York Times* hatte zwei Korrespondentinnen nach Nürnberg entsandt, Kathleen McLaughlin und die Pulitzer-Preisträgerin Anne O'Hare McCormick. Tullia Zevi, die spätere Präsidentin der jüdischen Gemeinde Italiens, schrieb für *Religious News Service*. Dazu kamen «Edelfedern» wie Rebecca West, Nora Waln, Martha Gellhorn, Dominique Desanti, Janet Flanner, Erika Mann und viele andere.

Nicht nur die Politik war ihr Metier. Die Berichterstatterinnen thematisierten feministische Fragen und bemängelten, dass der Prozess ausschließlich Männersache war. «Es gab keine Frauen unter den Angeklagten. War das vielleicht auch der Grund, dass auch unter den Richtern keine Frau zu finden war? Hätten sie aber nicht gerade hier vertreten sein sollen? Wenn die Ergebnisse der Nürnberger Prozesse tatsächlich das Schicksal Europas maßgeblich bestimmen, wäre es dann nicht gerecht gewesen, dass auch Frauen ein Wort mitreden?», fragte die argentinische Schriftstellerin Victoria Ocampo.[7]

Nürnberg war während der Prozesse ein deutscher Schicksalsort, und die meisten der Chronistinnen und Chronisten logierten in der Steiner Schaltzentrale der Medien. Sie verhandelten in ihren Beiträgen Prozessrelevantes und Zeitgeschichtliches, gesellschaftspolitische Themen und Einzelschicksale, aber auch Klatsch und Tratsch. Das Presselager, dieser Mikrokosmos im Nürnberger Makrokosmos, bietet uns heute den fassbaren Rahmen für die Engführung von Zeitgeschichte, Literaturgeschichte und persönlichen Schicksalen. In diesem Buch wird zum ersten Mal die Historie des Ortes und seiner Bewohner ausführlich erzählt. Steffen Radlmaier, Feuilletonchef der *Nürnberger Nachrichten*, hat anlässlich der 70. Wiederkehr des Beginns der Prozesse die 50-seitige Broschüre *Das Bleistiftschloss als Press Camp* verfasst. Der mit zahlreichen Abbildungen versehene Band wurde anlässlich einer Ausstellung im Faberschloss veröffentlicht. Radlmaiers Pionierarbeit, insbesondere der von ihm herausgegebenen Anthologie mit den Prozessbeiträgen internationaler Korrespondenten, verdankt dieses Buch viel.[8] Darauf aufbauend wurden umfangreiche Recherchearbeiten getätigt, Archive besucht und neue Quellen erschlossen. Ein ergiebiger Fund waren die unveröffentlichten Briefe von Ernest Cecil Deane, dem zuständigen Verbindungsoffizier zwischen Press Camp und Gerichtsgebäude, aber auch die Korrespondenz und der Nachlass von Erika Mann, Peter de Mendelssohn oder William Stricker.

Der Fokus des vorliegenden Buches liegt nach einem einleitenden Essay zur Geschichte des Presselagers vor allem auf dem Personenkollektiv prominenter Bewohner, von John Dos Passos und Erich Kästner über Willy Brandt und Martha Gellhorn bis zu Golo Mann. In jedem der Kapitel steht einer von ihnen im Mittelpunkt. Wer waren sie, bevor sie nach Nürnberg kamen? Wie prägend wurde ihr Aufenthalt? Was machte der Prozess mit ihnen? Niemanden ließen das im Gerichtssaal verhandelte Grauen und die Nürnberger Trümmerwüste kalt. Es gab Korrespondenten, die darum baten, abgezogen zu werden, weil sie es nicht mehr aushielten. Wolfgang Hildesheimers zunehmend apokalyptische Weltsicht im Alter war einem Kollegen zufolge auf seine Erfahrungen in Nürnberg zurückzuführen. Erika Manns amerikanische

Geliebte, ebenfalls Prozessberichterstatterin, blieb nach dem Hauptkriegsverbrecherprozess in Nürnberg und wurde zu einer Gegnerin der Todesstrafe und einer Siegerjustiz, wie sie sie in Nürnberg am Werke sah.

Die Nürnberger Prozesse veränderten die Menschen, die ihnen beiwohnten. Damit einhergehend änderte sich auch der Schreibstil der Berichterstatter. Janet Flanner etwa, berühmt für ihren *Flanner touch*, der sich durch witzig-pointierte Schlussfolgerungen auszeichnete, schrieb in Nürnberg anders. Mit sprachlichem Witz oder Sarkasmus konnte sie der Dimension der Verbrechen nicht gerecht werden. Erich Kästner, sonst um kein Wort verlegen, bemerkte, dass er es nicht fertigbringe, «über diesen unausdenkbaren, infernalischen Wahnsinn einen zusammenhängenden Artikel zu schreiben», nachdem er einen Dokumentarfilm über Konzentrationslager gesehen hatte. *Das Schloss der Schriftsteller* ist auch ein Buch über Sprachlosigkeit und den literarischen Umgang mit dem Unsagbaren.

Hauptprotagonist und «Regisseur» ist der Nürnberger Prozess selbst. Die Dramaturgie der Kapitel lehnt sich an die Chronologie des Prozessgeschehens an, beginnend mit dem Auftakt des Hauptkriegsverbrecherprozesses im November 1945 (John Dos Passos) über Görings Kreuzverhör (Janet Flanner) und die Urteilsverkündung im Herbst 1946 (Martha Gellhorn) bis hin zu den Nachfolgeprozessen ab 1947 (Wolfgang Hildesheimer). Ein Exkurs über die gräfliche Besitzerfamilie des Schlosses fügt sich ein; Golo Manns Eintreten für die Freilassung von Rudolf Heß aus dem Spandauer Militärgefängnis schließt das Buch ab. So soll zugleich eine literarische Chronik des Prozesses und eine Kollektivbiografie bekannter, im Schloss logierender Berichterstatter entstehen.

DAS PRESSELAGER IM BLEISTIFTSCHLOSS

«Aber so ist das Presselager, entweder sehr aufregend oder sehr langweilig, selten auf halbem Weg dazwischen.»

Ernest Cecil Deane, Brief vom 9. Oktober 1945 an seine Frau Lois

Im November 1945 blickte die ganze Welt auf Nürnberg. Zum ersten Mal in der Geschichte der Menschheit wurden hier die politisch und militärisch Verantwortlichen eines verbrecherischen Regimes zur Rechenschaft gezogen. Rechtsstaatlichkeit, so der ausdrückliche Wille der federführenden Amerikaner, sollte über Rachegelüste siegen. Vom 20. November 1945 bis zum 1. Oktober 1946 tagte im Justizpalast der Internationale Militärgerichtshof und urteilte über führende Repräsentanten des NS-Apparats. Während sich 21 von ihnen im Schwurgerichtssaal verantworten mussten, wurde gegen Martin Bormann in Abwesenheit verhandelt. Das Verfahren gegen Gustav Krupp von Bohlen und Halbach wurde wegen Verhandlungsunfähigkeit eingestellt. Robert Ley, der Leiter der Deutschen Arbeitsfront, hatte sich vor Prozessbeginn in seiner Zelle mit einem Stofffetzen erhängt. Es blieb das Verfahren gegen «Göring und Genossen», wie es in den Akten lapidar hieß. Der Hauptverantwortliche, Adolf Hitler, und zwei seiner wichtigsten Helfer, Joseph Goebbels und Heinrich Himmler, hatten sich durch Selbstmord der Verantwortung entzogen.

Der am 18. Oktober 1945 in Berlin eröffnete Prozess war nach Nürnberg verlegt worden, weil die Amerikaner auf einen Verhandlungsort in ihrer Besatzungszone drängten. Die fränkische Stadt, wo die eigentliche Gerichtsverhandlung begann, bot sich aus praktischen wie aus symbolischen Gründen an. Der große Komplex des 1916 eingeweihten Justizpalastes in der Fürther Straße war im Krieg nur leicht beschädigt worden. Ein Gefängnis befand sich nebenan. Vor allem aber war Nürnberg international berüchtigt. Hier hatte Hitler seine Reichsparteitage abgehalten. Hier waren die grausamsten und inhumansten Gesetze erlassen worden, die Nürnberger Gesetze «zum Schutze des deutschen Blutes und der deutschen Ehre». In der Frankenmetropole ein Tribunal über die Hauptverantwortlichen durchzuführen, hatte eine besondere Bedeutung. In Nürnberg sollte kein Standgericht stattfinden, wie ursprünglich von Winston Churchill gefordert, auch kein Schauprozess nach sowjetischem Vorbild. Recht sollte gesprochen werden, das den Namen verdiente. Es ging um die Etablierung eines ethisch fundierten Gegenentwurfs zu der vom NS-Regime praktizierten Skrupellosigkeit. Der Prozess bot die historische Chance, sich über das Prinzip der Regierungsimmunität hinwegzusetzen und ein weltweites multilaterales System zu schaffen, das den Grundsätzen von Rechtsstaatlichkeit und Demokratie verpflichtet war.

Vor allem die Amerikaner wollten, dass die Welt den Prozess als gerecht empfand. Daraus resultierte der Versuch, die Schuld jedes Angeklagten individuell zu bemessen. Neben den Einzelpersonen nannte die Anklageschrift auch zentrale NS-Organisationen, deren kriminellen Charakter die Anklagevertreter nachweisen wollten: die Reichsregierung, das Korps der Politischen Leiter der NSDAP, die Gestapo, die SS und den SD, die SA, das Oberkommando der Wehrmacht und den Generalstab. Dass das Tribunal ein gigantisches Experiment werden würde, war allen Beteiligten klar. Es gab kein gültiges Gesetz, in dem stand, was einem Reichsmarschall oder einem Reichsminister verboten war. Man begab sich daher auf juristisches Neuland und musste improvisieren. Doch die Untaten der Angeklagten waren so «ausgeklügelt, böse und von verheerender Wirkung», wie der amerikanische Hauptankläger Robert H. Jackson in seiner Eröffnungsrede sagte, «dass die menschliche Zivilisation [...] eine Wiederholung solchen Unheils nicht überleben» würde. Es ging nicht nur um Sühne und Katharsis, sondern auch um Prävention.

Bereits während des Zweiten Weltkriegs waren die Hauptalliierten nach wiederkehrenden Berichten über nazistische Gräueltaten übereingekommen, Personen aus der Führungsschicht des NS-Staates zu bestrafen. Das Londoner Viermächteabkommen vom August 1945 bestimmte dann die Rechtsgrundlagen für einen Prozess gegen die Hauptkriegsverbrecher. Verfahrensrechtliche Grundlagen wurden geklärt, dazu die Art der zu verurteilenden Verbrechen. Eine Liste der Hauptkriegsverbrecher wurde erstellt. Dem Richtergremium des Militärgerichtshofs gehörte schließlich je ein Vertreter der vier alliierten Siegermächte an, der jeweils über einen Stellvertreter verfügte. Jedes der vier Länder hatte ferner eine eigene Anklagebehörde mit einem Hauptankläger an der Spitze sowie einer Reihe von Hilfsanklägern. Vier Anklagepunkte wurden erhoben: Verschwörung gegen den Frieden, Entfesselung und Führung eines Angriffskrieges, Kriegsverbrechen und Verbrechen gegen die Menschlichkeit. Da Frankreich und die Sowjetunion massiv unter der deutschen Okkupation gelitten hatten, lag es nahe, dass diese beiden Länder die Anklagen wegen Verbrechen gegen die Menschlichkeit und Kriegsverbrechen führen sollten. Briten und Amerikaner waren für die Verschwörung zur Begehung von Verbrechen gegen den Frieden und die Planung eines Angriffskrieges zuständig.

Am 20. November 1945 begann der Prozess in Nürnberg. Erstmals in der Geschichte der Strafjustiz konnte die Verhandlung in vier oder mehr Sprachen geführt werden. Die amerikanische Firma IBM hatte dem Gericht kostenlos eine spezielle Simultananlage für Dolmetscher zur Verfügung gestellt. Ein Schalter an jeder Stuhllehne im Saal ermöglichte es, die Anklage über Kopfhörer in englischer, russischer, deutscher oder französischer Sprache zu hören. Damit wurde das Tribunal zu einer Angelegenheit der Weltöffentlichkeit, denn auch die Berichterstatter konnten zeitgleich in den verschiedenen Sprachen am Prozessgeschehen teilhaben. Freilich versagte die neue Technik oft, so ausgerechnet bei der Verkündung des Todesurteils für Hermann Göring am 1. Oktober 1946, als die Anlage ausfiel.

Der immensen Bedeutung des Nürnberger Hauptkriegsverbrecherprozesses entsprach die Medienpräsenz vor Ort. Er war ein Medienereignis erster Ordnung, dem Korrespondenten aus aller Welt beiwohnten. Erklärtes Ziel der für den Prozess Verantwortlichen war es, ihn nicht nur schriftlich zu dokumentieren, sondern auch in Ton und

Bild für die Nachwelt festzuhalten. Er sollte als Geschichtslektion und «Lehrprozess» (Alfred Döblin) für nachfolgende Generationen inszeniert werden. Im Gerichtssaal gab es technisch gut ausgestattete *radioboxes*, die wie Schwalbennester an der Decke hingen. Über sie konnten die Kommentatoren direkt auf Sendung gehen – ein Novum in der Prozessgeschichte. Ein Augenzeuge hielt in einem Bericht für Radio Stuttgart seine Eindrücke fest: «250 Journalisten und Rundfunkberichterstatter sowie elf Photographen und Filmoperateure aus allen Teilen der Welt wohnen den Verhandlungen ständig bei. Am stärksten ist die amerikanische Presse mit 100 Vertretern zugegen. Das britische Weltreich stellt 50, Frankreich 40 bis 50 und Russland 25 bis 30 Vertreter.»[1] Die ganze französische Presse sei da gewesen, erinnerte sich später die Journalistin Madeleine Jacob. In der Tat war vom konservativen *Figaro* über den christdemokratischen *Aube* bis hin zur kommunistischen *Humanité*, der aus der Résistance hervorgegangenen *Libération* und Regionalzeitungen wie dem *Est républicain* jedes namhafte Blatt zeitweise vertreten.[2]

Auf der Anklagebank war das Pressekorps gefürchtet. «Im Gerichtssaal trafen wir auf abweisende Gesichter», bemerkte Albert Speer in seinen *Erinnerungen*. «Betroffen war ich, als die Journalisten anfingen, über unsere Strafhöhe Wetten aufzulegen und der Wettstand auf einen Tod durch Erhängen gelegentlich auch uns erreichte».[3]

Die Angeklagten, flankiert von amerikanischen Soldaten in weißen Helmen und weißen Handschuhen, saßen teilweise alten Bekannten von der Presse gegenüber. Dazu zählten William Shirer, Howard Smith, Louis Lochner oder Frederick Oechsner, die bis Anfang der 1940er-Jahre für US-Medien aus Deutschland berichtet hatten. Oechsner hatte von Berlin aus als Central European Manager die damalige *United Press* geleitet und war Vorgesetzter von Richard Helms, dem späteren Direktor der CIA, gewesen. Nach dem Eintritt der Vereinigten Staaten in den Zweiten Weltkrieg wurden Oechsner und andere Journalisten von der Gestapo fünf Monate lang in Bad Nauheim interniert, bis sie im Rahmen eines Gefangenenaustauschs freigelassen wurden. Nun sah man sich in Nürnberg unter anderen Umständen wieder.

Blick auf die Pressetribüne des Gerichtssaals. In der Mitte der dritten Reihe sitzt Willy Brandt

Deutsche Presse in der «Stunde null»

Deutsche Berichterstatter hatten in Nürnberg eine Sonderrolle inne, erlebte der deutsche Journalismus doch gerade erst einen Neuanfang. Als die Siegermächte Deutschland besetzten, wurde die von den Nationalsozialisten gesteuerte Presse verboten. Nachdem man von der Idee einer Vorzensur abgekommen war und zunächst Nachrichtenblätter der Militärregierungen publiziert hatte, wurden im Sommer 1945 erste Lizenzen an deutsche Zeitungen vergeben. Man benötigte eine neue deutsche Presse, um den natürlichen Nachrichtenhunger zu stillen und um eine Verständigung zwischen Besatzungstruppen und Bevölkerung zu gewährleisten. Die erste Lizenzzeitung, die *Aachener Nachrichten*, erschien am 20. Juni 1945, wenig später, am 1. August, folgte die *Frankfurter Rundschau*. Bei Prozessbeginn gab es 20 von den Amerikanern lizenzierte Zeitungen. Sie erschienen aufgrund des Papiermangels nur zwei- bis dreimal wöchentlich und umfassten wenige Seiten. Schließlich etablierten sich vier überregionale Zonenzeitungen, die als Modellzeitungen dienten, *Die Welt* in der britischen Besatzungszone, *Nouvelles de France* in der französischen, *Die Neue Zeitung* in der amerikanischen und die *Tägliche Rundschau* in der sowjetischen Zone.

Im Zuge der besatzungspolitischen Aufgabentrias von Demilitarisierung, Denazifizierung und Demokratisierung betrachteten die Alliierten es als besondere Aufgabe, die Medien von deutschen Journalisten freizuhalten, die bereits während des Nationalsozialismus dort gearbeitet hatten. Die Korrespondenten, die aus dem Justizgebäude für die lizenzierten Zeitungen berichteten, entstammten anfangs fast ausschließlich den Ländern der Siegermächte. Im Rahmen der Bildungsarbeit sollten ihre Artikel Vorbildfunktion für die Deutschen haben. Schließlich setzte sich aber die Einsicht «Germans reporting to Germans» durch, und man ließ auch deutsche Journalisten in den Justizpalast. Sie mussten sich im Rotationsprinzip auf den sieben Sitzen abwechseln, die man ihnen im Gerichtssaal von den rund 250 Presseplätzen zugewiesen hatte. Die Russen gaben von ihrem Kontingent fünf Sitze an deutsche Korrespondenten aus ihrer Zone ab.[4] Unter den Befürworteten befand sich auch der 22-jährige Markus Wolf, der spätere Leiter des DDR-Auslandsnachrichtendienstes.

Die Deutschen pochten auf ihr Recht, selbst zu berichten und sich ein Urteil bilden zu dürfen. Theodor Heuss, der Chefredakteur der *Rhein-Neckar-Zeitung* und spätere Bundespräsident, formulierte am 5. September 1945 selbstbewusst in einem mit «Deutsche Presse» betitelten Leitartikel: «Es ist eine Chance gegeben, dass deutsche Männer unter freier Verantwortung gegenüber der Militärregierung wie gegenüber dem deutschen Volke versuchen können, selber die Sinndeutung des deutschen Schicksals aufzunehmen und nach ihrem Verstehen dem schweren und langen Genesungsprozess zu dienen. Wir haben diese Möglichkeit ergriffen in voller Erwägung der psychologischen und sachlichen Schwierigkeiten. [...] Fördernde Teilnahme mag uns willkommen, höhnender Spott wird uns völlig gleichgültig sein.»[5]

Dass die Amerikaner bei ihren Akkreditierungen nicht immer ein glückliches Händchen hatten, zeigt die Geschichte des Hochstaplers Walter Ullmann. Als sie kurz vor Kriegsende den in Wien geborenen Ullmann aus dem Zuchthaus in Moosburg befreiten, gab dieser sich kurzerhand als vom NS-Regime Verfolgter aus. Unter dem Namen Dr. Jo Lherman hatte er in den 20er-Jahren in Berlin eine Experimentierbühne geleitet, über die auch Erich Kästner berichtete. Nun, nach zahlreichen Betrügereien und Gefängnisaufenthalten, trat er als Dr. Gaston Oulmàn auf und ernannte sich zum Chef eines kubanischen Pressebüros. Tatsächlich hatte er für verschiedene österreichische Zeitungen bereits vom Spanischen Bürgerkrieg berichtet. Es gelang ihm, das Vertrauen des amerikanischen Rundfunkbeauftragten für Bayern zu gewinnen. Oulmàn, in selbstentworfener Uniform mit kubanischer Flagge auf der linken Schulter, wurde zum offiziellen Prozessberichterstatter für Radio München, nicht zuletzt, weil er die deutsche Sprache so gut beherrschte.

Täglich außer sonntags wurde zur Primetime um 20 Uhr 15 sein «Kommentar aus Nürnberg» gesendet – jeweils eine Viertelstunde lang. Bis zum Ende des Prozesses verfasste Oulmàn etwa 300 Kommentare. Sie wurden von den Zuhörern wegen ihres beständig scharfen und pompösen Tons kontrovers diskutiert. Immer wieder zog Oulmàn mit bissigen Worten über Zeugen her. Den Widerstandskämpfer General

Lahousen etwa nannte er aufgrund seines Äußeren respektlos einen «Postmeister». Seine abschließende Stellungnahme zu den Urteilssprüchen wurde von Millionen gehört. Weil er darin aber Mitgefühl für die Verurteilten durchblicken ließ und sich kritisch zu den Urteilssprüchen äußerte, fiel er bei den Alliierten in Ungnade. Zu Görings Schuldspruch sagte er: «Vielleicht war dieses Urteil nur ein einziges Mal nicht maßvoll – als es aussprach, dass es für Göring in diesem ganzen Verfahren nicht einen einzigen Punkt und nicht ein einziges Merkmal gefunden hätte, das zu seinen Gunsten hätte sprechen können, nicht einen allereinzigsten mildernden Umstand, und dass seine Verbrechen fast ohne Vergleich seien.»[6]

Oulmàns Vertrag bei Radio München wurde nicht verlängert. Als das amerikanische Konsulat in München nach Kuba schrieb, um für ihn neue Papiere anzufordern, da er sie angeblich verloren hatte, flog das Schelmenstück auf. In Havanna kannte ihn niemand. «Wir bedauern, Ihnen die gewünschten Papiere nicht ausstellen zu können», teilte der amerikanische Konsul Oulmàn mit, «da sich der Nachweis Ihrer kubanischen Staatsangehörigkeit nicht erbringen lässt.»[7] Oulmàns Camouflage wurde von den Amerikanern bis zum Ende des Prozesses geheim gehalten. Der Skandal wäre zu groß gewesen, hätte man ihn auffliegen lassen. So ahnten Oulmàns Nürnberger Korrespondentenkollegen bestenfalls, dass mit dem deutsch sprechenden Kubaner etwas nicht stimmte.

Ein ebenfalls von den Amerikanern akkreditierter Journalist war der in Mannheim geborene Jude Ernst Michel, der für die *Rhein-Neckar-Zeitung* schrieb. Mit Unterstützung von Theodor Heuss durfte Ernst Michel als einziger Auschwitz-Überlebender im Frühjahr 1946 über den Nürnberger Prozess berichten. Einige zusätzlich zu den Prozessberichten geschriebene persönliche Artikel trugen die Verfasserzeile «Sonderberichterstatter Ernst Michel. Auschwitz-Nummer 104995». Wie durch ein Wunder hatte Ernst Michel Auschwitz überlebt. Er hatte im richtigen Moment den Finger gehoben, als in der Krankenbaracke nach einem Häftling mit schöner Handschrift gefragt wurde. Von da an war er als Schreiber tätig und verfasste die Listen kranker Häftlinge. In Auschwitz hatte er beide Eltern verloren. Auf einem Todesmarsch gelang ihm in Sachsen die Flucht; Michel kehrte nach Mannheim zurück, wo er nach überlebenden Familienmitgliedern suchte. Über eine

Empfehlung wurde er Theodor Heuss vorgestellt, der ihn für seine Zeitung engagierte.

Es ist kaum vorstellbar, was Ernst Michel im März 1946 empfand, als er einstige NS-Größen wie Julius Streicher, Herausgeber der antisemitischen Hetzschrift *Der Stürmer*, Ernst Kaltenbrunner oder Rudolf Heß, den «Stellvertreter des Führers», zum ersten Mal im Gerichtssaal sah. Als Hermann Göring erfuhr, dass ein Auschwitz-Überlebender vom Prozess berichtete, wollte er ihn kennenlernen und lud Michel über seinen Anwalt in seine Zelle ein: «Das Treffen war arrangiert worden unter der Prämisse, dass es dazu keine Aufzeichnungen geben würde», schrieb Michel in seiner Autobiografie. «Ich war nervös. Was sollte ich sagen? Sollte ich ihm die Hand schütteln? Sollte ich ihm Fragen stellen? Da ich darüber sowieso nicht schreiben konnte, warum begab ich mich in so eine schmerzhafte Situation? Göring stand auf, als Dr. Stahmer [Görings Anwalt] und ich seine Zelle betraten. Er war unter dauernder Bewachung. ‹Das ist der junge Reporter, nach dem Sie fragten›, sagte Dr. Stahmer und deutete auf mich. Göring sah mich an, machte Anstalten, mir die Hand zu geben, und drehte sich, als er meine Reaktion bemerkte, für einen Moment weg. Ich stand da, wie zur Salzsäule erstarrt. […] Ich stand da und starrte, während Dr. Stahmer die Vorgehensweise für den nächsten Prozesstag erörterte. Dann, einem Impuls folgend, stürzte ich plötzlich zur Tür und bat den Militärpolizisten, mich hinauszulassen. Ich konnte es nicht mehr ertragen.»[8]

Während Ernst Michel als Holocaust-Überlebender für eine deutsche Zeitung schrieb, gab es während des Prozesses auch jüdische Korrespondenten, die für die hebräische Presse in Palästina berichteten, etwa Robert Weltsch für die Tel Aviver *Haaretz*. Weltsch war im Press Camp Bettnachbar von Robert Jungk, ebenfalls Jude und späterer Träger des «Alternativen Nobelpreises», der unter anderem für die Zürcher *Weltwoche* berichtete. Shabse Klugman wiederum schrieb auf Jiddisch für das Presseorgan des Zentralkomitees der befreiten Juden in Bayern, *Undzer veg*. Als der Prozess begann, äußerten sich viele jüdische Korrespondenten positiv über die Alliierten und vertrauten darauf, dass die Befreier bei der Verfolgung der Mörder im Namen der Juden handeln würden. In der Tat erweckte die Zusammenfassung der Anklage zu Prozessbeginn in *Undzer veg* den Eindruck, dass das Hauptthema der

Massenmord an den europäischen Juden sein würde. Dieser Optimismus wich jedoch bald einer grundlegenden Enttäuschung. Neun Tage später bemerkte Shabse Klugman: «Die Ozeane unseres Blutes wurden in einen kleinen Rahmen mit dem Titel ‹Verbrechen gegen die Menschlichkeit› gepresst. Dort haben wir einen besonderen Platz mit dem Titel ‹Verbrechen gegen die Juden›.» Immer verzweifelter, schrieb er kurz darauf: «Wo ist unser Fall, unsere enorme Tragödie in diesem Tribunal?» Tatsächlich waren unter den 139 geladenen Zeugen des Prozesses nur drei Juden. Einer von ihnen, der litauische Dichter Avrom Sutzkever, der am 27. Februar 1946 aussagte, wurde vom russischen Ankläger L. N. Smirnow als Sowjetbürger vorgestellt. Als Sutzkever vor Gericht jiddisch sprechen wollte, wurde ihm dies mit dem Hinweis untersagt, es gebe keinen Übersetzer, er müsse Russisch sprechen, eine der vier Prozesssprachen.

Da die Franzosen die prozessuale Hauptzuständigkeit für die «Verbrechen gegen die Menschlichkeit» hatten, wäre es in ihrem Verantwortungsbereich gelegen, den Holocaust in den Mittelpunkt ihrer Anklage zu stellen. Doch sie waren bestrebt, das Thema zugunsten von nichtjüdischen französischen Zivilisten und Résistance-Kämpfern auszuklammern. Symptomatisch war ihre Zeugeneinberufung der nichtjüdischen Auschwitz-Überlebenden Claude Vaillant-Couturier.[9] Da der Holocaust jedes Maß menschlicher Vorstellungskraft überstieg, spielten wohl auch psychologische Faktoren wie Verdrängung eine Rolle – man wollte das Ausmaß der Verbrechen nicht wahrhaben. Der britische Richter Norman Birkett notierte, dass er die Berichte der sowjetischen Zeugen für «ziemlich übertrieben» hielt. Der amerikanische Chefankläger Robert H. Jackson wiederum glaubte, jüdische Zeugen könnten rachsüchtiger und weniger zuverlässig sein als andere, was der Wahrheitsfindung am Ende mehr schaden als nutzen würde.[10]

Deutsche Journalisten klagten häufig über die Zweiklassengesellschaft bei Gericht, sie fühlten sich ihren Kollegen aus anderen Ländern gegenüber benachteiligt. Ihre Artikel wurden kontrolliert und zensiert. In der sowjetischen Besatzungszone durften Beiträge ohne entsprechenden Sichtvermerk der Zensoren nicht veröffentlicht werden. Zwar wurde eine umfangreiche Berichterstattung von den Alliierten ausdrücklich befürwortet, aber kritische Analysen waren nicht erwünscht.

Auf Anweisung der Presseaufsicht mussten die Beiträge über den Prozess in den Zeitungen hervorgehoben werden. Knapp ein Drittel erschien auf Seite 1, ein weiteres Fünftel sogar auf einer Sonderseite.[11] Durch eine solche Aufmachung sollte es den Lesern erschwert werden, diese Berichte zu ignorieren. Die Nachrichtenkontrolle wurde in der amerikanischen Besatzungszone auch dadurch garantiert, dass die von den Amerikanern gegründete Deutsche Allgemeine Nachrichtenagentur (DANA), deren Beiträge vorzensiert wurden, die Prozessberichterstattung überwachte.[12]

Anfangs wurden deutsche Journalisten geradezu physisch ausgegrenzt. Aufgrund des Fraternisierungsverbots ging man ihnen aus dem Weg. Einlass bei Gericht erhielten sie nur über einen gesonderten Eingang mit gelbem Presseausweis, während die ausländischen Berichterstatter einen blauen Ausweis hatten, der ihnen auch Zugang zum PX gewährte, dem Einkaufszentrum mit amerikanischem Angebot. Um eine Bleibe in Nürnberg mussten sich die Deutschen selbst kümmern, das Press Camp durften sie nicht betreten. In einem Brief vom 9. April 1946 an General Robert A. McClure, den Leiter der amerikanischen Informationskontrolle, kritisierten acht deutsche Journalisten, «dass die Lage der beim Prozess akkreditierten deutschen Pressevertreter physisch und psychologisch nicht dem entspricht, was im Interesse unserer Leistungsfähigkeit zu wünschen und zu erwarten wäre». Erika Neuhäuser von der *Stuttgarter Zeitung* meinte, sie und ihre Kollegen fühlten sich manchmal «wie in einer Strafkolonie».[13] Zwar wurde die Situation für die deutschen Berichterstatter nach einer Intervention McClures im Frühjahr 1946 besser – sie durften mit alliierten Prozessberichterstattern kommunizieren, was bis dahin untersagt war, wurden in der Mittagspause in der Kantine des Gerichts verköstigt und erhielten einen angemessenen Arbeitsraum –, doch die übrigen Probleme bei Versorgung und Unterbringung blieben bestehen.

Im Faberschloss

Den Vertretern der anderen Länder erging es besser. Für sie stand außerhalb Nürnbergs ein sorgsam bewachtes Pressequartier mit Betten, Verpflegung und Shuttle-Service zur Verfügung, das internationale Press Camp auf dem Schloss der Grafen von Faber-Castell. Das Schloss war ein aus zwei Bauteilen, dem Alten und dem Neuen Schloss, bestehender Komplex aus dem 19. und frühen 20. Jahrhundert. Zu dem großen Anwesen gehörten ein Park, eine Villa und weitere Gebäude. Insgesamt sieben wurden als Press Camp genutzt, darunter, als Hauptgebäude mit Speisesälen und Bar, das eigentliche Schloss. Am Eingang hing ein Schild mit der Aufschrift «Zutritt für Deutsche verboten».

Wie streng das Einlassverbot gehandhabt wurde, erfuhr der Journalist Hans Rudolf Berndorff am eigenen Leib. Berndorff, ehemaliger Chefreporter im Ullstein Verlag, war nach Nürnberg mit einem gewissen Mr. Forrest gekommen, einem Berichterstatter für das englische Nachrichtenbüro German News Service. Der sympathische Brite, der nur gebrochen Deutsch sprach, nahm sich Berndorffs an. «Ich selbst flog aus dem Schloss ebenso schnell heraus, wie ich hineingekommen war», schrieb Berndorff ungerührt flapsig, «aber Forrest war ein Mann von Phantasie. Er sagte zu mir: ‹Herr Berndorff auf der Straße bleiben? Quatsch! Ich gehe nicht eher ins Bett, bevor Herr Berndorff auch ins Bett!› Kein Quatsch! Er fuhr zum Bürgermeister des Ortes und fragte: ‹Wer war hier im Orte Nazi?› Der Bürgermeister dachte lange nach und sagte: ‹Ich glaube, alle!› Forrest wies auf ein Häuschen und fragte, ob der Mann dort Nazi war, ‹ja›.» Schließlich gelang es Forrest, die ansässige Familie mit Bestechungsgaben wie Butter und Schokolade zu überreden. Berndorff blieb in Stein, wenn auch außerhalb des Presselagers.[14]

Die Verantwortlichen waren bemüht, die Gebäude nach Geschlecht und Berufsgruppe aufzuteilen, aber auch den politischen Erfordernissen der Zeit zu entsprechen. Es war der Ost-West-Polarisierung geschuldet, dass die sowjetischen Korrespondenten gesondert im «Roten Haus» unterkamen. Den Frauen und Ehepaaren stellte man die im Park gelegene Villa zur Verfügung. Die Radiotechniker wiederum lebten im sogenannten Grünen Haus.[15]

Die Empfangshalle im Schloss zur Zeit des Press Camp

Die Innenräume des Schlosses waren imposant, aber auch durch die militärische Nutzung im Krieg – der Turm hatte als Flakabwehrstellung gedient – durch Flecken und Scharten verunstaltet. Der amerikanische Chefankläger Robert H. Jackson hatte es abgelehnt, die Nürnberger Anklagestäbe im Schloss unterzubringen. Für die internationale Pressegemeinde schien es als Quartier zu genügen. Einige Korrespondenten, darunter William Shirer, sahen dies jedoch anders. Sie waren komfortablere Presselager gewohnt wie das Hotel Scribe in Paris, ein Luxushotel im Herzen der Stadt, das nach der Befreiung von den Deutschen 1944 als Press Camp genutzt wurde.[16] In Stein, wo die Berichterstatter isoliert waren, beklagten sich viele über die überfüllten, unzureichenden und chaotischen Wohnverhältnisse. Teilweise mussten sie zu zehnt auf Armeefeldbetten in einem Raum schlafen. Um die selten funktionierenden Telefonverbindungen gab es Gerangel. Die sanitären Anlagen reichten bei weitem nicht aus, vor den wenigen Waschräumen bildeten sich jeden Morgen Schlangen. Im Pyjama liefen die Pressevertreter auch bei eisigen Temperaturen über den Innenhof, berichtet Peter de Mendelssohn, um das Badezimmer im Nachbargebäude zu erreichen.

Konzentriertes Arbeiten war im Schloss kaum möglich. «Das Leben hier ist so verdammt kompliziert und unangenehm, dass ich es sehr schwierig finde, etwas richtig zu machen», schrieb Mendelssohn seiner Frau Hilde Spiel nach London. «Das Schloss, in dem wir untergebracht sind, ist so riesig und gleichzeitig so überfüllt, dass es fast unmöglich ist, einen ruhigen Ort zu finden, an dem man sitzen, schreiben oder nachdenken kann. Wir haben einen großen Arbeitsraum für alle Korrespondenten, und es klappern immer bis zu 30 oder 40 Schreibmaschinen zusätzlich zu einem Lautsprecher, der Ansagen macht, und einem Pianisten vor der Tür, der für die Faulenzer spielt. Die Bar befindet sich direkt vor dem Arbeitsraum. Es ist eine schwierige Atmosphäre.»[17]

Willy Brandt, der damals im Press Camp Quartier nahm und mit norwegischem Pass für die skandinavische Arbeiterpresse berichtete, sah es pragmatisch: «Unter einem Schlossleben stellt man sich etwas anderes vor als Schlafsäcke und Feldbetten. Doch zur Einstufung als *War Correspondent* passte dies wieder ganz gut.»[18] Tatsächlich lautete die offizielle Bezeichnung der Berichterstatter noch immer *War Correspondent*, obwohl der Krieg seit Monaten vorbei war.

Auch die Ästhetik des Schlosses sagte nicht allen Bewohnern zu. Häufig wurde der mächtige Bau als misslungen dargestellt. Da ist von «German Schrecklichkeit» die Rede, von einem «monumentalen Beispiel für schlechten Geschmack», davon, dass der «ganze Komplex» ein «Alptraum» sei. Die Besitzerfamilie wurde mitunter direkt angegangen. «Wie viele Bleistifte waren nötig», fragte Elsa Triolet, «um den Fabers die Möglichkeit zu geben, solch ein durch und durch hässliches Schloss zu bauen?» Rebecca West sah in Architektur und Innengestaltung deutsche Charaktereigenschaften verkörpert.

Zur Ehrenrettung des Bauwerks muss freilich gesagt werden, dass die ausländischen Korrespondenten nach Kriegsende selten wohlwollend über Deutsches sprachen. Zumal in Nürnberg, wo zum ersten Mal das ganze Ausmaß der von Deutschen begangenen Verbrechen aufgedeckt wurde. Die Anzahl der sogenannten Vansittartisten unter den anglo-amerikanischen Berichterstattern, der Verfechter einer streng antideutschen Linie, war beträchtlich. Einige, darunter Janet Flanner und Martha Gellhorn, gaben in ihrer Privatkorrespondenz unumwunden zu, dass sie die Deutschen hassten. Auch fanden die Berichterstatter das Schloss, das heute in kunsthistorischer Hinsicht als ein «bemerkenswertes Beispiel» für Historismus und Jugendstil in Franken gilt,[19] in einem renovierungsbedürftigen Zustand vor.

Die Arbeitsbedingungen der Journalisten waren unterschiedlich, was auch der technischen Infrastruktur und den Möglichkeiten der einzelnen Nationen geschuldet war. Willy Brandt etwa konnte von Nürnberg aus nicht nach Oslo telefonieren, es gab keine Verbindung. Telegramme musste er über London oder Kopenhagen schicken. Da die Nachrichtenübermittlung lange dauerte, musste er seine Artikel so verfassen, dass sie bei Publikation nicht an Aktualität verloren hatten.[20]

Mit den Nürnberger Nachfolgeprozessen zwischen 1946 und 1949 verbesserten sich die Lebens- und Arbeitsumstände. Service und organisatorischer Unterbau wurden besser. Es waren auch deutlich weniger Korrespondenten zu Gast. Dolmetscher, die als Angestellte der Besatzungsmächte arbeiteten, lebten ebenfalls im Schloss, ihnen standen – so ein begeisterter Bewohner – «Riesenzimmer mit Badezimmern, phantastisches Essen, Trinken, Aufenthaltsräume, Autos jederzeit zur Verfügung».[21] Dass man sich im Presselager aber auch während des Hauptkriegsverbrecherprozesses wohl fühlte, beweisen die erhaltenen Fotografien, auf denen sich die Vertreter der Weltpresse beschwingt beim Dinner im Ballsaal oder beim Schachspiel in den gräflichen Fauteuils zeigen.[22]

Eine noblere Presseunterkunft

Zum Unwillen der Kritiker trug bei, dass es neben Schloss Faber-Castell noch eine weitere Presseunterkunft gab, die komfortabler war und den prominentesten unter den Korrespondenten vorbehalten blieb: das Grand Hotel nahe des Nürnberger Hauptbahnhofs, in dem während des Zweiten Weltkriegs eine Geschäftsstelle der Reichskanzlei untergebracht war. Es war von der US-Militärverwaltung vor allem für repräsentative Zwecke ausgewählt worden. Immer wieder wurden dort spektakuläre Empfänge veranstaltet. Die innerstädtische Unterkunft diente offiziellen Besuchern als Quartier, die nur kurze Zeit in der Stadt blieben, insbesondere Spitzenvertretern der zum Prozess entsandten Delegationen der Siegermächte, aber auch renommierten Gästen aus der Welt der Medien. Draußen warteten oft Kinder und Kriegsversehrte, um sich auf die Zigarettenkippen zu stürzen, die die Privilegierten wegwarfen.

Im Grand Hotel nächtigten etwa die russischen Autoren Ilja Ehrenburg und Konstantin Fedin oder die französische Prix-Goncourt-Gewinnerin Elsa Triolet. Marlene Dietrich, die kurzzeitig als Prozessbeobachterin in Nürnberg war und später die Hauptrolle in dem Spielfilm *Das Urteil von Nürnberg* übernehmen sollte, fand dort ebenfalls eine Bleibe. Im Gegensatz zu den Feldbetten auf Schloss Faber-Castell konnten die Gäste im Grand Hotel wenigstens in zweckentfremdeten Krankenhausbetten schlafen. Dass diese teilweise noch ein Schild für die Krankengeschichte am Fußende hatten, tat der Bequemlichkeit keinen Abbruch. Irritierend war bestenfalls das Essbesteck im Speisesaal, das noch immer mit Adler und Hakenkreuz an den Griffen bestückt war. Die russischen Journalisten gaben dem Hotel scherzhaft den Namen «Koryphäum», weil dort ihre Koryphäen untergebracht waren. Die als «Koryphäer» gehänselten Hotelbewohner rächten sich, indem sie das Press Camp «Chaldäum» nannten nach dem bekannten russischen Fotografen Ewgeni Chaldej, der dort logierte.

Auch wenn das kriegsversehrte Grand Hotel eine Baustelle war – in den Fluren hingen elektrische Leitungen lose umher, sanitäre Einrichtungen wie Toiletten, Badewannen und Waschbecken warteten darauf, installiert zu werden –, war es das innerstädtische Zentrum des gesellschaftlichen Lebens. In Nürnberg herrschte ein nächtliches Ausgangsverbot. Im Grand Hotel trafen sich die Prozessteilnehmer nach getaner Arbeit, denn der Abend diente der Entspannung. «Der Marmorsaal [...] ist jeden Abend gerammelt voll», schrieb Elsa Triolet. «Frauen und Männer in Uniform und in Zivil. Man sieht dort Juristen, Sekretärinnen, Übersetzer, die Presse, die Anklage tanzen. Und man sieht dort, das ist keine Legende, die Richter das Tanzbein schwingen.»[23] Die beiden Presseunterkünfte waren allerdings keineswegs voneinander isoliert. Es herrschte ein reger Besucheraustausch, Bewohner der einen besuchten die andere, des Vergnügens oder des Informationsgewinns wegen. Gäste des Grand Hotel kamen regelmäßig nach Schloss Faber-Castell, wo es, zur Freude etwa der russischen Starkorrespondenten, ungezwungener und rustikaler zuging. Auch schätzte man den weitläufigen Schlosspark, der den vom Anblick der innerstädtischen Trümmerwüste deprimierten Kollegen Erholung bot.

Bildende Künstler

Unter den Gästen der Presselager befanden sich auch Gerichtszeichner und Karikaturisten, die Zeichnungen der Angeklagten für Zeitungs- und Zeitschriftenverlage anfertigten. Diese Künstler spielten eine wichtige Rolle bei der Dokumentation des Prozesses, da Fotografen aus rechtlichen Gründen nicht immer im Gerichtssaal anwesend sein durften. Die Bandbreite ihrer Arbeiten reichte von quasi fotografischen Bleistift- und Tuschezeichnungen über flüchtige Skizzen bis zu Karikaturen. Zu den Zeichnern gehörte Edward Vebell, der für die amerikanische Armeezeitung *Stars and Stripes* tätig war und realistisch arbeitete. Als Karikaturisten waren unter anderen David Low für den *Evening Standard* zugegen, der Hermann Görings Körpersprache im Blickfeld hatte, oder der russische Karikaturist Boris Jefimow, der die Angeklagten gerne mit Raubvogelnasen und überlangen, habgierigen Fingern porträtierte.

Eine Ausnahmestellung hatte die britische Impressionistin Laura Knight inne, die ab Januar 1946 standesgemäß in einer Suite im Grand Hotel residierte. Während des Zweiten Weltkriegs war sie für das War Artists' Advisory Committee als Kriegsmalerin in England tätig gewesen. Nun war sie in offizieller Mission für drei Monate nach Nürnberg geschickt worden, um den Prozess in einem Ölgemälde zu verewigen. Es sollte in der Sommerausstellung der Royal Academy in London gezeigt werden. Knights in Nürnberg geschaffenes Gemälde *The Nuremberg Trial* weicht vom Realismus ihrer früheren Kriegsgemälde ab, indem es zwar die auf der Anklagebank sitzenden Kriegsverbrecher

Laura Knight, The Nuremberg Trial, 1946, Öl auf Leinwand

Günter Peis, Zeichnung von Hermann Göring im Gerichtssaal, Oktober 1946

realistisch darstellt, auf die Rück- und Seitenwände des Gerichtssaals aber verzichtet, um eine zerstörte Stadt zu enthüllen, die teilweise in Flammen steht. Dieser Hintergrund, ein schauerliches Panorama der Verwüstung, klagt eindringlicher an als das berufene Gericht. Knight erklärte die Art der Darstellung in einem Brief an das War Artists' Advisory Committee: «In dieser zerstörten Stadt sind Tod und Zerstörung immer präsent. Sie mussten ins Bild kommen, ohne sie wäre es nicht das Nürnberg, wie es sich jetzt während des Prozesses präsentiert. Denn der Tod von Millionen und die völlige Verwüstung sind die einzigen Gesprächsthemen, wohin man geht – was auch immer man tut.» Auf der Ausstellung der Royal Academy wurde das Gemälde dann eher kühl aufgenommen.[24]

Wie Laura Knight war auch Günter Peis kein Bewohner des Faberschlosses, allerdings nicht wegen seiner Prominenz, sondern wegen seiner Nationalität. Während des Zweiten Weltkriegs musste der gebürtige Österreicher im Alter von 17 Jahren dem Volkssturm beitreten. Nach dem Krieg besuchte er ein von Amerika gesponsertes Umerziehungsprogramm an einer Journalistenschule in München. Von dort aus wurde er als Delegierter nach Nürnberg geschickt, wo er als jüngster Journalist mit nur 19 Jahren von einer Dachluke aus den Hinrichtungen der Kriegsverbrecher zusah. Günter Peis, der heute als Pionier des investigativen Journalismus gilt, war ein Multitalent. Er schrieb während des Prozesses Artikel, griff aber auch regelmäßig zum Zeichenblock. Mit seinen Skizzen dokumentierte er den Prozess und erfasste die Merkmale der Angeklagten. Seine Karikaturen, mit denen er ebenso Richter, Ankläger und Kollegen bedachte, dienten aber auch der Auflockerung in einem emotional anspruchsvollen Umfeld. Der österreichisch-jüdische Journalist William Stricker schrieb über Peis' Abbildungen in *Das Nürnberger Extra Blatt*, einer von deutschen Berichterstattern herausgegebenen humoristisch-selbstironischen Broschüre, «sie seien Ausdruck des Rechts der freien Presse, sich nach getaner Arbeit über sich selbst lustig zu machen».[25]

Der Problemlöser: Ernest Cecil Deane

Das Steiner Press Camp stand seit Oktober 1945 unter dem Oberkommando von General Lucian Truscott, der als Nachfolger von General George S. Patton Militärgouverneur von Bayern geworden war. Die Verantwortung vor Ort übertrug Truscott an den US-Presseoffizier Charles Madary. Madary war seit August 1945 damit beschäftigt, das Schloss für die Ankunft der Korrespondenten vorzubereiten. Er ließ Räume umbauen und umfunktionieren. Aus dem repräsentativen Gobelinsaal wurde ein Großraumbüro, in dem die Korrespondenten ihre Artikel tippten. In den gräflichen Privaträumen reihte sich Feldbett an Feldbett. Es gab einen Salon, ein Spielzimmer und eine Bibliothek, und im Marstall wurde ein Kino eingerichtet. Gegessen wurde im ehemaligen Ballsaal und im Speisesaal, gemeinsam mit den Bewohnern der anderen Unterkünfte.

Lebendige Einsichten in das Alltagsleben im Presselager vermittelte

Madarys Assistent Ernest Cecil Deane. «Ernie» Deane, dessen Briefe in der Stanford University archiviert wurden, schrieb seiner Frau mehrmals wöchentlich. Da Madary aufgrund von längeren Auslandsaufenthalten häufig abwesend war, war Deane der eigentliche Kommandant des Press Camp. Er diente den Korrespondenten als Ansprechpartner und blieb bis Juni 1946. Der 34-Jährige, der an der Universität von Arkansas Journalismus studiert hatte, war 1942 der US-Armee als Presseoffizier beigetreten und mit dem Vorrücken der Truppe 1945 nach Bayern gekommen. Im Oktober 1945 schrieb er seiner Frau von Bad Wiessee aus über seine neue Tätigkeit: «Die Presse wird auf dem ehemaligen Faber-Anwesen untergebracht und verköstigt, einem fabelhaften Ort mit einem kleinen Palast. Faber war der Bleistiftmagnat Deutschlands, vielleicht kennst Du Eberhardt-Faber-Bleistifte. Ich habe viele von ihnen benutzt. Wie auch immer, der alte Faber baute sich einen schönen Ort, Marmortreppen, dekorative Arbeiten aus Perlmutt an den Wänden usw. [...] Mein Job trägt den Titel ‹Verbindungsoffizier› zwischen dem Press Camp und dem Gerichtsgebäude, was bedeutet, dass ich es wahrscheinlich sein werde, der in der Art eines *trouble-shooters* versucht, zornige Korrespondenten zu beruhigen, die sich über alle möglichen Dinge, Transportmittel, Lebensmittel, Kommunikation, Nachrichten usw. aufregen. Es sollte eine lebhafte Aufgabe sein.»[26]

Es wurde in der Tat eine lebhafte Aufgabe, denn Deane war nicht nur *trouble-shooter* und Bindeglied, sondern auch Maître de Plaisir. Das Press Camp war Unterkunft und Verköstigungsort, aber auch ein Ort des Amüsements und der Zerstreuung. Immer wieder kamen Gäste angereist, um am geselligen Leben teilzunehmen – nicht allein aus dem Grand Hotel im Nürnberger Stadtzentrum, auch aus Zirndorf, wo die französische Delegation wohnte, oder aus Dambach, wo der amerikanische Chefankläger und seine Mitarbeiter in sieben Villen untergebracht waren. Im Press Camp konnte man sich gut unterhalten. Besucher, die an anderen Neuigkeiten interessiert waren als denen, die in der Armeezeitung *Stars and Stripes* standen, schnappten dankbar Informationen auf. Häufig kamen hochrangige Besucher wie Generäle oder einflussreiche Herausgeber von US-Zeitungen zu Besuch, die in den repräsentativen Sälen mit mehrgängigen Dinners verköstigt wurden. Deane hatte einen kleinen Frauenchor aus deutschen Kellnerinnen zusammengestellt, die für die internationalen Gäste deutsche Volkslieder und – als komische Einlage – mit starkem Akzent amerikanische Unterhaltungssongs zum Besten gaben. Seiner Frau schrieb Deane, sie solle ihm Klavierauszüge von amerikanischen Songs schicken, die er dem deutschen Barpianisten aushändigen wolle.

Das Spielzimmer erfreute sich regelmäßiger Besucher. Markus Wolf, mit russischem Pass versehen, berichtet, wie er im Faberschloss lernte, Poker zu spielen. Horizonterweiternd waren nicht nur fremde Spiele, unbekannte Musik und die babylonische Sprachenvielfalt, sondern auch kulturelle Besonderheiten. Erstaunt zeigte sich Wolf, als er im Schloss Dudelsackbläser in Kilts sah. Sie spielten beim *Burns supper*, dem von Schotten organisierten Fest zu Ehren des Dichters Robert Burns. Die russisch-französische Schriftstellerin Elsa Triolet wiederum lernte in der Nürnberger Gerichtskantine das Prinzip der Cafeteria kennen, die Organisationsform eines Schnellrestaurants mit Selbstbedienung, wo man «auf einer langen Theke, der man sich im Gänsemarsch nähert, verschiedene Speisen zur Auswahl findet».

Den Korrespondenten wurde im Press Camp auch Gelegenheit geboten, sich sportlich zu betätigen. Walter Cronkite, der später als Hauptmoderator der CBS-Abendnachrichten Berühmtheit erlangte und zum «most trusted man in America» gewählt wurde, tat sich als Tischtennisspieler hervor.[27] Beliebt waren auch Ost-West-Duelle auf dem Schachbrett.

Am 19. Dezember 1945 fand eine große Tanzveranstaltung statt, an der selbst Robert H. Jackson teilnahm. Laut Deane, der für die Organisation verantwortlich zeichnete, wurde sie ein Misserfolg. «Alle möglichen Dinge gingen schief. Justice Jackson, der General und ihre Begleitung trafen anderthalb Stunden später ein als gedacht. Die Korrespondenten hatten alle Tische besetzt, die wir für die Besucher hergerichtet hatten, und wir mussten weitere aufstellen. Genau in dem Moment, als Jackson begann, den Abend zu genießen, spielte das *negro orchestra* einen langen Tusch und fing kurz darauf an, die Instrumente einzupacken. Ich rannte hinüber, um herauszufinden, was zum Teufel los war. Der verantwortliche Unteroffizier sagte mir, dass sie um 23 Uhr aufhören sollten zu spielen.» Über eine Extraportion Gin konnte Deane die Orchestermitglieder dann doch überzeugen weiterzuspielen.[28]

Alkohol, so liest man immer wieder, war bei allen einkalkulierten Risiken unverzichtbar für den reibungslosen Ablauf im Camp. Whiskey, Wodka oder Cognac überbrückten nicht nur Sprachbarrieren, sie hatten mitunter eine völkerverbindende Funktion. Amüsiert berichtet Deane, wie ein russischer Korrespondent vollkommen betrunken seinen amerikanischen Mitzechern «I luff you» zulallte und sich dabei kaum noch auf den Beinen halten konnte. Nach der Hinrichtung der Kriegsverbrecher gab das internationale Pressecorps einen großen Empfang im Schloss. Der Alkoholkonsum war enorm. Aus aller Welt waren Nationalgetränke eingeflogen worden, um das Ende des Prozesses zu feiern.

Deane war Ordnungshüter mit weitreichenden Befugnissen. Zu seinen Tätigkeiten gehörten auch unangenehme Aufgaben wie die kriminalistische Überführung eines amerikanischen Küchenmitarbeiters, der den Deutschen heimlich Essen verkaufte. Im Gerichtssaal kam es eines Tages zu Vandalismus, indem einige Korrespondenten Aufsätze von Kopfhörern als Erinnerungstrophäen stahlen. Auch Decken aus dem Presselager wurden zu beliebten Souvenirs. Deane musste das Diebesgut konfiszieren und sah sich zeitweise gezwungen, den Alkoholkonsum im Camp zu beschränken, weil Bewohner über die Stränge schlugen. Klagen über Missstände bekam er regelmäßig zu hören. Erika Mann etwa schimpfte über die unfähige Poststelle, die ihre gesamte Post zwei Monate lang nach Paris umgeleitet hatte.[29]

Das Presselager war auch Arbeitsstelle für die örtliche Bevölkerung. 150 Deutsche wurden als Mitarbeiter beschäftigt, unter anderem in der Küche, darunter auch Kriegsgefangene. Deane musste die Qualität der Speisen kontrollieren, bei Inspektionen durch seine Vorgesetzten Rede und Antwort stehen und die Schlafzimmer in Schuss halten.

Es war ein stetes Kommen und Gehen im Schloss. Nur ein harter Korrespondentenkern blieb in Nürnberg und erstattete kontinuierlich Bericht. Je spektakulärer der Prozess wurde, desto mehr Berichterstatter bewohnten das Camp: Die Sensationslust spielte für die Belegung eine wesentliche Rolle. Nach der Überfüllung zu Prozessbeginn mit knapp 300 Korrespondenten waren im Januar 1946 lediglich 175 Gäste im Lager. Bei Görings Kreuzverhör im März waren es wieder 200 – «Hermann the German», wie Deane den zweiten Mann im «Führerstaat» nannte, wirkte auf die Medienleute anziehend. Nach diesem

Scheitelpunkt ging die Belegungskurve wieder nach unten. Kurz vor der Urteilsverkündung war der Medienandrang dann aber so groß, dass Walter Gong in einem Bericht für die *Main Post* von der «Schlacht der Reporter» sprach.[30] Unterstrichen wurde die mediale Bedeutung des Ereignisses dadurch, dass sich erstmals seit Kriegsende die einzelnen Rundfunkstationen zu einem großen Senderverbund zusammenschlossen.

Den amerikanischen Medienvertretern stand Deane nicht unkritisch gegenüber. Im direkten Kontakt mit ihnen freundlich und teilweise devot, nahm er in seiner privaten Korrespondenz kein Blatt vor den Mund. Einige traten fordernd und arrogant auf, verlangten von ihm, Fahrzeuge für Ausflüge zu organisieren, baten um Vergünstigungen und anderes – Ansprüche, denen er nicht nachkommen konnte. Andere benahmen sich daneben, betranken sich, stürzten und verletzten sich oder begannen Streit. Dass viele US-Korrespondenten in ihren Berichten übertrieben und – unter dem Druck ihrer Redaktionen – sensationsheischend schrieben, machte Deane misstrauisch.

So titelte die *Newsweek* am 10. Dezember 1945 reißerisch «The Nuremberg Show», als ob es sich bei dem Prozess um eine Broadway-Aufführung handelte. Oft war das Prozessgeschehen unspektakulär, die Beweisaufnahme für die Zuschauer ermüdend, und es gab nichts Wesentliches zu berichten. Dann wurde die Explosion eines Blindgängers in Nürnberg, bei der niemand zu Schaden gekommen war, medial gerne zu einem Bombenattentat auf die Alliierten umgedeutet oder eine Gewalttat als Anschlag dargestellt. «Mach Dir keine Sorgen über die Dinge, die Du in den Zeitungen über Nürnberg liest», schrieb Deane seiner Frau. «Die Korrespondenten sind in Scharen hier und der Prozess ist die meiste Zeit sehr langweilig. Sie müssen nach sensationellen Geschichten suchen, um ihre Chefs in New York davon zu überzeugen, dass sie arbeiten. Selbst die kleinste Gewalttat wird deshalb groß geschrieben.»[31]

Beliebt war in diesem Zusammenhang auch das *name dropping*, die Nennung berühmter Namen, um den Anschein zu erwecken, man kenne die Genannten. George W. Herald, der für die amerikanische Nachrichtenagentur INS berichtete, will eines Tages Ernest Hemingway und John Steinbeck im Badezimmer des Press Camp begegnet sein. «Eines Morgens verwechsle ich halb verschlafen meine Zahnbürste mit der meines Nebenmannes, der sagt: ‹Verzeihung, diese Bürste trägt meine Initialen. Mein Name ist Steinbeck, John Steinbeck.› Im Hintergrund planscht John Dos Passos vergnügt in der Badewanne, und ein paar Schritte von uns beklagt sich Ernest Hemingway, mit nichts als einem Frottiertuch um den Bauch, über die lokalen Weinsorten.»[32] So schön die Anekdote um die drei reinlichen Weltliteraten auch sein mag – es lässt sich kein Beleg finden, dass Hemingway und Steinbeck den Gerichtssaal oder das Faberschloss je besucht hätten.

Ost-West-Konflikte

Deane musste auch politisch-kulturelle Konflikte schlichten. Als es um die Organisation der von den westlichen Korrespondenten befürworteten Weihnachtsferien Ende Dezember ging – das Gericht blieb vom 21. Dezember bis Neujahr geschlossen –, opponierten die sowjetischen Bewohner, da sie sich übergangen fühlten: Das russisch-orthodoxe Weihnachtsfest am 7. Januar würde in der Planung gar nicht berücksichtigt. Die Russen protestierten später noch einmal, weil die russischen Tageszeitungen, die jeden Morgen für die Allgemeinheit im Schloss auslagen, zu oft von Russischlernenden entwendet würden.[33]

Räumlich abgesondert, lebten die sowjetischen Journalisten auf der anderen Seite der Kreuzung vor Schloss Stein im ehemaligen Beamtencasino, das die Amerikaner *Russian Palace* oder *Red Palace* nannten. Anfangs wohnten auch die sowjetischen Berichterstatter im Schloss, doch wie der Fotograf Eddie Worth erzählt, intervenierte die sowjetische Geheimpolizei und beendete das multikulturelle Zusammenleben. Zum Unwillen der Politoffiziere schienen sich die sowjetischen Korrespondenten nämlich an das angenehme Leben und den Austausch mit den Westalliierten zu gewöhnen. «Morgens kamen die Russen herunter», so Eddie Worth, «packten so viele Eier wie möglich auf die Teller, übergossen sie mit Heinz-Tomatensauce und all diesen Dingen, die sie noch nie gesehen hatten. Und das war nur die Vorspeise! […] Wir wurden von einem alten deutschen Soldaten aus dem Ersten Weltkrieg betreut. Eines Tages kamen wir zurück und bemerkten, dass keine Russen mehr da waren. Wir fragten ihn, was los sei. Er erzählte uns, dass einige sehr böse aussehende Herren mit rotem Hutband da gewesen seien. Offensichtlich hatten einige der [Korrespondenten] über die tolle Zeit gesprochen, die sie im Schloss hatten – auf jeder Etage gab es einen Flügel, gemeinsames Singen und Alkohol jeden Abend. Schließlich trieben sie sie zusammen und brachten sie in Ställen an der Straße unter.»[34]

Auch wenn das ehemalige Beamtencasino kein Stall war, fand der Ost-West-Konflikt, der sich auf der Weltbühne langsam anzubahnen begann, auch im Press Camp Niederschlag. Insbesondere die Vorschriften aus Moskau waren streng, sowohl in zwischenmenschlicher als auch in professioneller Hinsicht. Persönliche Beziehungen zu nichtsowjetischen Personen waren den sowjetischen Medienleuten verboten. Ihre Artikel wurden kontrolliert und zensiert, sie mussten ideologisch ins Weltbild passen. Während die britischen und amerikanischen Korrespondenten ihre Arbeit eher mit professioneller Distanz verrichteten, warfen sich ihre sowjetischen Kollegen in pathetischem Ton gern in die Pose des antinazistischen Staatsanwalts.

Bei ihren abendlichen Diskussionen im Press Camp, wo der Alkohol stets reichlich floss und man sich trotz Aufpassern nahekam, schenkten sich die Vertreter der beiden Blöcke nichts. Wenn man dem *Prawda*-Korrespondenten Boris Polewoi glauben darf, ging es bei aller Gegensätzlichkeit in der Sache laut, meist aber respektvoll zu, doch ein Unterton des Misstrauens war nicht zu überhören. «Sehen Sie, in meiner Zeitung kann ich jedem Senator, jedem Kongressabgeordneten die Leviten lesen, mir passiert nichts», meinte ein Vertreter einer amerikanischen Zeitungsgruppe. «Können Sie das?», fragte er seine sowjetischen Kollegen provokativ. Kühl konterte ein Russe: «Und Ihrem Boß? Einem Senator oder Abgeordneten, mit dem Ihr Boß befreundet ist und auf dessen Linie er liegt, können Sie dem auch die Leviten lesen? Na? Wird man Sie drucken? Und wenn, was passiert Ihnen dann?»[35]

Damit war ein wunder Punkt getroffen. Tatsächlich wurde William Shirer später vom Vorstand der CBS entlassen, weil er abweichende politische Positionen vertrat. In Nürnberg lagen die Dinge allerdings noch anders. Amerikanische Berichterstatter beurteilten den Prozess durchaus differenziert, bis hin zu Fragen der Rechtmäßigkeit, was die sowjetischen Korrespondenten nie hätten tun dürfen. Nachdem in der rechtsgerichteten *Chicago Tribune* und in *Stars and Stripes* Kritik geäußert worden war, weil man auch deutsche Generäle vor Gericht stellte, die in den Augen vieler US-Militärs während des Krieges nichts anderes getan hatten als ihre Pflicht, berichtete die *New York Times* ausführlich über die Debatte.[36]

Als Winston Churchill am 5. März 1946 in den USA seine berühmte Rede hielt, wonach sich von Stettin an der Ostsee bis nach Triest an der Adria ein «eiserner Vorhang» über den Kontinent gesenkt habe, gefährdete er auch das fragile Zusammenleben von sowjetischen und westlichen Korrespondenten auf Schloss Faber-Castell. Churchill rief mit seiner Rede die westlichen Alliierten zur Einheitsfront gegen Moskau auf und eröffnete damit den Kalten Krieg. *Stars and Stripes* titelte: «Mit vereinten Kräften die Russen aufhalten, mahnt Churchill in Fulton». Die *Prawda* reagierte umgehend und nannte Churchill einen «antisowjetischen Kriegshetzer». Die sowjetischen Journalisten im Press Camp aber gaben sich gelassen. Man habe in der Vergangenheit so viele harte Kapitalistenworte hingenommen, dass ein paar tausend weitere von Churchill keinen Unterschied machten.[37] Der abgewählte Premier wolle sich lediglich durch eine gepfefferte Rede in Erinnerung bringen.

Als sich eines Tages der britische Journalist Ralph Parker im Presselager ankündigte, wurde sein Fall zum Politikum. In den ersten Jahren des Zweiten Weltkriegs hatte Parker als Russlandkorrespondent für die *New York Times* und die Londoner *Times* über die Geschehnisse an der Ostfront berichtet. Mit der Zeit zeigte er sich uneins mit der britischen Politik gegenüber der Sowjetunion und behauptete, dass die britische Osteuropapolitik der Vorkriegszeit von Versuchen geprägt war, profaschistische Regimes zu stärken und sowjetfeindliche Kräfte zu bündeln. Parker geriet in den Verdacht, mit dem KGB zu paktieren. Seine Frau, eine Russin, mit der er ab 1941 in Moskau lebte, soll tatsächlich mit dem KGB zusammengearbeitet haben. Nach dem Krieg schloss er sich *The Daily Worker* an, dem Presseorgan der britischen Kommunistischen Partei. Als er ins Press Camp kam, wünschte er, sehr zum Unwillen von Deane, ausschließlich mit seinen russischen Freunden zu feiern, die er von seinen Frontaufenthalten kannte. Deane sah sich als Amerikaner

Einer der beiden Speisesäle im Schloss zur Zeit des Press Camp

außer Stande, dem Briten seinen Wunsch abzuschlagen, war dieser doch Bürger eines alliierten Landes. «Im Blauen Salon [des Schlosses] reichten die Sessel nicht, man saß auf Fensterbrettern, am Boden», so Boris Polewoi. Die «Trinksprüche auf die Sowjetunion endeten mit hurra, vivat, prosit, cheer und sogar mit hoch!»[38]

Sozialer Treffpunkt im Schloss war die große Partybar in der Nähe der Speisesäle, wo es «oft lebendiger zuging als im Gerichtssaal», wie Deane bemerkte. Als ein Glücksfall erwies sich Barkeeper David, ein «lustiger Amerikaner mit blitzenden Zähnen», so Polewoi. Seine Cocktails und Longdrinks waren beliebt. Selbst für Auswärtige war er ein Grund, die Bar des Presselagers zu besuchen, denn er galt aufgrund seiner Kreativität als Cocktail-Alchemist. Und laut Polewoi hatte David auch ein gutes Sensorium für politisch-kulturelle Spannungen. Mit seiner Ungezwungenheit und seinen Mixgetränken gelang es ihm immer wieder, mäßigend auf seine Gäste einzuwirken. Als Reaktion auf Churchills Fulton-Rede kreierte David kurzerhand einen neuen Cocktail und nannte ihn ironisch «Sir Winny». Der schmeckte zwar niemandem, wie Polewoi in seinem Tagebuch vermerkte, doch scheint genau dies Davids Absicht gewesen zu sein.

Im fremden Land

Während der Weihnachtsferien verließen Richter und Ankläger Nürnberg, US-Chefankläger Jackson reiste durch Nachkriegseuropa. An den Feiertagen – den großen Saal des Schlosses schmückte ein Weihnachtsbaum mit Schnapsfläschchen, Dörrobst, Schreibgeräten und Fotoapparaten – beteiligten sich viele Korrespondenten an einer Wohltätigkeitsveranstaltung. Für 50 lettische Kinder, sogenannte *displaced persons*, die während des Kriegs mit ihren Eltern nach Deutschland verschleppt worden waren, wurde Geld gesammelt, und wieder war es Deane, der sich darum kümmern musste. Aufgrund seiner Kontakte war er zudem eine begehrte Informationsquelle für die Pressekollegen. Am ersten Weihnachtsfeiertag interviewte er den Gefängniskaplan und berichtete, wie die Hauptkriegsverbrecher Weihnachten verbrachten. Und als man in Tegernsee Hitlers politisches Testament und dessen Heiratsurkunde fand, durfte Deane die Dokumente den Korrespondenten vorlesen.[39]

Im Übrigen beteiligte er sich wie viele andere Militärangehörige am heimlichen Schmuggel von Besitzgegenständen aus dem Nachlass hochrangiger Nazis. Am 8. November schickte er seiner Mutter ein Buch in die USA und vermerkte dabei stolz, es stamme aus der Bibliothek von Heinrich Himmler.

Aus Deanes Briefen wird auch das Heimweh ersichtlich, das viele in Deutschland verbliebene US-Soldaten ereilte, sahen sie ihre Aufgabe mit Kriegsende doch als erfüllt an. Dass sich der Prozess unerwartet in die Länge zog, bemängelte Deane immer wieder. Seine Eltern, seine Frau und seine kleine Tochter hatte er seit Jahren nicht gesehen. Zwar hätte er sich um die Heimkehr bemühen können, aber er blieb in Nürnberg, weil er den Prozess als Chance sah, Kontakte zu knüpfen. Nach seiner Rückkehr in die USA wollte er wieder ins Zivilleben eintreten und als Journalist arbeiten. Wo sonst hätte er so viele einflussreiche US-Pressevertreter unter einem Dach antreffen können wie im Steiner Press Camp? «Ich denke, meine Erfahrung hier wird Dividende ausschütten», schrieb er an seine Frau.

An den Wochenenden unternahmen die Korrespondenten hin und

wieder Ausflüge. Zugute kam ihnen dabei, dass die US-Armee Hotels und Erholungsstätten in Garmisch-Partenkirchen und Berchtesgaden requiriert hatte. Viele zeigten sich in ihren Briefen beeindruckt von der Schönheit der Natur und insbesondere der Berge, mitunter aber auch seltsam befremdet über die Sitten der Einwohner. Kühe mit Kuhglocken oder den Almabtrieb, die Überführung des Viehs von den Bergweiden ins Tal, kannten sie nicht. Ein Witz kursierte, wonach die effektivste Geheimwaffe der Bayern deren Kühe seien. Denn niemandem sonst gelänge es so gut, den Verkehr auf den Straßen lahmzulegen.[40]

Der Witz spielte mit der Annahme, eine militärische Bedrohung gehe noch immer von untergetauchten Nazis aus. Heinrich Himmler hatte im September 1944 die «Organisation Werwolf» gegründet, eine militärische Untergrundbewegung, die den Kampf nach der Besetzung Deutschlands durch Sabotage- und Terrorakte fortsetzen sollte. Die Furcht vor den «Werwölfen», die letztlich unbegründet war, sorgte auch dafür, dass der Nürnberger Gerichtshof zu einer Festung ausgebaut wurde. Man rechnete mit dem Versuch, die Kriegsverbrecher in einer Kommandoaktion zu befreien. Für die Korrespondenten war dies mit erhöhten Sicherheitsauflagen verbunden: Zutritt zum Gericht erhielten sie nur über einen Presseausweis, Taschen wurden durchsucht. In den Gängen patrouillierten Militärpolizisten mit Maschinengewehren. Im Flur zum Gerichtssaal gab es einen Gefechtsstand, errichtet aus mit Sand gefüllten, aufeinandergestapelten Säcken. «Im Erdgeschoss ist scharfe Kontrolle. Im ersten Stock ist scharfe Kontrolle. Im zweiten Stock ist zweimal scharfe Kontrolle. Mancher wird, trotz Uniform und Ausweisen, zurückgeschickt», schrieb Erich Kästner.[41]

Als die amerikanische Armee im Februar 1946 einen Hinweis erhielt, dass ein Untergrundnetzwerk von flüchtigen SS-Leuten Anschläge auf Ausländer und einen Einbruch in das Gerichtsgefängnis plane, zog zu Sicherheitszwecken eine Panzereinheit auf. Genervt von den Gerüchten, bemerkte der französische Journalist Sacha Simon: «Ich bin mehr als zwanzigmal abends von der Fürther Straße nach Stein gelaufen (fünf Kilometer), habe mich in dunklen, kleinen Gassen in der Nürnberger Vorstadt verirrt, ich habe hundertmal dunkle Gestalten an einer Mauer nach dem Weg gefragt und bin gesund und wohlbehalten von diesen gefährlichen, nächtlichen Expeditionen zurückgekommen.»[42]

> ***«Deutschland, Deutschland ohne alles.***
> ***Ohne Butter, ohne Speck, und das bißchen***
> ***Marmelade frißt uns die Besatzung weg ...»***

Oft kamen die Korrespondenten in ihren Berichten auf das Nürnberg der Stunde null zu sprechen. Viele von ihnen kannten das Vorkriegs-Nürnberg von ihren Besuchen der Reichsparteitage. Gerade wegen ihres Symbolcharakters als Nazi-Hochburg wurde die Stadt in vielen Beiträgen nun als Mikrokosmos Deutschlands beschrieben. Die Nürnberger Gesellschaft war durch die Bombenangriffe auf eine Ärmlichkeit herabgesunken, wie man sie seit dem Mittelalter nicht mehr kannte: Überlebende wühlten im Schutt nach Essen, lebten von der Hand in den Mund, tranken aus Regenrinnen, kochten über Holzfeuern, hausten in den Kellern zerbombter Häuser, in Bunkern oder in selbst gebauten Hütten. Das Ausmaß der Verwüstung war immens, insbesondere die Altstadt war fast vollständig zerstört. Noch immer lebten rund 178 000 Menschen in der Stadt, was allerdings weniger als die Hälfte der Einwohner zur Vorkriegszeit war. Überall roch es nach Verwesung und Desinfektionsmittel, befanden sich doch Tausende Tote unter den Trümmern. «Nürnberg war eine fast tote Stadt», bemerkte der Kunsthistoriker Philipp Fehl, der 1945 als Vernehmungsoffizier der Amerikaner nach Nürnberg kam. «Man ging durch die Altstadt, als ginge man durch ein Gemälde von Dalí. Manchmal sackte vor unserem Auge eine Hausfassade mit einem matten Ton in sich zusammen – ein Schritt, ein rollender Stein schon konnte die Auflösung einer ergreifend schönen Gestalt in einen Schutthaufen verursachen.»[43]

Der Reuters-Korrespondent und Press-Camp-Bewohner Seaghan Maynes berichtet, wie er während seines Aufenthalts in Deutschland einmal seine deutsche Sekretärin nach Hause fuhr. Maynes war perplex, als ihn die gut gekleidete und gepflegte Frau bat, an einem Schutthaufen zu halten. «Ich bringe Sie nach Hause», sagte Maynes irritiert, «ich kann Sie hier nicht absetzen.» «Nein, hier ist es», entgegnete sie. «Und ich sah, wohin sie ging: Sie ging in ein Loch im Boden. Ihre Mutter und zwei andere Jugendliche waren dort und lebten in diesem Loch, das der Keller eines Hauses war. Und doch schien dieses Mädchen aus einem wohlhabenden Haus zu kommen, in dem sich die Wäscherei um die Kleider kümmert.»[44]

Die prekären Lebensumstände waren auch ein Grund dafür, dass sich die Nürnberger nicht sonderlich für den Prozess interessierten. Sie hatten, wie die meisten Deutschen, private Sorgen, beklagten den Verlust von Familienmitgliedern, hatten keine Kohlen oder nicht genug zu essen. Nach zwölf Jahren NS-Propaganda glaubten viele der Presse ohnehin nicht mehr. Andere, unverbesserlich und trotzig, hielten den Prozess eher für ein Mittel der Agitation als der Gerechtigkeit. Der Zusammenbruch hatte eine Mentalität des Durchhaltens und Selbermachens zur Folge. Selbstmitleid war das Gefühl, das viele Deutsche befiel, ein narzisstisches Selbstmitleid, das Alexander Mitscherlich 20 Jahre später als Grund für die «Unfähigkeit zu trauern» ausmachte.

Billy Wilder, der im Juni 1945 als Angehöriger der US-Armee in Erlangen einer Probeaufführung des Umerziehungsfilms *KZ* beiwohnte, wunderte sich, dass die Zuschauer nach dem Anblick von Leichenbergen im Kino blieben, um einen Film über Cowboys zu sehen. Der ausgebildete Psychiater Alfred Döblin brachte für solch trotzige Verhaltensweisen Verständnis auf. Er stellte in seiner Zustandsbeschreibung der Deutschen einen Zusammenhang zwischen Ernährungskrise, politischer Apathie, Besatzung und Verdrossenheit her: «Viele magere und blasse Gesichter sieht man bei Älteren, auch die Jugend auf der Straße ist mager. Der Hunger hier im Lande ist eine fürchterliche Gewalt. Er besonders, er macht die Menschen finster und rebellisch. Man kann bekanntlich schlecht mit einem Menschen verhandeln, dem die Gedärme knurren, und wenn ihm schon die ganze Politik keinen Spaß macht, wie kann sie ihm jetzt gefallen, wo er noch dazu besonders die Leute haßt, die, wie er glaubt, ihm das tägliche Brot nehmen.»[45]

Ein anderer berühmter Autor trug aktiv dazu bei, die Hungersnot zu bekämpfen: George Orwell. Seine Haltung den Deutschen gegenüber war von einer «paradoxen Fairness» geprägt, wie Werner von Koppenfels schreibt. Sie resultierte aus seinem Scharfblick für die Ansteckungsgefahr totalitärer Denkmuster. Die Voraussetzungen, die zum Nazismus führten, waren in seinen Augen kein rein deutsches Phänomen. Orwell, ein demokratischer Sozialist, der seit dem Spanischen Bürgerkrieg immer wieder vor dem Totalitarismus warnte, hat in seinem dystopischen Roman *1984* ein pervertiertes totalitäres Regime in all seinen Facetten dargestellt. Anschauungsmaterial für den Roman, den er 1946 begann, hatte er reichlich sammeln können, nicht nur während des Spanischen Bürgerkriegs, wo er beinahe stalinistischen «Säuberungen» zum Opfer gefallen wäre. Im April und Mai 1945, kurz vor Kriegsende, war er als Kriegsberichterstatter für den *Observer* unter anderem in Nürnberg gewesen und zuvor im zerstörten Köln. Dort beklagte er jedoch zugleich den Verlust antiker und romanischer Baukunst. Im Gegensatz zu vielen Briten hasste Orwell die Deutschen nicht, er schätzte sie vielmehr als Kulturvolk. Seine «Fairness» aber schien vielen seiner Landsleute übertrieben.[46]

Schon im Januar 1945 hatte er sich in zwei seiner Kolumnen in der sozialistischen Zeitschrift *Tribune* über die Schlichtheit des britischen Antigermanismus lustig gemacht. Als er eine alte Ausgabe der *Quarterly Review* aus der Zeit der Napoleonischen Kriege las, war er beeindruckt, dass dort französische Bücher respektvoll rezensiert wurden, während Großbritannien in einem blutigen Krieg um seine Existenz kämpfte. Er beklagte, dass solche Rezensionen zur deutschen Literatur derzeit nicht in der Presse erscheinen könnten, obwohl die Situation seiner Meinung nach ähnlich war.

Orwells für die damaligen Verhältnisse ungewöhnliche Sympathie für die Deutschen gipfelte nach Ende des Krieges in aktive Hilfestellung. Anfang 1946 begann er, öffentlich eine Kampagne zu unterstützen, die zum Ziel hatte, die Nahrungsversorgung in Europa und insbesondere in der britischen Besatzungszone in Deutschland zu verbessern. Die «Save Europe Now»-Kampagne hatte der britisch-jüdische Verleger und Friedensaktivist Victor Gollancz ins Leben gerufen. Seine Organisation sammelte Kleider, Nahrungsmittel, Medikamente und andere dringend erforderliche Güter und sandte sie unter anderem in die deutschen Notstandsgebiete. Bis 1948 kamen rund 30 000 Care-Pakete in der britischen Besatzungszone an. Orwell unterstützte die Kampagne mit seinem Essay *The Politics of Starvation*, der am 18. Januar 1946 in der *Tribune* erschien. Dort argumentierte er, dass es den Briten zwar einigermaßen gut gehe, ein großer Teil Europas jedoch hungere, was zu einer neuen Katastrophe führen werde.

Kritik am Prozess

Ob der Nürnberger Prozess tatsächlich der Sache der Gerechtigkeit dienen und seinem hohen Anspruch gerecht werden würde, wurde unter den Korrespondenten im Press Camp kontrovers diskutiert. Denn zu kritischen Fragen gab das Tribunal durchaus Anlass. Der altbewährte Rechtsgrundsatz, wonach man niemanden gemäß Gesetzen, die erst nach dem Tatbestand erlassen wurden, vor Gericht stellen darf («nulla poena sine lege»), wurde in Nürnberg außer Kraft gesetzt. Den Alliierten ging es zudem primär um eine Abrechnung mit der nationalsozialistischen Ideologie. Dies, so ein Staatsrechtler einer späteren Generation, führte «zu einem Übergewicht der Erörterung politischer Vorgänge [im Gericht]. Kriegsverbrechen und Verbrechen gegen die Menschlichkeit traten dagegen zurück und gerieten zeitweilig völlig in den Hintergrund.»[47] Mangelnde Differenzierung in der Berichterstattung war die Folge. Militärische, politische und kriminelle Vorgänge wurden in einer Weise miteinander vermengt, dass es dem unbefangenen Beobachter kaum noch möglich war, das Knäuel zu entwirren.

Willy Brandt bemängelte, dass kein Vertreter des «anderen» Deutschland auf der Richterbank saß. «Von Anfang an fragte ich mich mit manchen anderen, warum nicht ein Weg gefunden wurde, die deutschen Antinazis mit zu Gericht sitzen zu lassen. [...] Gab es kein Recht der deutschen Verfolgten auf Abrechnung mit ihren Peinigern?»[48]

Diese Frage stellten sich viele Deutsche. Sie empfanden die Tatsache, dass kein Deutscher Richter sein durfte, als Beweis alliierter Heuchelei, hatte der amerikanische Hauptanklagevertreter Robert H. Jackson in seiner Eröffnungsrede doch gesagt, die Deutschen seien Opfer eines verbrecherischen Regimes geworden. Weshalb ließ man sie dann nicht über die wichtigsten Vertreter des Regimes mitrichten?

Zahlreiche Berichterstatter wussten ferner nur zu gut, dass die Sowjetunion die internationalen Konventionen, auf die sich das Gericht berief, bis dahin selbst nicht anerkannt hatte. Den Hauptkriegsverbrechern wurden Taten angelastet, die auch von der Sowjetunion verübt worden waren: Entfesselung eines Krieges – Stalin hatte Polen und Finnland angreifen lassen –, Massentötung von Gefangenen (wie sie auch in

Katyn geschehen war), Brutalitäten und Exzesse. Der von Moskauer Vorgaben abhängigen sowjetischen Anklagevertretung ging es darum, die Täterschaft der deutschen Kriegsverbrecher öffentlich zu machen und eigene Völkerrechtsverstöße zu verschleiern. Dass in Nürnberg ausgerechnet Iona Nikittschenko Hauptrichter der Sowjetunion war, der in den 1930er-Jahren Urteile in Stalins Schauprozessen gesprochen hatte, machte die sowjetische Rechtsposition nicht glaubwürdiger. «Wir hatten das Gefühl, ein Fremdkörper in diesem Tribunal zu sein, das alles zum Verbrechen erklärte, was zur Norm unseres Lebens unter Stalin geworden war», schrieb der sowjetische Übersetzer Michael Voslensky.[49] Seine Kollegin, die Dolmetscherin Tatjana Stupnikova, war zutiefst erschüttert, als ihr in Nürnberg Parallelen zwischen den Grausamkeiten des NS-Regimes und der stalinistischen Diktatur auffielen. Ihre Eltern waren, als sie noch ein Kind war, als «Staatsfeinde» der Sowjetunion verhaftet worden. Die Angst bei jedem Türklopfen, sie könne selbst an der Reihe sein, wurde sie auch Jahrzehnte später nicht los.

Hans Habe, der im April 1946 aufgrund seiner kritischen Haltung zur Besatzungspolitik als Chefredakteur der *Neuen Zeitung* zurücktrat, kritisierte die selektive Einvernahme der Zeugen. Die Anträge der Anklage würden fast ausnahmslos angenommen, die der Verteidigung hingegen fast immer abgelehnt. Der Verdacht lasse sich nicht von der Hand weisen, so Habe, dass einige Zeugen dem Gerichtshof unangenehm seien. «Eine Einvernahme Lord Halifax', wie es der Verteidiger Görings beantragte, hätte ein grelles Licht auf die Katastrophenpolitik von München geworfen. Eine Einvernahme Molotows hätte gezeigt, welche Umstände zu dem Pakt zwischen Hitler und der Sowjetunion geführt haben.»[50]

Auch Deane vermutete, dass die Befragung hochrangiger englischer Zeugen, die Ribbentrops Anwalt forderte, kein gutes Licht auf die Engländer geworfen hätte, wenn bei diesem Anlass die Inhalte geheimer deutsch-englischer Vorkriegsgespräche publik gemacht worden wären. Die vergleichsweise schlechte Position der Verteidigung spiegelte sich auch darin, dass diese sich, im Gegensatz zur Anklage, auf keinen Mitarbeiterstab stützen durfte.

Im Fall des australischen Korrespondenten Osmar White führte die Kritik am Prozess und der alliierten Besatzungspolitik so weit, dass er für sein 1946 geschriebenes Buch *Die Straße des Siegers* keinen Verlag fand. Zu gewagt schienen seine Thesen. Erst 1996 wurde das Buch in englischer Sprache veröffentlicht, nachdem das Manuskript ein halbes Jahrhundert lang in der Schublade lag. Als Kriegskorrespondent für die australische Gruppe *Herald and Weekly Times* war White im Winter 1944/45 General Pattons Dritter Armee vom Überschreiten der deutschen Grenze bis zum Brandenburger Tor gefolgt. Dabei war er Zeuge der Befreiung des KZ Buchenwald geworden und hatte die Kapitulation der Wehrmachtsführung geschildert. In seinen Berichten erwies er sich als einfühlsamer und zugleich unbestechlicher Beobachter. Sein Augenmerk galt vor allem der mentalen Verfassung von Siegern und Besiegten. White, ein Nonkonformist, hatte den Willen zur Objektivität, und er nahm kein Blatt vor den Mund. Unterwürfige, schuldunbewusste Deutsche, denen er allerorten begegnete, strafte er mit Verachtung. Doch konnte er dem Gegner auch Respekt zollen. So porträtierte er eine panisch-strenge Mutter, die ihre zwei kampfbereiten Söhne, Hitlerjungen, an den Ohren aus einem Hinterhalt zog, damit ihnen ein amerikanischer Panzer nicht den Garaus machte. Unschmeichelhaft für die Amerikaner beschrieb er General Pattons brutale Besessenheit ebenso wie GIs, die in Deutschland plünderten und vergewaltigten.

Vom Nürnberger Hauptkriegsverbrecherprozess hielt Osmar White nichts. Kurz vor Prozessbeginn flog er nach einem Erholungsurlaub in England nach Nürnberg, wo er über die Vorbereitungen für den Prozess berichten wollte. Doch rasch wurde er desillusioniert. Die juristische Unterscheidung der vier Anklagepunkte erschien ihm als absurde Haarspalterei, das Verfahren als eine «unangenehme Karikatur» der Vorgänge eines zivilisierten Rechtssystems. White wurde noch deutlicher. Das Tribunal sei ein «Schauspiel der Vergeltung», ein «heuchlerisches Ritual». Der Prozess habe keinen höheren moralischen und juristischen Stellenwert «als ein Prozess vor einem Femegericht im hintersten Tennessee». An der Schuld der Angeklagten könne ohnehin nicht der geringste vernünftige Zweifel bestehen, das Urteil über sie sei längst gesprochen. Mit dem Prozess laufe man aber Gefahr, dass den Siegern verachtenswerte Effekthascherei vorgeworfen werde. White sprach dem Prozess auch jegliches Abschreckungspotenzial ab. Weder die öffentliche Vivisektion von Nazi-Verbrechern noch die Verkündung von Strafen würde kriminelle Politiker und Bürokraten zukünftig von schändlichen Taten abhalten.

Auch wenn Whites pauschales Urteil über den Prozess als Rachespektakel zu weit ging, behielt er mit seinem Pessimismus im Hinblick auf die abschreckende Wirkung Recht. Für die Verlage seiner Zeit aber waren Whites Einblicke nicht vermittelbar. «Meine Rückkehr nach Nürnberg war ein beruflicher Fehler», schrieb er in *Die Straße des Siegers*. «Ich stellte fest, dass ich außerstande war, das Spektakel zu beschreiben, wie dem dicken Göring alle Mittel abgenommen wurden, seine Hosen festzuhalten, für den Fall, dass er versuchen sollte, sich mit Gürtel oder Hosenträgern zu erhängen.»[51] Enttäuscht bat White in London um die Zuweisung zu einem anderen Korrespondentenposten und verbrachte, während er auf seinen Marschbefehl wartete, die meiste Zeit in einem Lager für ehemalige russische Zwangsarbeiter nahe Ansbach. Dort, außerhalb Nürnbergs, ging es seiner Meinung nach weniger heuchlerisch zu.

Grenzen der journalistischen Darstellungsform

Die Korrespondenten in Nürnberg wussten um ihre große Verantwortung. Sie spiegelten nicht nur die Ereignisse des Verfahrens, wählten Themen aus und setzten sie in einen Rahmen. Es lag auch an ihrer Sprachkunst und ihrem dramaturgischen Vermögen, die Dimension der nationalsozialistischen Verbrechen zu veranschaulichen. Das Prozessmaterial an sich gab keinen rechten Angriffspunkt für die Vorstellungskraft. Aus Prozessakten und Zeugenaussagen konnte noch kein Ereignis im Bewusstsein der Menschen werden. «Der Dreißigjährige Krieg», schrieb der Psychoanalytiker Alexander Mitscherlich in seinen *Bemerkungen zum Nürnberger Prozess*, «lebt in der Phantasie der Menschen nicht wegen der Fülle von Untat und Brandstiftung weiter, sondern weil ihn Grimmelshausen beschrieben hat.»[52] Mitscherlich ging es um fantasieanregende, kathartische Darstellungsformen, die künstlerischem Anspruch Genüge leisteten. Doch wofür dem Barockschriftsteller Grimmelshausen der Umfang eines Romans zur Verfügung stand, mussten die Korrespondenten auf wenige Seiten bannen, ja, sie mussten nicht nur Worte für das Prozessgeschehen, sondern auch für das Unsagbare der begangenen Verbrechen finden. Niemand zuvor hatte je über Derartiges berichtet.

Legt man Mitscherlichs Messlatte an, sind die meisten Beiträge über den Prozess enttäuschend. Zumeist sind sie nüchtern und ohne große Empathie geschrieben. In der Mehrzahl entbehren sie jeglichen künstlerischen Anspruch. «Im weiteren Verlauf der Sitzung», schrieb etwa Robert Jungk, «kam man auf die Synagogenbrände zu sprechen, und auf Görings Frage nach der Zahl der wirklich zerstörten jüdischen Tempel erstattete Reinhard Heydrich mit Stolz den ‹Heeresbericht› vom jüdischen Kriegsschauplatz: 101 Synagogen durch Feuer zerstört, 75 anderweitig vernichtet, und 7500 Ladengeschäfte im Reichsgebiet zertrümmert!» Die Aufzählung der zerstörten Gebäude nennt Jungk sarkastisch einen «Heeresbericht», als ob es sich um eine Statistik der im Kampf gefallenen Soldaten handle. Nur das finale Ausrufezeichen lässt eine emotionale Anteilnahme des Autors erkennen. Ansonsten besticht der Text durch Sachlichkeit und protokollierende Berichterstattung.

Dieser trockene Stil war sicher auch dem psychischen Schutzwall zuzuschreiben, den die Prozessbeobachter innerlich aufbauten, und der Gewöhnung, die sie paralysierte. Gregor von Rezzori, der in Nürnberg für den Nordwestdeutschen Rundfunk tätig war, bemerkte, ein Mord sei entsetzlich, der Mord an zehn Menschen ungeheuerlich, an 100 fast unvorstellbar, an mehreren Millionen aber ein Abstraktum, das es nicht mehr erlaube, den Mörder in ein nachvollziehbares Verhältnis zu seiner Tat zu bringen. Eine gerechte Strafe sei hier gar nicht denkbar, die Kausalität von Schuld und Sühne aufgehoben.[53]

Das Unaussprechliche in Worte zu fassen, war nicht nur ein Problem für die Kommentatoren. Auch die Zeugen empfanden eine unüberbrückbare Kluft zwischen ihren Erfahrungen und denen der Zuhörer. Das Erleben der Überlebenden war mit der gegenwärtigen Realität nicht vergleichbar. Auschwitz sei weder vorstellbar noch kommunizierbar, bemerkte die Zeugin Claude Vaillant-Couturier. Wie solle man etwa den Geruch von verbranntem Menschenfleisch begreiflich machen? Die Ankläger waren sich dieses Dilemmas bewusst, das Hannah Arendt in ihrer Formulierung vom «kommunikationslosen Augenzeugenbericht» benannte.[54] Sie vertrauten daher auch dem Medium Film und der emotionalen Wucht der Bilder.

Die in den Printmedien vorherrschende Darstellungsform war neben Bericht und Kommentar die Reportage, jenes seit den 20er-Jahren anerkannte Genre der sozialkritischen Literatur und visuellen Wiedergabe. Diese Form der Berichterstattung, ein Augenzeugenbericht, der ein Ereignis aus der unmittelbaren Situation heraus multiperspektivisch darstellt, verknüpft authentisches Nachrichtenmaterial und exakte Beobachtung menschlicher Verhaltens- und Denkweisen. Sie berichtet vom Moment, von einem kurzen Einblick in das Geschehen.[55] Allerdings war es gerade der Nürnberger Prozess, der die Darstellungs- und Erkenntnismöglichkeiten der Reportage an ihre Grenzen brachte. Die trockene, größtenteils auf Dokumenten basierende Beschreibung der Geschehnisse vor Gericht erschwerte es, den historischen Augenblick situativ einzufangen. Das Erlebnis- und Anschauungsmaterial im Saal war zu abstrakt. Die Folge war, dass sich die Korrespondenten auf die Gerichtsszene fokussierten und erläuterten, was sie sahen.

Leitmotivartig erscheinen in ihren Berichten neben Schilderungen des zerstörten Nürnberg Beschreibungen der Angeklagten. Die Berichterstatter zeigten sich fasziniert vom visuellen Schauspiel im Gerichtssaal. Viele kannten die NS-Führung aus Leni Riefenstahls heroischem Reichsparteitagsfilm *Triumph des Willens* mit extravaganten Uniformen und martialischen Gesten. Der Unterschied zur Nürnberger Gegenwart hätte nicht größer sein können. «Die Angeklagten benahmen sich wie entzückte Schüler, die auf der Leinwand Aufnahmen von sich sahen. Sie nickten und stießen einander mit den Ellbogen an», schrieb Tania Long am 12. Dezember 1945 in der *New York Times*, nachdem im Gerichtssaal der Film *The Nazi Plan* vorgeführt worden war. Die Korrespondenten wirkten geradezu besessen davon, Mimik, Gestik und Verhalten der entthronten Götter zu beschreiben. Einige hatten sich extra mit Operngläsern oder Armeefeldstechern ausgerüstet, um einen Blick auf die 15 Meter entfernten Angeklagten zu werfen. Das Repertoire an Vergleichsbildern schien unerschöpflich. Während Tania Long von «entzückten Schülern» sprach, glichen für Peter de Mendelssohn die beiden

Admiräle Dönitz und Raeder «zwei arbeitslosen Straßenbahnschaffnern» und Göring einem «Platzanweiser im Kino». Schmeichelhafter für Letzteren war Philipp Fehls Einschätzung als «Renaissance-Condottiere». Für Rebecca West wiederum war der ehemalige Reichsmarschall einer «Puffmutter» ähnlich, für Janet Flanner glich er einer «korpulenten Altistin», für Ilja Ehrenburg einem «alten Weib».

Streicher kaute Berichten zufolge fortwährend Kaugummi, Heß döste zusammengekauert vor sich hin, von Papen fiel aufgrund seines gepflegten Äußeren auf, und Keitel saß unbeweglich mit verkniffener Miene auf seinem Platz. Die Korrespondenten variierten solche Eindrücke immer wieder. Es fiel ihnen sichtlich schwer, die «Banalität des Bösen» (Hannah Arendt) zu verstehen und sie ihren Lesern begreiflich zu machen. «Dieses Biedere, Alltägliche der Angeklagten traf mich am meisten», bemerkte Boris Polewoi, und Gregor von Rezzori stellte ernüchtert fest, dass die Angeklagten verstandesmäßig nicht in die rechte Proportion zu bringen seien.[56]

Eine Folge dieses Bieder-Banalen war, dass viele Korrespondenten, vor allem die Vertreter der Boulevardpresse, bewusst sensationsheischend schrieben, auch wenn es nichts Sensationelles zu berichten gab. Der fragmentarische, oberflächliche und bewusst spektakuläre Charakter vieler Berichte fiel jedoch auch damals schon auf. Nach Abschluss des Prozesses schrieb der amerikanische Journalist Max Lerner kritisch: «Alles, was wir bekamen, waren Bruchstücke der Nazi-Geschichte. Millionen Worte, von Nürnberg aus von Korrespondenten in alle zwölf Ecken der Welt gekabelt [...]. Aber hauptsächlich waren es Farbkleckse, die den Prozess als Spektakel darstellten. [...] Es ist eine Art Kommentar unserer Presse und unseres Denkens, dass der wichtigste Prozess unserer Zeit mit der billigen Note eines Mystery-Thrillers enden soll, der ‹Der Fall des versteckten Giftes› betitelt ist» – womit Lerner auf Görings Giftselbstmord anspielte. «Nürnberg ist immer noch der Prozess, den niemand kennt.»[57]

Einige herausragende Literaten fanden aber doch Mittel und Wege, originelle und tiefgründige Prozessreportagen zu schreiben. Die literarisch bedeutendsten Beiträge – auf einige wird in den kommenden Kapiteln eingegangen – zeichnen sich dadurch aus, dass sie die Grenzen der Gattung Reportage sprengen. Erich Kästner etwa beging den Tabubruch, fiktionale Elemente in seine Nürnbergreportage einfließen zu lassen, indem er eine Gerichtsszene in der Zukunft imaginierte. Rebecca West nahm eine scheinbar marginale Figur wie den Gärtner von Schloss Faber-Castell zum Anlass, die deutsche Mentalität zu erläutern. Elsa Triolet wiederum verfasste einen Collageartikel mit surrealistischen Anklängen. Einen besonderen Beitrag zur Schilderung des Prozesses leistete auch John Dos Passos, der bereits eine literarische Legende war, als er das Press Camp erreichte: nicht nur durch seinen formalen Ansatz und seine Art, sich der Wahrheit zu nähern, sondern auch durch seine Haltung den besiegten Deutschen gegenüber.

AMERIKANISCHE NIEDERLAGEN ODER DIE MELANCHOLIE DES JOHN DOS PASSOS

«Nie in meinem Leben habe ich mich trauriger
und weiser gefühlt als nach dieser Europareise.»

John Dos Passos, Brief vom 30. Dezember 1945
an Upton Sinclair

Eine *Tour of Duty* nannte der amerikanische Autor John Dos Passos (1896–1970) seine Zusammenstellung von Reportagen, die er von 1944 an für die Illustrierte *Life* schrieb. Er berichtete von amerikanischen Kriegsschauplätzen im Pazifischen Ozean, befasste sich mit dem Krieg in Japan und war schließlich zwischen Oktober und Dezember 1945 im besetzten Deutschland. In Frankfurt, aber auch in hessischen Provinzorten, «wo die Leute immer noch lustige Bauernkostüme tragen»,[1] wurde er Zeuge, wie seine Landsleute damit beschäftigt waren, ein chaotisches Durcheinander zu verwalten. Captains und Leutnants äußerten ihre Frustration und ihre Selbstzweifel, weil sie sich überfordert fühlten. Nach dem militärischen Sieg wollten sie rasch in die Heimat zurückkehren, doch stattdessen sollten sie auf Anordnung Washingtons Gerichtsverhandlungen abhalten, regieren und entnazifizieren. Die Angehörigen der US-Truppen waren nicht darauf vorbereitet, unbelastete Förster für die Waldarbeit oder Pächter für verwaiste Kinos zu finden. Sprachprobleme taten ein Übriges, die Arbeit der Amerikaner zu erschweren.

Die Deutschen erschienen ihnen weder konstruktiv noch sympathisch. Sie beschwerten sich oft, traten in den alliierten Büros als Bittsteller auf, häufig sogar als Denunzianten. Mitleid überkam Dos Passos dennoch, wenn er sich im Nachhinein an hungernde und «hohläugige

John Dos Passos, 1960

Menschenmengen» erinnerte. Mit Einfühlungsvermögen und seinem berühmten *camera-eye* – jener Schreibtechnik, die wie mit dem Kameraauge über harte Schnitte die Realität abzubilden versucht – benannte Dos Passos die Mühen der Amerikaner und die Verzweiflung der Besiegten. Die Konsequenzen der militärischen Niederlage und den zivilisatorischen Zusammenbruch sah er überall. Dennoch überschrieb er den dritten Teil seiner Reportagesammlung, der sich mit Deutschland befasst, «In the year of our defeat». Er meinte die amerikanische Niederlage, nicht die deutsche.[2]

John Dos Passos kam aus derselben Reportagetradition wie seine ehemaligen Freunde Ernest Hemingway und Martha Gellhorn. Alle drei hatten früh einen künstlerischen Anspruch an das Schreiben und wollten Schriftsteller werden, begannen aber des Broterwerbs wegen in jungen Jahren, journalistisch zu arbeiten. Dabei wollten sie nicht mehr nur Protokollanten und Berichterstatter sein. Sie fühlten sich der *new reportage* verpflichtet, einer in den USA entwickelten marxistischen Variante der Nachrichtenvermittlung. Unter den Herausgebern der Zeitschrift *The New Masses*, des einflussreichen Kulturorgans der Kommunistischen Partei in den USA, gab es Mitte der 1930er-Jahre theoretische Überlegungen, wie eine Reportage zu verfassen sei. Die *new reportage*, wie sie mit revolutionärem und antifaschistischem Impetus genannt wurde, sollte dem Herausgeber Joseph North zufolge die emotionale Anteilnahme des Autors spiegeln. «Für den Verfasser der Reportage ist die Tatsache, die er beschreibt, keine Leiche, sie lebt, sie hat einen Platz auf der Erde.»[3] Sowohl Dos Passos als auch Hemingway, die Beiträge für *The New Masses* schrieben, befolgten diese Prämisse. Sie stand im Gegensatz zur illusionslos-distanzierten und dokumentarisch exakten Reportageliteratur der Neuen Sachlichkeit. Die *new reportage* sollte einen Journalismus verkörpern, der erzählend Nachrichten vermittelt, persönlich Zeugnis ablegt, dennoch schonungslos im Ausdruck ist und Empathie mitschwingen lässt. Sie war die Schnittmenge aus Literatur und Journalismus, aus Kunst und stilistischem Pragmatismus.

Dos Passos' erste Begegnung mit Hemingway fand in einem Regimentscasino in Italien während des Ersten Weltkriegs statt. Wie der Zufall es wollte, waren beide als Sanitätsfreiwillige nach Italien gezogen. Den Krieg erlebte Dos Passos unmittelbar. «Es ist bemerkenswert, wie viele Granaten um einen herum explodieren können, ohne dass man getroffen wird», schrieb er im August 1917. Später diskutierten «Dos», wie ihn alle nannten, und «Hem» in Pariser Cafés über die Entwicklung des Romans, feierten in Südfrankreich Partys, fuhren in Vorarlberg Ski, besuchten Stierkämpfe in Pamplona und unternahmen Angelausflüge in die Karibik. Der eher zurückhaltende, fast kahlköpfige und an einem rheumatischen Herzleiden erkrankte Dos Passos hatte in dieser Beziehung immer eine untergeordnete Rolle inne.

Unehelich als Sohn eines wohlhabenden Börsenanwalts geboren, hatte er eine privilegierte Kindheit zwischen Brüssel und London verbracht, die er später als «Hotelzimmerkindheit» beschrieb. Während Hemingway die Oak Park High School besuchte und für die Lokalredaktion des *Kansas City Star* arbeitete, studierte Dos Passos europäische Literaturen in Harvard. Nach und nach entwickelte sich der künstlerisch Interessierte zu dem, was man einen politisch engagierten Schriftsteller nennt. Er trat zuerst mit dem Roman *Three Soldiers* (1921) hervor, der mit Hemingways *A Farewell to Arms* zu den besten literarischen Verarbeitungen des Ersten Weltkriegs aus amerikanischer Sicht zählt. 1925 erschien sein Opus magnum, der in ästhetischer Hinsicht revolutionäre Roman *Manhattan Transfer*, in dem die Metropole selbst als Handlungsträger fungiert. Dos Passos verwendet darin eine am

Film orientierte Erzähltechnik, die weitgehend ohne epische Schilderung und logische Verknüpfung auskommt. Ein anderer Prozesskommentator, Alfred Döblin, ließ sich in seinem Roman *Berlin Alexanderplatz* von Dos Passos inspirieren und versprachlichte darin die Großstadt ebenfalls über eine Montagetechnik. Begegnet sind sich die beiden in Nürnberg nie. Vollends gesellschaftskritisch wurde schließlich Dos Passos' Romantrilogie *USA* (1930, 1932, 1936), in der Gestalten und Begebenheiten aus den 20er-Jahren multiperspektivisch vor die Leserschaft treten, mittels Kurzbiografien, Zeitungsausschnitten und inneren Monologen.

Wie manch anderer Autor geriet Dos Passos vorübergehend ins Fahrwasser der Kommunistischen Partei. Begeistert von der Russischen Revolution und den sozialen Bewegungen der Zeit reiste der Bewunderer Rosa Luxemburgs 1928 in die Sowjetunion. Bei den US-Präsidentschaftswahlen von 1932 unterstützte er den Kandidaten der KP und nicht den Demokraten Roosevelt, bis ihm die sowjetischen Schauprozesse der 30er-Jahre die Augen öffneten. Das Ende der Männerfreundschaft mit Hemingway war gekommen, als dieser während des Spanischen Bürgerkriegs die stalinistische Faustregel verfocht, wonach der Zweck immer die Mittel heiligt, seien diese auch gewaltsam und inhuman. Als sich Dos Passos 1937 in Spanien für die Familie eines verschwundenen Freundes einsetzte, der von der Sonderpolizei der spanischen KP liquidiert worden war, bat ihn Hemingway, dies zu unterlassen. Dos Passos' Nachforschungen würden die gemeinsame Filmarbeit im republikanischen Spanien gefährden. «Einige meiner Partner bei dem Filmprojekt», schrieb Dos Passos, «hielten meine Nachforschungen in dieser Sache für verabscheuenswert. Was zählt in Zeiten wie diesen ein Menschleben? Wir dürfen nicht zulassen, dass unsere persönlichen Gefühle mit uns durchgehen.»[4]

Weder seinem Freund Hemingway, der damals frisch verliebt in Martha Gellhorn war, noch der KP konnte Dos Passos solche Worte verzeihen. «Meine Beobachtungen in Spanien führten zu einer vollständigen Desillusionierung über den Kommunismus und die Sowjetunion», bekannte er 1953 anlässlich einer Aussage vor dem Untersuchungsausschuss des US-Repräsentantenhauses gegen «unamerikanische Umtriebe». «Die sowjetische Regierung betrieb in Spanien eine

Reihe außerlegaler Tribunale, die man präziser als Mörderbanden bezeichnen muss. Sie schickten gnadenlos alle Menschen in den Tod, derer sie habhaft werden konnten und die den Kommunisten im Weg standen.» Dos Passos wurde schließlich zum Konservativen und, zum Leidwesen vieler, zu einem Befürworter des Antikommunismus der McCarthy-Ära.

In Deutschland, «Land des Fragebogens»

Als Dos Passos im Oktober 1945 Deutschland erreichte, war er ein berühmter Autor und ein erklärter Kommunistenfeind. Sein Aufenthalt im sowjetisch besetzten Teil Berlins bestätigte ihn einmal mehr in seiner Abneigung. Erschüttert lässt Dos Passos die Leser seiner Reportagen an jüngsten Geschehnissen Anteil nehmen. Russische Soldaten hätten eine deutsche Frau und ihre Schwester vergewaltigt, während ihr Mann auf einem Stuhl stehend zusehen musste. Danach schossen sie ihm eine Kugel in den Kopf. Das Viermächteabkommen der Siegermächte, das eine Appeasement-Politik gegenüber Stalin vorsah, hielt Dos Passos solcher Vorkommnisse wegen für falsch, ja gefährlich, denn es öffne sowjetischen Expansionsgelüsten Tür und Tor.

Freilich legt Dos Passos solche Ansichten in seinen Reportagen immer Dritten in den Mund. Der Erzähler selbst wertet nur unterschwellig, gleichwohl verschwindet er als Subjekt nie ganz. Es ist bis heute unklar, ob die vielen namenlosen Captains, Leutnants und Zeugen, die Dos Passos zitiert, überhaupt existierten oder ob sie teilweise von ihm erfunden wurden, um seine Gedanken zu beglaubigen. Letzteres scheint wahrscheinlich, auch wenn das generelle Stimmungsbild, das Dos Passos vermittelt, der Realität entsprach. Dos Passos sah sich selbst als Chronisten an der Schnittstelle zwischen Fiktion und Sachliteratur. So wie er Sachtexte in seine Romane integrierte, etwa authentisches Nachrichtenmaterial, schmuggelte er auch Fiktionales in seine Reportagen. Sein Interesse galt der hybriden Form, und der Zusammenfall der Gegensätze war von ihm gewollt, konnte er doch eine Annäherung an die Wahrheit erreichen.

Dos Passos nannte sich einen Feind aller «Imperialisten, Militaristen und Händler des Todes». Er war ein Moralist, und als moralischen Verrat sah er an, was seine Landsleute in ihren «komfortablen und gut geheizten Häusern» in Deutschland taten. Schonungslos benannte er die Diskrepanz zwischen den Freiheitsparolen der Amerikaner und der unzureichenden Erfüllung ihrer Funktion als Schutzmacht. Mit dieser Einstellung, die die moralische Gleichung der Nachkriegszeit in Frage stellte, machte er sich bei seinen Landsleuten unbeliebt, und er wusste das. Immer wieder zweifelte er, ob das *Life*-Magazin seine Berichte überhaupt drucken würde. Was Dos Passos der Redaktion übermittelte und offen aussprach, trauten sich andere nur unter dem Deckmantel der privaten Korrespondenz zu sagen. Auch Ernest Cecil Deane gestand in einem Brief an seine Frau die Konfusion in der Truppe ein. Einerseits gelte das Fraternisierungs- und Kontaktverbot mit den Deutschen, andererseits solle man die «Krauts» umerziehen und ihnen Demokratie beibringen. Wie solle das gehen?, fragte er frustriert.[5]

Unter seinen amerikanischen Kollegen im Press Camp hatte Dos Passos eine Sonderstellung inne. Während Martha Gellhorn, Erika Mann (die als Angehörige der US-Armee in Nürnberg war), William Shirer oder Janet Flanner nahezu einhellig die Larmoyanz der Deutschen kritisierten, bekundete Dos Passos Mitleid mit ihnen. Nie überkam ihn der Zorn über die Uneinsichtigen. Während sich Hemingway damit brüstete, 122 deutsche Soldaten getötet und einem Gefangenen in den Kopf geschossen zu haben, «dass ihm das Gehirn aus dem Mund kam»,[6] skizzierte Dos Passos das bejammernswerte Bild von Nürnberger Frauen mit ihren Kindern, die in Trümmern Kartoffeln auf einem Stück Zinkblech kochen.

Seine Berichte sind weit entfernt von jeglicher Art amerikanischen Triumphalismus. Einen namenlosen jungen Leutnant aus Brooklyn lässt er über seine Tätigkeit in Hessen selbstkritisch berichten: «Man sagt uns, es ist wie bei der Feuerwehr … Die Feuerwehr ist gezwungen, einen gewissen Schaden anzurichten, vielleicht sogar ein Haus zu sprengen, um einen Brand zu löschen. Meinetwegen, aber haben Sie schon einmal gesehen, dass die Feuerwehr in der ganzen Stadt neue Brände legt, bloß weil ein Block in Flammen steht? Haben Sie das? Und Hass ist wie ein Feuer. Man muss ihn löschen.» Manchmal müsse er halbverhungerte Kriegsgefangene erst einmal durchfüttern und ins Krankenhaus schicken, bevor er irgendetwas aus ihnen rauskriegen könne. «Brutalität ist ansteckender als Typhus und verdammt viel schwieriger auszukurieren ... Und mitten in unserem Hauptquartier in Frankfurt sehen wir Zuständen ins Gesicht, die uns zu Hause den kalten Schweiß hätten ausbrechen lassen.»

Zwischen Schwermut und Nationalstolz: Jacksons Eröffnungsrede

Als Dos Passos Anfang November das erste Mal auf seiner Deutschlandreise durch Nürnberg lief, «die alte Stadt der Meistersinger», um dem Auftakt des Prozesses beizuwohnen, war er erschüttert von den Auswirkungen des alliierten Bombenkriegs. Niederschlag fanden seine Eindrücke in seinem 1958 veröffentlichten Roman *The Great Days*. Darin beschreibt er das historische Stadtzentrum, das «dem Erdboden gleichgemacht» wurde, hinterfragt aber gleichzeitig, weshalb die Industriestandorte in den Vororten «merkwürdig unzerstört» blieben. Dos Passos implizierte wirtschaftspolitische Interessen der Alliierten und stellte die Verhältnismäßigkeit dieser Kriegsführung in Frage, die vor allem der Zivilbevölkerung galt.

Eines Abends, am 22. November 1945, kam er in dem «Schloss, das die Familie Eberhard Fabers sich aus Bleistiftprofiten und Prunkerei in Stein» baute, mit einem osteuropäischen Korrespondenten darüber ins Gespräch. Auf dem Weg in die Bar, nach einem Kumpan Ausschau haltend, mit dem er noch einen Scotch trinken konnte, sprach ihn der Unbekannte auf Französisch an. Ob Dos Passos einen Moment Zeit habe, er wolle ihm ein paar Fragen stellen. Dos Passos bejahte. Man ging in den Schlosshof, um ungestört zu sein und zu rauchen. Trage der Prozess wirklich dazu bei, Gerechtigkeit in Europa zu etablieren?, fragte der Osteuropäer kritisch. Er habe gehört, dass sich Dos Passos von dem Verfahren beeindruckt zeige. Auch er würde die Angeklagten hinrichten lassen, aber gewinne man irgendetwas, wenn man «zusätzliche Heuchelei auf den immensen Berg von Heuchelei in dieser Welt» häufe?

Dos Passos gab zu bedenken, dass an dem Prozess sicher nicht alles perfekt sei, aber doch immerhin das rechtliche Prinzip festgeschrieben werde, dass ein Angriffskrieg ein Verbrechen sei. Doch mit dem Hinweis auf den Krieg gab er seinem Kontrahenten unbewusst ein Stichwort. Welche Gräueltaten hätten zum Beispiel die Nazis begangen, die sich mit den amerikanischen Flächenbombardements der Zivilbevölkerung messen ließen? Dos Passos entgegnete, dass man damit nicht angefangen habe. Sein Gegenüber geriet nun erst richtig in Fahrt. Das Gemetzel in den deutschen Städten sei viel größer gewesen als in England. «Wie können Sie das Massaker an den hilflosen Flüchtlingen in Dresden rechtfertigen? […] Was haben die Nazis getan, was sich mit Ihrer Auslieferung Polens, Ihres eigenen Verbündeten, an eine der düstersten totalitären Tyranneien der Geschichte vergleichen lässt?» Sei es nicht ein Verbrechen gegen die Menschheit, 15 Millionen Menschen aus ihrer Heimat zu vertreiben, nur weil sie Deutsche seien? «Warum sind die Amerikaner so vom Gedanken an Rache besessen?» Alles, was sie derzeit in Europa trieben, mache das Prinzip der Rache und die Herrschaft der Gewalt wahrscheinlicher und werde irgendwann auch Amerika treffen. Dies sei sicher nicht «unsere Absicht», erwiderte Dos Passos eingeschüchtert. Absichten seien nicht genug, konterte der Osteuropäer kühl. «Ich wusste ihm nicht zu antworten […]. Ich sagte Gute Nacht, ging zurück ins Schloss und legte mich schweren Herzens schlafen.»[7]

Resignative Gefühle wie nach diesem Gespräch im Faberschloss hatte Dos Passos während seines Aufenthalts in Deutschland oft. Einerseits resultierten sie aus seiner Enttäuschung über seine Landsleute, die politische Fehler machten und sich unfähig zeigten, das Nachkriegsvakuum moralisch auszufüllen. Vier große historische Fehler seien es, notierte Dos Passos in sein Notizbuch, die die USA begangen hätten:

1. das Versäumnis, 1776 die Sklaverei nicht abgeschafft zu haben
2. den verfehlten Wiederaufbau nach dem Amerikanischen Bürgerkrieg
3. ihre Politik gegenüber Mussolini und Hitler
4. ihre Politik gegenüber Stalin

Zwei dieser Fehler fielen in die jüngste Gegenwart. «Wer mit dem Teufel speist», bemerkte Dos Passos weiter, «braucht einen langen Löffel. Es ist an der Zeit, dass die Amerikaner verstehen, dass Demokratie und Diktatur nicht zusammenarbeiten können.»[8] Dos Passos' Kritik an der gegenwärtigen Situation kulminierte schließlich in seinem nach der Rückkehr in die USA geschriebenen Artikel *Americans Are Losing the Victory in Europe*.

Zu seinem fragilen psychischen Zustand in Deutschland trug andererseits auch ein generelles Unwohlsein bei: Es war nicht mehr das Europa, das er kannte. Selbst das unzerstörte Paris war für ihn, als er im Oktober 1945 dort war, nicht wiederzuerkennen. Dos Passos wollte so rasch wie möglich wieder nach Hause. Obwohl man im Kreis der Korrespondentenkollegen stolz war auf die Gegenwart des «berühmten Romanschriftstellers», in ihm den geselligen Gesprächspartner schätzte und ihm Freundlichkeit und Bescheidenheit attestierte,[9] schrieb er seiner Frau Katy am 4. November: «Ich mag es hier nicht. Weder uns, die Quadratschädel, noch irgendjemand.» Schloss Faber-Castell und seine Unterkunft im Press Camp fand er schrecklich, so sehr, dass er in einem Brief an Katy sogar das deutsche Wort «Schrecklichkeit» verwendete, um seine Abscheu zu betonen: «Dieses Pressela ger befindet sich in einem seltsamen Schloss, das von Mitgliedern der Faber-Bleistiftfamilie erbaut wurde. Es ist voll von nackten Damen aus grässlich weißem Stein, abscheulichen Treppen, […] schrecklich designten goldenen Sesseln, Kronleuchtern, die einem auf den Kopf zu fallen drohen, […] *German schrecklichkeit at its worst*. […] Im Haupttor gibt es ein wundervolles Paar chinesischer Löwen, aber sie sind in der Minderheit.»[10]

In der Minderheit war seiner Meinung nach auch Robert H. Jackson, der amerikanische Hauptanklagevertreter. Dessen Eröffnungsrede am 20. November erfüllte Dos Passos mit Nationalstolz. «Jacksons Eröffnung für die Anklage gestern fand ich großartig», schrieb er Katy. «Ein paar weitere Reden wie diese und das arme alte Staatsschiff, das ruderlos im Meer treibt, wird wieder auf Kurs sein. Er bemüht sich wirklich, einer Sache Sinn zu verleihen, die ohne ihn ein Akt der Rache wäre. […] Jackson repräsentiert die USA so, wie ich sie repräsentiert sehen möchte.»

Robert H. Jackson bei seiner Eröffnungsrede am 20. November 1945

Nicht so explizit wie in seiner privaten Korrespondenz, aber doch schwerpunktmäßig geht Dos Passos in *Tour of Duty* auf den 20 Seiten seines «Nürnberger Tagebuchs» auf Jacksons Rede ein. Darin schildert er kaleidoskopartig seine Erlebnisse mit Nürnberger Bürgern, besichtigt das Justizgebäude, interviewt den Gefängniskommandanten Burton Andrus und berichtet von seinem Gespräch mit dem Osteuropäer im Press Camp, das einzigartig in der amerikanischen Reportageliteratur der Zeit ist, weil es eine gleichberechtigte Unterhaltung mit einem Kritiker der amerikanischen Politik zulässt. Den Höhepunkt aber bildet sein Bericht über den Prozessauftakt. Jackson ist dessen Hauptprotagonist. Wie mit der Kamera fährt Dos Passos zunächst über die Anklagebank. Es sind Schnappschüsse, knapp und pointiert, inspiriert von der Schnitttechnik des Films: «Rosenberg fährt sich mit den steifen Fingern einer Hand von oben nach unten übers Gesicht. Schachts Züge wirken, als sei er, ohne zu schlafen, in einem Alptraum gefangen. Streichers Kopf hängt weit über seine Schulter, als wolle er jeden Augenblick vom

Köper fallen.» Einen Großteil der Reportage widmet Dos Passos Jackson: «Ich bezweifle, dass es einen Mann oder eine Frau in diesem Gerichtssaal gibt, die nicht spüren, welch große und mutige Worte hier ausgesprochen wurden. Und wir Amerikaner kommen ein wenig stolz auf unsere Beine, weil es ein Landsmann von uns war, der diese Worte gesprochen hat.»

Jackson wusste um die Bedeutung seiner Nürnberger Eröffnungsrede. Er betrachtete sie als die wichtigste Aufgabe seines Lebens. Besonnen entfaltete er die Argumentation seiner Anklageschrift. Er überführte die Angeklagten mit deren eigenen Dokumenten und versprach, die Ordnung der Welt werde nun nach den Grundsätzen des Rechts beginnen. Dies war keine anmaßende Siegerjustiz, keine Rache. «Dass vier große Nationen [...] nicht Rache üben, sondern ihre gefangenen Feinde freiwillig dem Richterspruch des Gesetzes übergeben, ist eines der bedeutsamsten Zugeständnisse, das die Macht jemals der Vernunft eingeräumt hat.» Nicht Staaten seien es, die das einzelne Verbrechen begangen hätten, sondern konkrete Menschen. Aber auch den Angeklagten müsse eine faire Chance gegeben werden, sich zu verteidigen, selbst angesichts so abgründiger Verbrechen.

Jackson verbrachte einen Großteil seiner Rede damit, den Vorwurf der Verschwörung gegen den Frieden zu erläutern und dessen Verbindung zu den drei anderen Anklagepunkten darzulegen. Die Anklage, versprach er, würde zeigen, dass sich die Beschuldigten zusammengeschlossen hätten, um einen gemeinsamen Plan auszuführen, der nur durch einen Eroberungskrieg erfüllt werden konnte. Alle ihre Aktionen, von der Machtübernahme im deutschen Staat über die körperliche Vernichtung von Dissidenten und Feinden bis hin zur Misshandlung von Kriegsgefangenen und Bevölkerungsgruppen in eroberten Gebieten, seien Teil dieser Verschwörung gewesen.

Jackson war ein Mann mit außergewöhnlichen rednerischen Fähigkeiten und einem sicheren Gespür für die große Geste. Sein rhetorisches Ideal war, eine ernsthafte Stimmung im Gerichtssaal zu erzeugen – *melancholy grandeur* nannte er diese Gemütslage. Jackson unterschied zwischen der kriminellen Riege von Nazis und Militaristen einerseits und der deutschen Bevölkerung andererseits. Seine Rede konnte als Angebot an die Deutschen verstanden werden, sich von den

Nazis zu distanzieren. Im Gegensatz zum französischen Anklagevertreter François Comte de Menthon, der von einer Mitschuld des deutschen Volkes ausging und den Deutschen einen «latenten Hang zum Barbarentum» vorwarf,[11] entwickelte Jackson ein anderes Geschichtsbild: das eines Volkes, das von einer Verbrecherbande verführt worden war. «Wenn die breite Masse des deutschen Volkes das nationalsozialistische Parteiprogramm willig angenommen hätte, wäre in den früheren Zeiten der Partei die SA nicht nötig gewesen, und man hätte auch keine Konzentrationslager und keine Gestapo gebraucht.»

Jacksons Eröffnungsrede kommt Historikern und Politologen heute «fast schon naiv» in ihrer Großzügigkeit vor,[12] weil sie das Mitläufertum, den Hitler-Kult und die Massenhysterie ebenso ausblendete wie die Todeslager in Polen. Jacksons Rede war versöhnlich. Er reichte den unbelasteten Deutschen die Hand – und mit ihm sein Bewunderer Dos Passos, den man gleichermaßen kritisieren kann, weil auch er in seinen Reportagen die unkritische Gefolgschaft vieler Deutscher und den Holocaust weitgehend verschwieg. Beide sahen in den Deutschen die logischen Verbündeten von morgen. Früher oder später werde man froh sein, irgendwo auf der Welt ein paar Freunde zu haben, insbesondere wenn Stalin seine expansionistische Politik fortführe. Man müsse den anständigen Deutschen unter die Arme greifen, lässt Dos Passos einen Leutnant sagen – und dies in einer Zeit, in der in den USA über Henry Morgenthaus Buch *Deutschland ist unser Problem* (1945) diskutiert wurde. Darin skizzierte der ehemalige US-Finanzminister seinen Plan, Deutschland einen harten Frieden aufzuzwingen. Morgenthau, dessen Vorstellungen weit über die Auflagen des Versailler Vertrags von 1919 hinausgingen, wollte das besetzte Land demilitarisieren, wirtschaftlich entmündigen, in ein Territorium mit vorwiegend landwirtschaftlichem Charakter umwandeln, seine Industrieanlagen demontieren und die Deutschen mit Reparationszahlungen belegen.

Dos Passos' Resümee seiner Europareise war dann ein gemischtes. Als er sich am 4. Dezember 1945 von Le Havre aus auf Schiffsreise zurück in die USA begab, hatte er, was er als amerikanische Niederlage in Deutschland wahrnahm, hautnah miterlebt, aber er hatte auch einen Amerikaner wie Robert H. Jackson gesehen, der ihm wie eine Heilsgestalt erschien. Mit ihm verband er Hoffnung für die Werte, die ihm am Herzen lagen. Am 30. Dezember schrieb er seinem Freund Upton Sinclair melancholisch: «Nie in meinem Leben habe ich mich trauriger und weiser gefühlt als nach dieser Europareise. Vielleicht haben die Russen recht und der Mensch ist böse und lässt sich nur mit Terror regieren, aber ich weigere mich immer noch zu glauben, dass all das [...], wofür der Westen steht, in Schutt und Asche enden muss.»[13]

GRÄFIN KATHARINA UND DER GESTAPOCHEF RUDOLF DIELS

«Wirklich, der Mann hat Mut. Aber wir bewundern noch mehr den Mut der Amerikaner, die ihn frei herumlaufen lassen.»

Französische Zeitung über Rudolf Diels

Jacksons Eröffnungsrede vor dem Internationalen Militärtribunal fand weltweit Anerkennung. Dabei war der Nürnberger Hauptkriegsverbrecherprozess viel mehr als das öffentlich kommentierte Geschehen in Saal 600 des Justizpalastes. Im Hintergrund gab es einen organisatorischen Unterbau von enormen Ausmaßen. Allein die amerikanische Justizdelegation umfasste über 2000 Mitarbeiter. Die Briten hatten eine Abordnung von 170 Mitgliedern entsandt, die Sowjets 24 Personen und die Franzosen ein knappes Dutzend. Daneben hatten zahlreiche weitere Länder kleinere Delegationen mit Beobachterstatus nach Nürnberg geschickt.[1] Es gab *research analysts*, die die regelmäßig LKW-weise gelieferten NS-Dokumente aus Bergwerken, Schlössern und Archiven auf Prozessrelevanz hin untersuchten. Wichtiges Material wurde archiviert und katalogisiert. Ärzte beobachteten den körperlichen und psychischen Zustand der Angeklagten, Wissenschaftler lieferten politisch-historische Hintergrundinformationen, Vernehmungsbeamte führten die Befragung von Beschuldigten, Sachverständigen und Zeugen durch.

Unter den Zeugen gab es Opfer des NS-Terrors sowie Täter, gegen die Haftgründe vorlagen. Letztere wurden im Zeugenflügel des Gefängnisses untergebracht. Es gab aber auch Deutsche, die nicht im Verdacht standen, Kriegsverbrecher zu sein, jedoch in Beziehung zu wichtigen Nazis gestanden hatten und nun als Informationsquelle dienten.

Rudolf Diels, um 1933

Unter diesen befanden sich Nürnberger Dauergäste in Hausarrest wie Hitlers Fotograf Heinrich Hoffmann, die, je nach Bedeutung, teilweise monatelang in Nürnberg bleiben mussten und immer wieder verhört wurden. Ein besonderer Zeuge, der zu dieser Kategorie zählte, war der erste Chef der Gestapo, Rudolf Diels (1900–1957). Als Dauerzeuge und Sachverständiger für die Frühgeschichte des «Dritten Reichs» wurde er im Zeugenhaus in der Novalisstraße interniert. Trotz seiner Verwicklung in die Judenverfolgung und seiner Anordnungen, politische Gegner wie Carl von Ossietzky zu verhaften, hatte man ihm eine Art Freibrief ausgestellt. Diels war in den frühen 30er-Jahren so nah am Zentrum der NS-Macht gewesen, dass man seine Kenntnisse benötigte. Nachdem die Engländer ihn Ende Oktober 1945 nach Nürnberg überführt hatten,[2] wurde er der amerikanischen Anklagebehörde übergeben und blieb fast zwei Jahre.

Der «Joseph Fouché des Dritten Reichs», wie er später genannt wurde, war ein Opportunist, der sich als gewiefter Politiker durch die NS-Herrschaft laviert hatte. Anfangs ein Liberaler, hielt er eine Zeit lang engen Kontakt zu den Kommunisten, um sich in den frühen 30er-

Jahren Hermann Göring anzudienen. 1933 wurde Diels Gestapochef. Bald machte er sich jedoch in Heinrich Himmler einen unversöhnlichen Feind, der ihn als Überläufer brandmarkte. Infolge der Machtkämpfe zwischen Göring und Himmler musste er schließlich seinen Posten räumen: Er wurde das Bauernopfer, dem Reinhard Heydrich, Himmlers Intimus, im Amt folgte. Diels widmete sich nach seinem Rauswurf der reinen Verwaltungsarbeit. Er wurde zunächst Regierungspräsident in Köln, später in Hannover und fiel damit weich, von seinen Feinden stets kritisch beargwöhnt. Mehrmals wurde er von der Gestapo verhört, 1944 sogar inhaftiert. Reichsmarschall Göring blieb ihm in einer Art Hassliebe verbunden und hielt bis zum Kriegsende seine schützenden Hände über ihn. 1943 heiratete Diels die Witwe von Görings verstorbenem Bruder, nur um eineinhalb Jahre später auf Görings Befehl wieder geschieden zu werden.

Der ehemalige Gestapochef, groß, attraktiv, mit schwarzem Haar und blauen Augen, war ein Mann, der bei Frauen beliebt war. «Sein Auftreten glich immer dem eines bengalischen Tigers, und man konnte sich kaum seiner Faszination entziehen», hieß es in einem Nachruf.[3] Der Faszination des Hasardeurs verfiel auch die Herrin von Schloss Faber-Castell, Gräfin Katharina (1917–1994). Sie kannte den Mann mit dem Schmiss auf der Wange seit langem. Doch während des Nürnberger Prozesses nahm ihre Beziehung Formen an, die für die Grafenfamilie pikant wurden.

Die Grafenfamilie

Bis heute zieren zwei kämpfende Turnierritter die Produkte des Schreibwarenherstellers Faber-Castell. Allerdings halten sie keine Lanzen in der Hand, sondern Bleistifte. Das wohlerwogene Firmenlogo verweist auf die Familien- und Berufsgeschichte des Fabrikherrn Alexander von Faber-Castell (1866–1928), mit dem die Bleistifte aus Stein gräflich wurden. Als Graf Alexander, ein geborener zu Castell-Rüdenhausen, 1898 in die Bleistiftdynastie Faber einheiratete, entstand das neue Grafengeschlecht Faber-Castell. Die Castell-Rüdenhausens zählten zu den ältesten deutschen Adelsgeschlechtern, ihre Wurzeln reichten bis ins 11. Jahrhundert zurück. Um sich von der Konkurrenz abzusetzen – mit dem gelben Bleistift der böhmischen Firma Hardtmuth war ein ernstzunehmendes Konkurrenzprodukt entstanden –, gab Graf Alexander 1905 seinem neuen Bleistiftsortiment den Namen «Castell». Die tannengrüne Farbe übernahm er von den Uniformen seines Regiments, denn er war ursprünglich Berufsoffizier und Rittmeister der Bayerischen Kavallerie. Werbemotiv und Name sollten auf die jahrhundertealte Tradition der hochadligen Familie verweisen und damit das Produkt der böhmischen Emporkömmlinge ausstechen. Während deren Erfolgsbleistift nach einem persischen Großdiamanten benannt war, dem berühmten Koh-i-Noor, suggerierte der grüne Castell-Bleistift deutschen Adel und Mittelalter. Er wurde ein großer Erfolg und zählt bis in die Gegenwart zu den beliebtesten Produkten des Unternehmens. Was man auf dem im Lauf der Zeit angepassten Logo allerdings nicht mehr sieht: Der siegreiche Ritter hielt ursprünglich den grünen Castell-Bleistift in der Hand, der unterlegene den gelben Stift der böhmischen Konkurrenz.[4]

Die Geschichte des Firmenlogos steht in gewisser Weise auch symptomatisch für das Leben von Roland Graf von Faber-Castell (1905–1978), Graf Alexanders Sohn und Schlossherr zur Zeit des Press Camp. Sein Vorname korrespondiert mit der überlebensgroßen Figur des Ritters Roland östlich des Nordflügels am Neuen Schloss.[5] Auch er wurde ursprünglich zum Gutsherrn erzogen, der sich um die Ländereien kümmern sollte, musste sich aber bald hauptberuflich den Bleistiften widmen. Wie sein Vater war er Rittmeister und kämpfte im Krieg. Und auch er musste sich den Zeiten anpassen und der Konkurrenz erwehren. Die Geschichte seines Lebens bis zur Zeit des Press Camp ist ereignisreich und vielschichtig. Sie enthält antisemitische Hetze gegen seine erste Frau seitens der Steiner Bevölkerung, seine Absetzung als Firmenoberhaupt auf Druck der NSDAP und seinen Widerstand im Krieg gegen einen Tötungsbefehl.

Als Kind wurde Roland Opfer einer spektakulären Scheidung und des Entzugs der Mutter. Sein Vater, Graf Alexander, bekämpfte seine Frau, nachdem sie die Scheidung eingereicht hatte, und ließ seine Kinder ein Jahr lang schwarze Kleidung tragen.[6] 1928 trat Graf Roland nach dem Studium der Landwirtschaft die Nachfolge seines Vaters in der Unternehmensführung an. Er war erst 23 Jahre alt, als der Vater starb, doch konnte er sich auf einen Stab fähiger Führungskräfte verlassen. Mit dem Aufkommen des Nationalsozialismus begann eine schwierige Zeit für den Fabrikherrn. Da er kein Mitglied der NSDAP war, wurde das als Aktiengesellschaft geführte Unternehmen unter die Leitung eines Geschäftsführers gestellt, eines gewissen Herrn Krüger, den die NSDAP bestimmt hatte.[7]

Schlimme Anfeindungen aufgrund ihrer Herkunft musste Graf Rolands erste Frau erfahren. Gräfin Alix-May, geborene Frankenberg-Ludwigsdorf, stammte aus der Bankiersfamilie Oppenheim. Ihr Großvater Eduard Oppenheim war vom jüdischen zum christlichen Glauben konvertiert. In Franken, wo die antisemitische Hetze durch den Gauleiter und *Stürmer*-Herausgeber Julius Streicher besonders perfide war, wurde die jüdische Abstammung der Gräfin bald Anlass gezielter Polemik. Noch vor der Machtübernahme berichtete die NS-Presse negativ über sie. Der Höhepunkt war erreicht, als vor dem Schlosseingang in Stein der Satz «Die Oppenheim, das Judenschwein, muss raus aus Stein» aufgemalt wurde. *Der Stürmer* brachte 1933 einen Artikel, in dem Alix-Mays luxuriöser Lebensstil und der häufige Wechsel des Personals kritisiert wurden. Graf Roland wurde gerügt, weil er seine Arbeiter und Angestellten nicht veranlasste, der SA beizutreten. Über die Gräfin hieß es: «Die Tatsache, dass die Matrone des Hauses in Stein zur jüdischen Rasse gehört, macht viele Dinge verständlich, die bis jetzt ein Rätsel waren.»

Alix-May flüchtete in die Tschechoslowakei, nachdem die Ehe mit Graf Roland, die seit langem kriselte, 1935 geschieden worden war. Es kam zu einem Sorgerechtsstreit um die Kinder, und wie sein Vater setzte sich auch Graf Roland gegen seine geschiedene Frau durch. «Nach den Grundsätzen der Staatspolizei», berichtete die Gestapo dem Gericht, «scheint sie [Gräfin Alix-May] nicht in der Lage zu sein, Kinder zu erziehen. […] Auf jeden Fall ist sie aufgrund ihrer allgemeinen Ausrichtung, die auch auf ihren jüdischen Hintergrund und ihre jüdische Erziehung zurückzuführen sein kann, nach nationalsozialistischen Grundsätzen politisch inakzeptabel.»[8] Ein Nachkriegsgericht stellte 1946 fest, dass Graf Roland wegen seiner Beziehung zu ihr politisch verfolgt wurde.

Die tragische Geschichte der Alix-May Frankenberg-Ludwigsdorf gelangte 2009 in die Medien, weil ihre jüdische Herkunft in einem erbitterten Restitutionsstreit eine Rolle spielte. Am 7. April 1938 hatte sie in dritter Ehe Graf Jaromir Czernin geheiratet, der aus einem alten österreichischen Adelsgeschlecht stammte. Graf Czernin hatte Adolf Hitler 1940 Jan Vermeers Gemälde *Die Malkunst* für 1,65 Millionen Reichsmark verkauft. 2009 forderten die Erben Czernins das Bild vom Kunsthistorischen Museum Wien zurück, weil – so argumentierten sie – ihre Vorfahren als Verfolgte das Gemälde unter Wert hatten abgeben müssen. Die antisemitische Schmiererei am Schlosseingang in Stein und der *Stürmer*-Artikel wurden Bestandteil der Beweisaufnahme. Sie sollten zeigen, wie sehr Gräfin Czernin, ehemalige Faber-Castell, verbal angegriffen worden war. Letztlich scheiterte die Restitution, weil ein Expertenbeirat zu der Überzeugung gelangte, dass dem Verkauf kein Zwang zugrunde lag, Jaromir Czernins Anwälte ihn vielmehr aktiv betrieben hätten.

Als diese 1940 mit der Reichskanzlei in Verhandlung standen, war Graf Roland als Panzerkommandeur in Polen und wäre beinahe von den Nazis verurteilt worden. Als Wehrmachtsoffizier soll er den Befehl verweigert haben, 500 Juden zu erschießen.[9] Dass er den Nationalsozialisten fern stand, bestätigte später Drexel Sprecher, der während des Nürnberger Hauptkriegsverbrecherprozesses im Anklagestab von Robert H. Jackson arbeitete.[10] Rebecca West zitiert die Aussage eines französischen Schriftstellers, wonach der Schlossbesitzer kein Nazi war.[11] Schließlich wurde Graf Roland, bereits auf dem Weg nach Stalingrad, wegen einer schweren Typhuserkrankung vorzeitig aus dem Kriegsdienst entlassen. Dank der tätigen Mithilfe seiner zweiten Frau Katharina «Nina» Sprecher von Bernegg, die er 1938 geheiratet hatte, gelang noch während des Krieges die Umwandlung seines Unternehmens in eine Einzelfirma.[12] Nach seiner Rückkehr 1942 wurde Graf Roland wieder Inhaber des Unternehmens.

Ab April 1940 lebte die Familie Faber-Castell aus Sicherheitsgründen nicht mehr im Schloss. Das Gebäude war von der Wehrmacht beschlagnahmt und zur Befehlsstelle einer Flakscheinwerferabteilung umfunktioniert worden. Wehrmachtssoldaten gingen ein und aus.[13] Den Schlosshof verwendete man zur Rekrutierung neuer Truppen, der Keller im

Alten Schloss wurde als Vorrats- und Munitionslager genutzt. Während die Grafenfamilie in dieser Zeit in dem 20 Kilometer südöstlich von Nürnberg gelegenen Jagdhaus Dürrenhembach wohnte, das normalerweise nur während der Jagdsaison als Unterkunft diente, wurde das Schloss von einer Kastellanin verwaltet. Sie musste regelmäßig in Dürrenhembach Bericht erstatten.

Am 19. April 1945 stießen von Ansbach aus kommend Panzerspitzen der Siebten US-Armee nach Stein vor. Kurz vor Eintreffen der amerikanischen Soldaten verließen die letzten Wehrmachtsangehörigen das Schloss, flohen durch den Park Richtung Süden und entledigten sich im Schlossweiher ihrer Waffen. Nur einige Unverbesserliche des Volkssturms bemühten sich, die Kreuzung vor dem Schloss zu verteidigen. Am Abend beschlagnahmten die Amerikaner das Schloss und fanden ein vom Krieg nahezu unversehrtes Gebäude vor. Lediglich einige Fenster waren durch den Luftdruck einer Fliegerbombe zerstört worden.

Wiedersehen in Nürnberg

Die Bleistiftfirma in Stein existierte nicht mehr. 242 Menschen waren ums Leben gekommen, die vor dem Krieg für das Unternehmen gearbeitet hatten.[14] Da die Fabrik von Bombenangriffen weitgehend verschont geblieben war, konnte in den Gebäuden bereits 1945 die Produktion von medizinischem Gerät begonnen werden. Die Faber-Castells sahen sich unterdessen ihres Stammsitzes beraubt. Sie arrangierten sich jedoch bald mit den Umständen und pflegten ein gutes Verhältnis zu den Besatzern, nicht zuletzt, um den Wiederaufbau der Firma in die Wege zu leiten. Verantwortlich dafür waren auch das soziale Geschick Gräfin Katharinas, ihre verwandtschaftlichen Bindungen sowie Bekanntschaften aus der Vergangenheit.

Als junge Frau hatte sie nach dem Besuch des Konservatoriums in Zürich ab 1934 eine Ausbildung zur Konzertpianistin in Berlin absolviert. In der Reichshauptstadt lernte sie Roland Graf Faber-Castell kennen. In dieser Zeit lebte sie im Palais des Prinzen Friedrich Christian zu Schaumburg-Lippe, eines hochrangigen NS-Funktionärs und zeitweiligen Adjutanten von Joseph Goebbels. Der amerikanische Geheimdienst vermutete 1945, dass es ihr familiärer Hintergrund war, der sie frühzeitig mit Größen der NS-Bewegung in Kontakt treten ließ. Eine dieser Größen, der ehemalige Gestapochef Rudolf Diels, verkehrte nun, nach dem Krieg, auch in Dürrenhembach, und aus einem freundschaftlichen Verhältnis mit Gräfin Katharina wurde bald mehr.

Das Jagdhaus der Faber-Castells war im Herbst 1945 zu einem exklusiven Erholungsort für Prozessbeteiligte geworden. Dort fanden beliebte Abendgesellschaften statt, an denen amerikanische Anklagevertreter wie Robert Kempner und Drexel Sprecher, Vertreter der Verteidigung wie der Anwalt Fritz Sauter oder ausgewählte Dolmetscher teilnahmen. Man verbrachte die Wochenenden miteinander, ging reiten, auf die Jagd, angelte oder spielte Tennis. Glänzender Mittelpunkt war die charmante Gastgeberin, die oft am Klavier saß, Chansons sang und ihre Gäste unterhielt. Dem Nürnberger Hauptkriegsverbrecherprozess hatte Gräfin Katharina «Nina» von Faber-Castell es zu verdanken, dass sie nun auch Rudolf Diels, ihren Bekannten aus Berliner Tagen, wiedersah.

Dieser stand im Zeugenhaus in der Novalisstraße zwar formal unter Hausarrest, genoss aber weitreichende Freiheiten. Diels, der das einstige NS-Personal, die Mentalität und die historischen Voraussetzungen gut kannte, war in Nürnberg Be- und Entlastungszeuge zugleich. Zu seinem einstigen Förderer Hermann Göring ging er dort nicht nur auf Distanz, er bestätigte auch die Vorwürfe der Anklage und belastete ihn schwer. Als sich Göring vor Gericht davon freisprach, als preußischer Ministerpräsident für die Gewalttaten der SA mitverantwortlich gewesen zu sein, entgegnete Diels am 24. April 1946 in einem Verhör, Göring habe seine Polizei nicht gegen die SA eingesetzt, beide Institutionen vielmehr verflochten und «Mord zum staatlichen Prinzip» erklärt. All dies sagte er unter Ausschluss der Öffentlichkeit. Diels stand während seiner Nürnberger Jahre nur einmal als Zeuge vor Gericht, beim IG-Farben-Prozess, dem sechsten der zwölf Nachfolgeprozesse.

Gräfin Katharina hatte er einst als «hochtalentierte Musikstudentin» und als «Abenteurerin zwischen den Welten» charakterisiert, die ihm wesensverwandt sei.[15] Dass er sich nun so ungezwungen zwischen dem

Zeugenhaus und Dürrenhembach bewegen konnte, obwohl einige in Nürnberg ihn verurteilt sehen wollten, mag auch auf die Protektion Robert Kempners zurückzuführen sein. Dieser war Mitarbeiter im Stab des US-Hauptanklagevertreters, war aber schon Anfang der 30er-Jahre in die Freundschaft zwischen Diels und der Gräfin mit einbezogen worden. Kempner und Diels pflegten seit langem vertrauten Umgang. Bevor Kempner, ein Jurist jüdischen Glaubens, 1935 nach Italien und später in die USA fliehen konnte, hatte der gebürtige Deutsche für das preußische Innenministerium in Berlin gearbeitet. Dort hatte er Diels einmal gerettet, als dieser seinen Dienstausweis bei einer Prostituierten vergessen hatte, die ihn nach einem Streit anzeigen wollte. Sie gelangte an Kempner, der die Sache unter den Tisch fallen ließ. Diels revanchierte sich, indem er einige Strippen zog, um seinen jüdischen Bekannten nach dessen Festnahme 1935 aus dem Konzentrationslager im Berliner Columbia-Haus zu befreien.

Ein weiterer Prozessbeteiligter, der regelmäßiger Gast im Faber-Castell'schen Jagdhaus war, war Drexel Sprecher, ein entfernter Verwandter Gräfin Katharinas aus dem amerikanischen Zweig der Sprecher-Familie. Auch er war Mitarbeiter im Anklagestab von Robert H. Jackson und später dann Hauptankläger im IG-Farben-Prozess. Im Hauptkriegsverbrecherprozess vertrat er die Anklage der USA gegen Baldur von Schirach.

Im Zeugenhaus bewohnte Diels ein Zimmer neben Hitlers Fotografen Heinrich Hoffmann. Und diese Unterkunft, in der Täter und Opfer des Nazi-Regimes unter einem Dach lebten, zweckentfremdete er schließlich als Liebesnest. Regelmäßig verkehrte dort Gräfin Katharina. Pikante Details der Affäre sind überliefert, etwa wie Graf Roland einmal seinen Nebenbuhler im Zeugenhaus vor Zorn zur Rede stellte oder wie Diels das Negligé seiner Geliebten heimlich nach Dürrenhembach zurückbringen ließ, weil der gehörnte Ehemann nichts mitbekommen sollte.[16] Dennoch war das Liebesverhältnis der beiden ein offenes Geheimnis. Diels eilte der Ruf eines Casanova voraus, und offensichtlich wurde er bei der Grafenfamilie auch verunglimpft. Aus einem Brief in seinem Nachlass geht hervor, dass ihm ein amerikanischer Offizier nachsagte, er sei bisexuell und habe mehrere Geliebte gleichzeitig. Sogar die Vaterschaft von Gräfin Katharinas jüngstem

Kind wurde ihm zugeschrieben. Diels beschwerte sich über die Anschuldigungen bei US-Ankläger Telford Taylor.[17]

Der US-Geheimdienst ging davon aus, dass Diels und die Gräfin sich schon über deren Familie kannten. Gräfin Katharina war die Enkelin von Theophil Sprecher von Bernegg, dem ehemaligen Generalstabschef der Schweizer Armee. Die Sprecher von Berneggs hätten mit der deutschen Schwarzen Reichswehr zusammengearbeitet, mutmaßte der amerikanische Geheimdienst, einer illegalen paramilitärischen Organisation zur Zeit der Weimarer Republik, die unter Bruch des Versailler Friedensvertrags heimlich die Wiederaufrüstung betrieb. Auch Rudolf Diels soll mit der Schwarzen Reichswehr zu tun gehabt haben. In einer Akte des US-Geheimdienstes CIC heißt es: «Die Gräfin Nina stammt aus der Schweizer Familie von Sprecher, die sich in den Jahren nach dem Ersten Weltkrieg besondere Verdienste um die Reorganisation des Schweizer Heeres erworben und in diesem Zusammenhang mit der ‹Schwarzen Reichswehr› zusammengearbeitet hat. Die Freundschaft von Diels mit der Gräfin Nina gestaltete sich seit 1945 zu einem Liebesverhältnis.»[18]

Während die Korrespondenten, die aus Nürnberg über den Kriegsverbrecherprozess berichteten, im Stammsitz der Faber-Castells wohnten, fanden in Dürrenhembach regelmäßig politische Diskussionen *off the record* statt. Man sprach vertraulich über die Zeitläufe, über Schuld, Sühne, die deutsche Kriegs- und Kollektivschuld – Gespräche, wie sie während des Prozesses so nicht hätten geführt werden können. Welchen Einfluss Gräfin Katharina mit ihren freundschaftlich-verwandtschaftlichen Beziehungen auf ihre Gäste hatte, die teilweise wichtige Anklagevertreter waren, lässt sich nicht mehr rekonstruieren. Eine Verwandte ihres Mannes, Clementine zu Castell-Rüdenhausen, war BDM-Funktionärin in der Reichsjugendführung der NSDAP gewesen, jener Organisation, der Baldur von Schirach vorstand. Die amerikanische Anklage gegen diesen aber führte wie gesagt Katharinas Verwandter Drexel Sprecher. Dass sie Sympathien für gewisse NS-Funktionäre hatte, hat ihr Sohn Anton-Wolfgang bestätigt.[19] Als Schweizerin konnte sie jedoch immer politische Neutralität für sich beanspruchen.

Zu Rudolf Diels, der Nürnberg 1947 als freier Mann verließ, hielt sie auch nach dem Ende ihrer Liebesbeziehung Kontakt. Sie war es, die ihm

1949 einen Schweizer Verlag für seine Rechtfertigungsschrift *Lucifer ante portas* vermittelte.[20] Es war derselbe Verlag, der Interverlag, der auch die Memoiren des Nürnberger Angeklagten Hans Fritzsche veröffentlichte. Der Leiter des Verlagshauses, Wilhelm Frick – nicht zu verwechseln mit dem ehemaligen Innenminister –, war in den 30er-Jahren eine führende Figur in der Eidgenössischen Front gewesen, einer Schweizer Organisation, die den Nationalsozialisten nahestand.[21]

ERICH KÄSTNERS GEBROCHENES VERSPRECHEN

«An allem Unfug, der passiert,
sind nicht etwa nur die Schuld, die ihn tun,
sondern auch die, die ihn nicht verhindern.»

Erich Kästner

Erich Kästner ist hier», schrieb Peter de Mendelssohn seiner Frau Hilde Spiel am 26. November 1945 vom Press Camp. «Ich helfe [ihm], so gut es geht, mit Rasierklingen, Zigaretten, Süßigkeiten etc., die ich im PX bekomme.»[1]

Toilettenartikel und Genussmittel waren nur ein Geringes im Vergleich zu anderen Hilfsleistungen, die Mendelssohn Kästner zuteilwerden ließ. Es war maßgeblich ihm zu verdanken, dass Kästner seinen Vorkriegsberuf als Journalist überhaupt wieder ausüben konnte. Obwohl seine Bücher 1933 auf die Liste der als «undeutsch» diffamierten Bücher gesetzt worden waren und er fassungslos ihrer Verbrennung am Berliner Opernplatz beigewohnt hatte, blieb Erich Kästner (1899–1974) während der NS-Zeit in Deutschland und arbeitete unter Pseudonym als Unterhaltungsschriftsteller und Drehbuchautor. Bei Kriegsende setzte er sich mit einem Filmteam nach Mayrhofen in Tirol ab, angeblich, um den Durchhaltefilm *Das verlorene Gesicht* zu drehen, in Wahrheit aber, um seine Haut zu retten.

Dort kam es am 30. Juni 1945 zu einer unerwarteten Begegnung. «Mitten im schönsten Streuselkuchen», schrieb Kästner, «erhielten wir Besuch, Kennedy und einen englischen Presseoffizier. Es war Peter Mendelssohn! ‹Lange nicht gesehen!› sagten wir zwei wie aus einem Munde, und das war nicht übertrieben. […] Sie fragten, ob ich an einer Zeitung mitarbeiten wolle, die man plane. Sie werde, zunächst einmal wöchentlich, in München erscheinen.»[2] Überraschend waren damit die Weichen für einen Neubeginn gestellt. Kästner zog wenig später in die bayerische Hauptstadt, im September trat er seine Stelle als Feuilletonchef der *Neuen Zeitung* an.

Im Gegensatz zu vielen anderen hätte Kästner auch ohne diese Fügung nach Kriegsende keinen Grund gehabt, sich um seine berufliche Zukunft zu sorgen. Er war durch seine Gedichtbände, Glossen und Prosawerke, nicht zuletzt auch durch die Verfilmungen seiner Bücher eine Berühmtheit. Als Satiriker und Pamphletist hatte er vor 1933 mit moralischer Rigorosität gegen die politische Rechte angeschrieben. Da er nicht im Verdacht stand, politisch belastet zu sein, standen ihm im Sommer 1945 verschiedene Türen offen. Bald trug man ihm neue Filmaufträge an, zudem war er ein Kandidat für die Generalintendanz des Dresdner Staatstheaters. Auch hätte er sich am Aufbau des Hamburger Rundfunks beteiligen können. Doch er entschied sich für die *Neue Zeitung* und damit für seine angestammte Tätigkeit in der schreibenden Zunft.[3]

In der journalistischen Arbeit sah er eine Notwendigkeit und ein Mittel der Aufklärung. Die Gnade der Stunde null barg in seinen Augen die Chance, ein neues Deutschland zu erschaffen. Kästner wollte seinen Teil dazu beitragen und Verantwortung übernehmen. Es sei nötig, «dass jemand den täglichen Kram erledigt», es gebe zu wenige Leute, «die es wollen und können. Davon, dass jetzt die Dichter dicke Kriegsromane schreiben, haben wir nichts.»[4] Freilich hatte er sich einen guten Arbeitsvertrag ausgehandelt. Dieser gewährte ihm Freiheiten für andere publizistische Tätigkeiten, Kästner wurde mit monatlich 2200 Reichsmark fürstlich honoriert, und er genoss Privilegien durch die amerikanische Militärregierung. So musste er sich beispielsweise nicht an die nächtliche Ausgangssperre halten.

War das Treffen in Mayrhofen für Kästner in beruflicher Hinsicht von entscheidender Bedeutung, machte es auch auf Peter de Mendelssohn (1908–1982) mitsamt dem «sturzbachartigen Gespräch, in dem man zwölf Jahre nachholen mußte», großen Eindruck.[5] «Als ich an jenem Abend zurückfuhr», kommentierte Mendelssohn 1974, «hatte ich eine verloren geglaubte, für unwiederbringlich gehaltene Welt wiedergefunden: ein vernünftiges Deutschland mit erwachsenen Menschen darin. Und wenn es nur dieser eine gewesen wäre, er hätte genügt, um

Erich Kästner, 1946

mir nach soviel mörderischer Kinderei den Glauben und die Zuversicht wiederzugeben.»[6]

Der «mörderischen Kinderei» durch die Nazis war Peter de Mendelssohn in besonderem Maße ausgesetzt gewesen. Ab 1933 war der jüdischstämmige Münchner nach einer erfolgreichen Laufbahn als Journalist und Romancier in Berlin immer mehr Repressalien ausgesetzt gewesen. Aufgrund seines Nachnamens sah er sich genötigt, Feuilletonartikel unter «arisch» klingendem Pseudonym zu schreiben. Ein Artikel in der *Vossischen Zeitung* wurde unter dem adligen Mädchennamen seiner ersten Frau veröffentlicht. Nachdem die SA seine Wohnung verwüstet hatte, bestieg er den Nachtzug nach Paris und wählte die Emigration. Mendelssohn trat 1939 in den britischen Staatsdienst ein, wo er – ab 1941 als britischer Staatsbürger – zunächst für das Informationsministerium tätig war. Im Januar 1944 erfolgte seine Versetzung in die Presse- und Informationsabteilung des SHAEF, des unter dem Kommando von General Eisenhower stehenden britisch-amerikanischen Hauptquartiers.

Dort wurde er, nachdem er mehrere Monate in der Zentrale für Psychologische Kriegsführung in London tätig war, 1944 ins Hauptquartier nach Paris geschickt. Schließlich kam er im April 1945 mit den alliierten Truppen nach Deutschland und arbeitete in München in einem Pressekontrollbüro – «der Form halber», wie er schrieb, «in Wahrheit, um nach Geretteten und Überlebenden Ausschau zu halten, mit denen man neu anfangen konnte».[7]

Mendelssohn wirkte schließlich als Presseoffizier vorbereitend bei der Gründung von Zeitungen mit. In München arbeitete er an einer Auswahl deutscher Kandidaten für eine Lizenzzeitung, die spätere *Süddeutsche Zeitung*, für die er Wilhelm Emanuel Süskind gewinnen konnte.[8] Dem Berliner *Tagesspiegel* verhalf er zur Geburt, ebenso der Hamburger *Welt*. Für die unter amerikanischer Ägide stehende *Neue Zeitung* war er als Headhunter unterwegs. «Als ich erfuhr, dass Kästner lebte und wo er war, fuhr ich augenblicks in einem Jeep zu ihm.» Dass das Feuilleton der *Neuen Zeitung* schließlich zu einem maßgebenden intellektuellen Forum der Nachkriegszeit wurde, war auch Mendelssohns Initiative zu verdanken.

Die Neue Zeitung

In dem vom Krieg weitgehend unbeschädigten Druckereigebäude in der Münchner Schellingstraße, in dem zuvor der *Völkische Beobachter* produziert worden war, verwirklichte die amerikanische Besatzungsmacht mit der *Neuen Zeitung* ein ehrgeiziges Projekt. Das Blatt war eine «amerikanische Zeitung für die deutsche Bevölkerung», wie es in der Titelzeile hieß. Dwight D. Eisenhower, der damalige Militärgouverneur der amerikanischen Besatzungszone, schrieb für die Erstausgabe am 18. Oktober 1945 ein Geleitwort, in dem er die *Neue Zeitung* ausdrücklich als Musterzeitung pries. Sie sollte der «neuen deutschen Presse durch objektive Berichterstattung, bedingungslose Wahrheitsliebe und durch ein hohes journalistisches Niveau als Beispiel dienen».[9] Den Herausgebern ging es darum, aus den deutschen Lesern mündige Bürger zu machen und ihnen die Werte und Normen der Demokratie näherzubringen.

Es sei in den ersten Arbeitswochen zugegangen wie «bei der Erschaffung der Welt», schrieb Kästner später mit der ihm eigenen Ironie. Zusammen mit seinem Assistenten Alfred Andersch trug er als leitender Redakteur die Verantwortung für die Feuilleton- und Kunstbeilage. Bereits die erste Ausgabe wurde ein Erfolg, nicht zuletzt, weil das Gelesene für die Leserschaft so ganz anders war. Im Gegensatz zur politischen und kulturellen Indoktrination im Nationalsozialismus waren die Nachrichten weitgehend frei von Wertungen, die Kommentare klug abwägend und selten apodiktisch. Anfangs unter der Leitung von Chefredakteur Hans Habe, jenem Mann, der herausgefunden hatte, dass Hitler eigentlich Schicklgruber hieß, präsentierte Kästner Beiträge unterschiedlichster Art. Er verfasste Glossen, Gedichte, Kritiken, Kommentare, Nachrufe, Geburtstagsgrüße, Reportagen und Porträts. Dabei befasste er sich auch mit der Kollektivschuldthese, der Demontagepolitik der Siegermächte, der Wohn- und Verpflegungssituation im zerstörten München. Er schrieb über seine im Krieg verbrannte Bibliothek oder über die US-amerikanische Filmdokumentation mit Aufnahmen aus Konzentrationslagern. Stilistisch bemühte er gern emotional aufrüttelnde Bilder und anschauliche Vergleiche, über die das Wesentliche erfasst wurde. Autobiografische Anekdoten, hin und wieder aber auch ein scheinbar unwichtiges Detail wie ein Pfiff im Kino, konnten bei Kästner eine Assoziationskette in Gang setzen und exemplarische Bedeutung erhalten.

Neben seinen eigenen Beiträgen veröffentlichte er eine beeindruckende Anzahl von Texten berühmter Schriftsteller, von denen viele während der NS-Zeit verboten gewesen waren. Die Liste des deutschsprachigen Autorenkreises liest sich wie ein *Who is who* der damaligen Literaturprominenz, von Bertolt Brecht, Max Frisch, Hermann Hesse, Stefan Heym über Heinrich und Thomas Mann bis zu Anna Seghers, Franz Werfel oder Carl Zuckmayer. Nach den Entbehrungen der Nazi-Jahre stillte Kästner auch den Hunger seiner Leserschaft nach internationaler Literatur. Texte von Thornton Wilder, Antoine de Saint-Exupéry, André Gide, Ignazio Silone oder Ernest Hemingway, dessen *Der alte Mann und das Meer* als Fortsetzung erschien, waren im Feuilleton ebenso zu finden wie Beiträge von Jean-Paul Sartre oder John Steinbeck. Kästner räumte auch dem literarischen Nachwuchs Platz ein, weil er beim Wachstum «Gärtnerarbeit» leisten wollte. In der Kunstbeilage ließ er Werke ehemals «entarteter» Künstler abbilden, und er gab berühmten Naturwissenschaftlern wie Albert Einstein und Max Planck ein Forum für Beiträge. Die *Neue Zeitung*, die für geistige Freiheit stand, wurde das bedeutendste publizistische Literatur- und Diskussionsforum der frühen Nachkriegszeit. Bald galt sie als die wichtigste Zeitung in Deutschland mit einer Auflage von bis zu zweieinhalb Millionen Exemplaren täglich.

In einer Rede zu Kästners 75. Geburtstag bekundete Mendelssohn seinen Stolz, dass er es war, der Kästner 1945 wiedergefunden und damit zum Erfolg der *Neuen Zeitung* beigetragen hatte. «Es müssen ja nicht immer Heldentaten sein; manchmal genügt es, dass man an einem Schalter knipst, und es kommt was Gutes dabei heraus.»[10]

Dass Mendelssohn 1945 den mühsamen Weg in die Tiroler Berge nicht scheute und sich auf die Suche nach Kästner begab, lag auch an seiner persönlichen Wertschätzung für den neun Jahre Älteren. Wie Kästner war Mendelssohn bemüht, ein *écrivain journaliste* zu sein, ein Autor, der an seine literarischen Texte journalistische Kriterien anlegte und seine journalistischen Texte literarisch formte. Immer wieder klingt bei Mendelssohn an, dass ihm Kästner ein Vorbild war. Verbindend wirkte neben fachlicher Hochachtung, Sympathie und landsmannschaftlicher Solidarität auch eine gemeinsam erlittene Demütigung, die Berliner Bücherverbrennung im Jahr 1933.

Mendelssohn hatte in den späten 20er-Jahren als Journalist für das *Berliner Tagblatt* gearbeitet, für das auch Kästner als freier Mitarbeiter tätig war. 1927 lernten sie sich kennen. Ihre sächsischen Wurzeln – Mendelssohn wuchs in der lebensreformerischen Enklave Hellerau bei Dresden auf, Kästners Geburtsstadt – und das heimatliche Idiom führten rasch zu Nähe. Doch 1933, mit Beginn der «Hitlerei» (Mendelssohn), verloren sie sich aus den Augen. «Er blieb, weil er zur Not bleiben konnte, ich ging, weil ich aus Not gehen musste.» In einem Pariser Kino sah Mendelssohn Kästner dann in einer deutschen Wochenschau auf der Leinwand wieder. Ein Buch nach dem anderen flog im nächtlichen Berlin auf einen lodernden Scheiterhaufen. In einer Großaufnahme erkannte Mendelssohn ein angekohltes Exemplar von Kästners Roman *Fabian*, daneben ein Buch von sich selbst. Das Erleben der

Bücherverbrennung war für beide schockierend, wurde aber auch, vielleicht gerade deswegen, identitätsstiftend. Kästner, als «Zersetzungsliterat» gebrandmarkt, war der Prangersituation inmitten einer fanatisierten Menge direkt ausgesetzt; er hatte sich freiwillig dorthin begeben. «Es war widerlich. [...] Mir wurde unbehaglich zumute.» Seine Bücher wurden «von einem gewissen Herrn Goebbels mit düster-feierlichem Pomp verbrannt».[11]

Sprachwandel

Auch wenn Joseph Goebbels, der bei dem Berliner Autodafé eine Rede hielt, bereits tot war, saßen zwölf Jahre später sein führender Radiopropagandist Hans Fritzsche und dessen politische Wegbegleiter in Nürnberg vor Gericht – und auf der Pressetribüne bei Prozessbeginn die beiden Männer, von denen zuletzt die Rede war und deren Bücher 1933 den Flammen übergeben worden waren. Mendelssohn sah bei dieser Gelegenheit Hans Fritzsche zum ersten Mal persönlich, mit dem er sich während des Kriegs als Radiosprecher für den Londoner Rundfunk polemische Rededuelle geliefert hatte.[12]

Mendelssohns idealistische Aufbauarbeit bei der Etablierung einer deutschen Presse im Sommer 1945, die vornehmlich organisatorischer Art war, war schon bald seinem Wunsch gewichen, wieder selbst zu berichten. Er verfügte über hervorragende Kontakte zu anglo-amerikanischen Printmedien und hatte auch bislang, wenn die Zeit es zuließ, hin und wieder Beiträge veröffentlicht. Der Nürnberger Prozess, das mediale Jahrhundertereignis, bot ihm nun Gelegenheit, sich ausschließlich auf das eigene Schreiben zu konzentrieren. Mendelssohn wohnte der Eröffnung bei und blieb bis Mitte Dezember, wobei er als Korrespondent des *New Statesman and Nation*, des *Observer* sowie der *Nation* arbeitete.

Gegenüber seinen journalistischen Anfangsjahren hatte sich bei ihm ein sprachlicher Wandel vollzogen. Bereits seit seiner Emigration schrieb Mendelssohn seine Texte überwiegend auf Englisch. Für viele emigrierte deutschsprachige Schriftsteller war die fremde Sprache ein großes Risiko. Wer als Autor in seiner Muttersprache bereits zu einem eigenen Stil gefunden hatte, war meist nicht dazu bereit, diese aufzugeben und in einer anderen Sprache neu zu beginnen. Mendelssohn jedoch war entschlossen, seine erreichte Meisterschaft im Deutschen einer vereinfachten Schreibweise im Englischen zu opfern. Er ging dabei so weit, selbst die Briefe an seine Frau Hilde Spiel, eine gebürtige Österreicherin, auf Englisch zu schreiben. Während des PEN-Kongresses 1941 in London hielt er eine Rede mit dem Titel *Writers without Language*, worin er zwei Typen von Schriftstellern unterschied. Mendelssohn zählte sich selbst zu jener Gruppe, die dem Inhalt und der Wirkung ihres Schreibens mehr Bedeutung beimaß als der Form. «Any tools will serve», lautete seine Devise.[13]

Die Tatsache, dass er auf Englisch schrieb, war Erich Kästner eine Bemerkung in seiner Prozessreportage für die *Neue Zeitung* wert. «Halt, sehen Sie den Engländer dort?», lässt er einen fiktiven Korrespondenten sagen, indem er einige prominente Berichterstatter auf der Pressetribüne vorstellt. «Den mit der Hornbrille, ganz recht! Das ist Peter Mendelssohn. Vor 1933 war er ein deutscher Schriftstel ... ach, das wissen Sie natürlich ... Jetzt schreibt er seine Romane englisch ...»[14]

Im Steiner Press Camp fand Mendelssohn eine ebenso ungewohnte wie verstörende Unterkunft, in der ihm das Arbeiten schwerfiel. Während er Kästner großzügig geholfen hatte, eine neue berufliche Existenz zu finden, stellte sich die Frage nach seiner eigenen immer drängender. In Nürnberg war Mendelssohn lediglich auf Honorarbasis tätig. Der besorgten Hilde Spiel schrieb er am 2. Dezember 1945 vom Press Camp: «Ich habe alle möglichen Ideen über Jobs und meinen Lebensunterhalt im neuen Jahr, und etwas wird sich ergeben. Ich glaube nicht, dass Du Dir Sorgen machen musst. Ich werde mir einen Job zulegen, und das auch rechtzeitig. [...] Das Einzige, was ich in diesem schrecklichen Presselager herausgefunden habe, in dem sich die sogenannte Elite internationaler Korrespondenten versammelt, ist, dass ich so gut wie jeder Journalist hier bin.»[15] Hilde Spiel musste sich in der Tat keine Sorgen machen. Noch während des Prozesses siedelte Mendelssohn im März 1946 nach Berlin über und betreute dort als Presseberater die von ihm lizensierte Zeitung *Telegraf* und den *Tagesspiegel*. Später zeichnete er als Chefredakteur für die selbstständige Berliner

Der Arbeitsraum der Berichterstatter im Schloss. Ganz rechts am Fenster sitzt Peter de Mendelssohn

Ausgabe der *Welt* verantwortlich. Hilde Spiel folgte ihm mit den Kindern, und bald führten sie in ihrer Villa im Grunewald die annehmliche «Existenz höherer Kolonialbeamter».

In Nürnberg sah Mendelssohn Kästner, der als Deutscher nicht im Press Camp wohnen durfte, nur gelegentlich.[16] Sie hatten viel zu tun; Kästner war ohnehin nur wenige Tage anwesend. Mehr als ein beiläufiger Austausch auf den Gerichtsgängen war kaum möglich. Und auch wenn beide Gegner des Nationalsozialismus gewesen waren und unter der faschistischen Herrschaft gelitten hatten, nahm der Prozess für sie einen ganz unterschiedlichen Stellenwert ein. «Ich bin besessen von dem Gefühl, dass ich so etwas nie wieder in meinem Leben sehen werde […] Es ist absolut historisch […] Man kann es sich einfach nicht leisten, einen einzigen Moment davon zu verpassen», schrieb Mendelssohn seiner Frau.[17] Zahlreiche Prozessberichte folgten. Kästner hingegen, der nur dem Prozessauftakt beiwohnte, verfasste für die *Neue Zeitung* lediglich eine Reportage, die *Streiflichter aus Nürnberg*.[18]

Streiflichter aus Nürnberg

Wie der sprechende Titel impliziert, handelt es sich bei Kästners Artikel um einen beiläufigen Blick auf das Geschehen. Die *Streiflichter aus Nürnberg*, in Worte gefasste Impressionen, erschienen am 23. November in der *Neuen Zeitung*, drei Tage nach Prozessauftakt. Es ist eine Reportage, die sich auch durch Selbstbezogenheit auszeichnet. Kästner berichtet vom Moment, vom Augenblick und viel von sich selbst. «Autobahn München – Nürnberg ... Wir fahren zur Eröffnung des Prozesses gegen die Kriegsverbrecher. [...] Herbstnebel hängen auf der Straße und über den Hügeln.» Die Natur spricht zu ihm und ruft düstere Assoziationen hervor. In «toten Äckern» hocken die Krähen, und mitten im Feld ragen, wie er auf der Fahrt beobachtet, Hopfenstangen in die Luft. «Es sieht aus, als seien die Galgen zu einer Vertreterversammlung zusammengekommen.»

Kästner begrüßt das Tribunal ohne allzu viel Pathos. «Morgen soll nun gegen vierundzwanzig Männer Anklage erhoben werden, die schwere Mitschuld am Tode von Millionen Menschen haben. [...] Ach, warum haben die Völker dieser Erde solche Prozesse nicht schon vor tausend Jahren geführt? Dem Globus wäre viel Blut und Leid erspart geblieben ...» Der Pazifist äußert fromme Wünsche: Wenn es gelänge, die Angeklagten zur Verantwortung zu ziehen, «könnte der Krieg aussterben. Wie die Pest und die Cholera. [...] Und spätere Generationen könnten eines Tages über die Zeiten lächeln, da man einander millionenweise totschlug.» Kästner, ein Meister der Beiläufigkeit, weiß die Worte so zu setzen, dass sie Wirkung erzielen. Gallig, fast zynisch bemerkt er im Plauderton: «Es sind übrigens nicht mehr vierundzwanzig Angeklagte. Ley hat sich umgebracht, Krupp, heißt es, liegt im Sterben. Kaltenbrunner hat Gehirnblutungen. Und Martin Bormann? Ist er auf dem Wege von Berlin nach Flensburg umgekommen? Oder hat er sich, irgendwo im deutschen Tannenwald, einen Bart wachsen lassen [...]?»

Am Folgetag geht Kästner, indem er seine Weitwinkelperspektive verlässt, auf die Angeklagten ein. Göring sei schmaler geworden. «Wenn er seinen Namen hört, merkt er auf.» «Alfred Rosenberg hat sich nicht verändert. Seine Hautfarbe wirkte immer schon kränklich.» Walther

Funk habe ein «blasses häßliches Froschgesicht». Präzise beschreibt Kästner das Auftreten der Beschuldigten, die nervösen Zuckungen von Rudolf Heß, auch Wilhelm Keitel und Alfred Jodel, die unscheinbaren Vertreter des Heeres, die fast in der Versenkung zu verschwinden drohen. Mimik, Physiognomie, Attitüde und Kleidung der Angeklagten – beinahe zwei Seiten füllt Kästner mit Beschreibungen. Wie ein Juror, sachlich und distanziert, verleiht er den Protagonisten Noten. Allerdings geht er ausschließlich auf deren Erscheinungsbild ein, womit das Detail unverdiente Bedeutung erhält. Der Beschäftigung mit den Zusammenhängen oder gar den Schrecken, die die Angeklagten verursacht haben, geht Kästner aus dem Weg. Nur kurz, stichwortartig und im Staccato, zählt er auf, was der französische Hauptanklagevertreter an Untaten vorträgt: «Raub, Deportation, Sterilisation, Massenerschießungen mit Musikbegleitung, Folterungen, Nahrungsentzug, künstliche Krebsübertragung, Vergasung, Vereisung bei lebendigem Leibe, maschinelle Knochenverrenkung, Weiterverwendung der menschlichen Überreste zur Dünger- und Seifengewinnung … Ein Meer von Tränen … Eine Hölle des Grauens … Um zwölf ist Mittagspause.»

Um zwölf ist Mittagspause … Kästner scheint froh zu sein, dass er Gelegenheit bekommt, seine Aufzählung zu unterbrechen. Den Stichworten lässt er Fiktion folgen, womit er die Ebene der Reportage verlässt, gleichsam um der Realität zu entfliehen. Er skizziert ein imaginäres Gespräch mit einem Kollegen im Foyer, den er scheinbar neugierig fragt, wen «in diesem Jahrmarktstreiben» er kenne. «Die Leser unseres Blattes. Sie verstehen …» Den offenbar an Klatsch und Namen interessierten Lesern der *Neuen Zeitung* beschreibt der Ungenannte nun einige berühmte Korrespondenten vor Ort, von John Dos Passos über Erika Mann bis zu Peter de Mendelssohn. An anderer Stelle in den *Streiflichtern* verwendet Kästner einen fiktionalen Einschub, um die Historizität der Situation in der Zukunft zu imaginieren. «Endlich stehe ich in dem Saal, in dem der Prozeß stattfinden wird», schreibt er. «In dem einmal, Jahrhunderte später, irgendein alter, von einer staunenden Touristenschar umgebener Mann gelangweilt herunterleiern wird: ‹Und jetzt befinden Sie sich in dem historischen Saal, in dem am 20. November des Jahres 1945 der erste Prozeß gegen Kriegsverbrecher eröffnet wurde. An der rechten Längsseite des Saales saßen, vor den Fahnen Amerikas,

Englands, der Sowjetrepublik und Frankreichs, die Richter der vier Länder ...»

Es scheint, als flüchte sich Kästner in die Distanzierung, einmal humorvoll-sarkastisch, dann wieder fiktional, weil er die Schwere des historischen Augenblicks nicht reflektierend einfangen kann. Als befinde er sich in einem emotionalen Stau angesichts des Nicht-zu-Bewältigenden. Kästner geht so weit, die Vorgänge im Gericht mit einem Jahrmarktstreiben gleichzusetzen. Damit bedient er sich des schwarzen Humors, eines Lachens in unpassenden Situationen, das Sigmund Freud als kurzzeitige Lockerung einer Verdrängung definierte.

Sprachlosigkeit

Wenige Monate nach seinem Aufenthalt in Nürnberg sah Kästner den Film *Die Todesmühlen*, eine US-amerikanische Dokumentation mit Filmaufnahmen aus Konzentrationslagern. Unmittelbar darauf schrieb er für die *Neue Zeitung* den Artikel *Wert und Unwert des Menschen*, in dem er assoziativ die Gedanken schildert, die ihn beim Versuch, eine Filmkritik zu verfassen, bewegten. Kästner, den Meister der Sprache, überfiel angesichts des Grauens eine Sprachlosigkeit, die er in dem am 4. Februar 1946 erschienenen Artikel metasprachlich thematisiert. «Die Gedanken fliehen, so oft sie sich der Erinnerung an die Filmbilder nähern. Was in den Lagern geschah, ist so fürchterlich, daß man darüber nicht schweigen darf und nicht sprechen kann.»[19]

In den *Streiflichtern aus Nürnberg* verfuhr Kästner in gewisser Weise ähnlich. Auch seine Prozessreportage wirkt wie eine Flucht, indem er versucht, die Banalität des Grauens journalistisch zu erfassen.[20] Als die Sitzung aufgehoben wird, macht er sich auf den Heimweg. «Das Herz tut mir weh, nach allem, was ich gehört habe ... Und die Ohren tun mir auch weh. Die Kopfhörer hatten eine zu kleine Hutnummer ... Heimfahrt auf der Autobahn. [...] Ich blicke aus dem Fenster und kann nichts sehen. Nur zähen, milchigen Nebel ...» In den Nürnberger Gerichtssaal kehrte Kästner nie wieder zurück, obwohl der *Neuen Zeitung* als einer von wenigen ein ständiger Korrespondentenplatz zugestanden wurde und der Prozess noch fast ein Jahr dauerte. In seiner Korrespondenz, insbesondere in den Briefen an seine Mutter, der er nahezu täglich schrieb, findet sich kein Wort darüber.

Sprachlosigkeit befiel auch Peter de Mendelssohn, nachdem er nach Kriegsende in seine alte Heimat zurückgekehrt war. Am 14. Juli 1945 veröffentlichte er im *New Statesman* den Artikel *Through the Dead Cities*, in dem er eingesteht, kein Vokabular zu haben, um die totale Zerstörung in Worte zu fassen, der er im Trümmermeer Deutschlands ausgesetzt war. Im Gegensatz zu Kästners – weitgehendem – Verstummen im Angesicht der Kriegsverbrecher bezog sich Mendelssohns Sprachlosigkeit aber auf die Orte seiner Jugend, mit denen er schöne Erinnerungen verband und die nun zerstört waren.

Während seines Nürnbergaufenthalts hingegen arbeitete er wie besessen an seinem Buch *Die Nürnberger Dokumente. Studien zur deutschen Kriegspolitik 1937–45*, einer Sammlung von dokumentarischem Material, das von der britischen und amerikanischen Staatsanwaltschaft bei Gericht gegen die Kriegsverbrecher vorgebracht wurde. Mendelssohn kommentierte die aufgefundenen Dokumente und machte sie 1946 den englischsprachigen, 1947 den deutschen Lesern zugänglich. Auch in seinen Artikeln aus der Zeit wurde das Tribunal zum Hauptprotagonisten.[21] So verteidigte er den Prozess etwa gegen seine juristischen Kritiker. «Die Zweifler und Haarspalter […] sagen, wir ignorierten das bestehende Recht, wir umgingen, ja in gewissem Sinn brächen wir es gar, um neues Recht zu schaffen. […] Sie erklären uns, wir ignorierten den Präzedenzfall, um einen Präzedenzfall zu schaffen, und derlei sei – wie dies nun einmal bei Präzedenzfällen üblich ist – noch nie getan worden und könne deshalb auch jetzt nicht getan werden. Wir antworten: …»[22]

Anders als Kästner, dessen *Streiflichter* wie eine Pflichtübung wirken, schrieb Mendelssohn nicht nur zahlreiche Artikel, er reflektierte über den Prozess und vertiefte sich für sein Buch in die nationalsozialistischen Untaten. Auch er versuchte hin und wieder, Abstand zu gewinnen, etwa bei einem ausführlich geschilderten Spaziergang durch die Nürnberger Altstadt, doch der Schwere der Ereignisse ging er nicht aus dem Weg.

Inländische und ausländische Perspektive

Peter de Mendelssohn hatte eine verantwortungsvolle Position bei den westlichen Siegermächten inne. Ganz in deren Sinne war er ein Verfechter der *re-education*. Mit dem Programm einer Umerziehung der Deutschen ging der Vorwurf der Kollektivschuld einher, demzufolge das gesamte deutsche Volk dem Faschismus zum Aufstieg verholfen und ihn aktiv unterstützt habe. In der emotional geführten Nachkriegsdebatte um die Kollektivschuld standen sich zwei Parteien unversöhnlich gegenüber: die der Ein-Deutschland-These, die von der Kollektivschuld der Deutschen überzeugt war, und die Vertreter der Zwei-Deutschland-These, die hervorhob, dass nicht alle Deutschen Nazis waren. Mendelssohn tendierte zur ersten. Er war vor allem von den intellektuellen Eliten Deutschlands enttäuscht, weil sie auf den Zusammenbruch des «Dritten Reichs» zumeist eben doch «typically German» reagiert hätten. Nachdem er anfangs Hoffnung auf einen Sinneswandel hatte, zeigte er sich bald frustriert. Hilde Spiel schrieb er im August 1945: «Meine persönliche Enttäuschung oder vielmehr Abscheu gegenüber den Deutschen, und ich meine die so genannten guten, intelligenten und intellektuellen Deutschen, hat nicht abgenommen.»[23] Unbelehrbar und weltabgewandt seien sie. Erich Kästner blieb für ihn die Ausnahme.

Dessen Rolle als innerer Emigrant im Nationalsozialismus hat Mendelssohn aber wohl verklärt, vielleicht auch, weil er nicht alles über die Vergangenheit des Bewunderten wissen wollte. Wenngleich Kästners Gegnerschaft zu den Nationalsozialisten offenkundig war, seine Bücher verbrannt wurden und er Publikationsverbot erhielt, ließ er sich vom Regime mehr vereinnahmen, als er später eingestand. Nie schrieb der bekennende Antimilitarist ein positives Wort über die Nazis. Mehrmals wurde er von der Gestapo vernommen. Allerdings versuchte er auch mehrfach, in die Reichsschrifttumskammer aufgenommen zu werden. Mit einer Sondergenehmigung von Joseph Goebbels verfasste er unter Pseudonym das Drehbuch zum Film *Münchhausen*. Er schrieb vor allem Komödien, arbeitete für den Film und war der Unterhaltungsindustrie des «Dritten Reichs» ein williger Zulieferer. Klaus Mann, Peter de

Mendelssohns Jugendfreund, sah Kästner deshalb kritisch. Nach Erscheinen von dessen Roman *Drei Männer im Schnee* 1934 schrieb er eine Polemik gegen die Anpassungsfähigkeit des «sächsischen Gemütsmenschen» und verwarf Kästner, indem er den Moralisten mit dessen eigenen Ansprüchen konfrontierte.

Die Gegnerschaft der Manns bescherte Kästner in Nürnberg eine unangenehme Begegnung. Auf der Pressetribüne begegnete er Erika Mann – beide mochten sich nicht leiden. Für Erika Mann war Kästner der «Innerdeutsche», ein Mitläufer, der zu wenig gegen die Nazis getan, sich vielmehr arrangiert hatte. In ihrem 1939 mit Klaus Mann verfassten Buch *Escape to Life* überzog sie Kästner mit Sarkasmus. «Seht Ihr», lässt sie ihn selbstmitleidig sagen, «solchen Unsinn muss ich nun schreiben, so weit hat man mich gebracht – und Ihr erinnert Euch doch alle, dass ich einmal sehr begabt und witzig gewesen bin.»[24] In seinen *Streiflichtern aus Nürnberg* revanchierte sich Kästner, indem er Erika Mann lediglich als «Tochter Thomas Manns» bezeichnete. Er sprach ihr Deutschsein und Weiblichkeit ab und reduzierte «die Amerikanerin mit dem schmalen Kopf und dem dunklen, glatt anliegenden, kurz geschnittenen Haar» auf ihr Äußeres – wie die Angeklagten.

Nach dem Krieg wurde Kästner oft gefragt, weshalb er es vorgezogen habe, sich durch die Jahre der Diktatur zu lavieren, anstatt Deutschland zu verlassen. Sein Bleiben begründete er unter anderem damit, dass er vor Ort Chronist der Ereignisse sein wollte, um später davon berichten zu können. Auch bei einer Befragung durch US-Soldaten versuchte er so, sein Ausharren zu erklären. Zudem hatte er seine betagte Mutter, der er sehr nahestand und die zu keinem Ortswechsel bereit war, nicht allein lassen wollen. Nach 1945 gab er die vergangenen zwölf Jahre immer wieder als eine Art Martyrium aus und verteidigte die deutsche Bevölkerung, die wie er geblieben war.

Früh kritisierte er die Politik der Besatzungsmächte. Kästner war «einer der ersten, der sich gegen die geplante Umerziehung des deutschen Volkes wandte», schreibt Kurt Beutler, «weil er Dekret und Zwang, gleichgültig von wem und gegen wen angewandt, als eine Verletzung der Humanität empfand».[25] Kästner mit seiner inländischen Perspektive bezog für die Nachkriegsdeutschen Position gegenüber dem Ausland. Sie «würden gewiss nicht vergessen, wieviel Menschen man in diesen Lagern umgebracht hat. Und die übrige Welt sollte sich zuweilen daran erinnern, wieviel Deutsche darin umgebracht wurden.» Mit der übrigen Welt meinte er implizit auch die Richter in Nürnberg, die Verbrechen an Deutschen nicht thematisierten. Letztlich verfocht Kästner eine autochthone Neuordnung Deutschlands. «Wir haben uns geändert», schrieb er 1947 in anderem Zusammenhang.[26] Adenauers Politik lehnte er ab, und rückblickend bemerkte er: «Es gab zum Beispiel keine eigene deutsche Diplomatie, vielmehr wurden nur brav die politischen und sonstigen Wünsche der Amerikaner erfüllt. [...] Ich sehe die Adenauer-Zeit als eine Ära der Demokratur.»[27]

Peter de Mendelssohn hingegen, seit 1941 britischer Staatsbürger, galt im Deutschland der Nachkriegszeit als «unerbittlicher Umerzieher» (Hilde Spiel). Dies war er auch in kultureller Hinsicht. In seiner Eigenschaft als Nachrichten-Controller einer Besatzungsmacht hielt er 1947 auf dem Ersten Deutschen Schriftstellerkongress in Berlin eine Rede, in der er sein Ideal eines «westeuropäischen Tons in der Literatur» pries. Diesen Ton, so Mendelssohn, «möchte ich in etwas persönlicher Eigenwilligkeit und Spitzfindigkeit vielleicht einfach bezeichnen als den zivilisierten Ton. Es handelt sich darum, zivilisiert zu schreiben, meine persönliche Meinung: so zivilisiert zu schreiben wie in England.»[28] Mendelssohns Ratschlag stand auch in Konkurrenz zu den Kulturbestrebungen der Sowjets in Berlin, die darauf zielten, mittels Literatur sozial-ökonomische Strukturen zu verändern. Er stieß bei seinem deutschen Publikum auf wenig Gegenliebe. Dort empfand man ihn als Bevormundung und Ausdruck von Arroganz, implizierte er doch, dass die meisten deutschen Schriftsteller unzivilisiert schrieben. Es nimmt daher nicht Wunder, dass die *B. Z. am Mittag* 1948 anmerkte, Mendelssohn gehe als «früherer Landsmann mit uns Deutschen sehr viel strenger [um] als der christliche Lord Pakenham», der als Hoher Kommissar der britischen Besatzungszone tätig war.[29]

Waren Kästner und Mendelssohn in ihrer Beurteilung der Nazi-Verbrechen einer Meinung, unterschied sie die Frage, wie die Umerziehung der Deutschen gelingen könne. Kästner war davon überzeugt, dass sie sich selbst und mittels ihrer eigenen Kultur vom «Nazigift» befreien könnten. Wie sein Assistent Alfred Andersch lehnte er die Kollektivschuldthese ab. Noch 1945 schrieb er in sein Tagebuch, die Besatzer, die sich als «Sieger» gerierten, hätten «eine Umwälzung revolutionärer Art» verhindert. Für Kästner gab es eine freiheitliche Tradition deutscher Literatur und Kultur, an die man anknüpfen konnte. Für die Westalliierten aber gab es einen Gegensatz zwischen deutschem Geist und dem Wert der Freiheit. Es war der deutsche Nationalcharakter, in dem man die Hauptursache für das Aufkommen des Nationalsozialismus erblickte. Wollte man den «Geist des Deutschen befreien», wie es General Lucius D. Clay formulierte, und dessen kulturelles Wertesystem verändern, musste man die amerikanische Kultur implementieren, so die Gleichung der USA nach dem Krieg.

Die Auseinandersetzung um Wert und Unwert der deutschen Kultur fand schließlich auch Niederschlag in der Debatte um die kulturelle Ausrichtung der *Neuen Zeitung*. Kästner gab, wie bereits erwähnt, internationalen Autoren ein Forum innerhalb des Blattes, darunter Amerikanern und Europäern, dennoch förderte er auch stark die zeitgenössische deutsche Literatur. Seine Betonung der deutschen und europäischen Kultur wurde jedoch für das Publikationsorgan, das den Respekt für den *American way of life* fördern sollte, schließlich zum Problem. Ein Leser beschwerte sich im April 1946 bei General McClure, dem Leiter der Medienkontrolle in der amerikanischen Besatzungszone, dass die *Neue Zeitung* durch ihre Hervorhebung der deutschen Kultur unfreiwillig «die Propaganda von Goebbels fortführe: Amerikaner sind geldhungrige Barbaren ohne eigenes kulturelles Leben.»[30] Angesichts der politisch gewollten Meinungsfreiheit, die die Herausgeber den Zeitungsmachern zugestanden, konnten sie jedoch nur wenig dagegen tun, und der Erfolg der Zeitung ließ sie nur ungern personelle Veränderungen vornehmen. Kästner selbst, der für den deutsch-zentrierten Inhalt der Kulturseiten verantwortlich zeichnete, war fest davon überzeugt, dass er die Sache der amerikanischen Besatzer förderte, indem er den Deutschen beibrachte, ihrer eigenen Kultur aufgeschlossen gegenüberzustehen.

Kästner leitete das Feuilleton der *Neuen Zeitung* bis April 1948, danach schrieb er bis 1953 noch vereinzelt Beiträge. Insgesamt veröffentlichte er 107 Artikel.[31] Mit Peter de Mendelssohn blieb er bis zu seinem Tod 1974 befreundet. Mendelssohn hatte die deutsche Staatsangehörigkeit wiedererworben und zog 1970 in seine Geburtsstadt München, wo auch Kästner lebte. Er machte als Publizist und Übersetzer Karriere und war als Funktionär in führenden Stellen des literarischen Lebens tätig, unter anderem für den PEN und die Deutsche Akademie für Sprache und Dichtung. Insbesondere seine Analyse des Totalitarismus, *Der Geist in der Despotie*, und seine Biografien über Churchill und Thomas Mann fanden große Beachtung. Mendelssohn war es, der Thomas Manns Homophilie als Erster benannt hat, freilich mit größter Diskretion.

Vor Erich Kästner, dem Älteren, hegte er zeitlebens großen Respekt, als Künstler und Mensch. In seinem sächsischen Landsmann sah er ein Inbild der Vernunft und eines anderen Deutschland in dunklen Zeiten. Nach Kästners Tod war Mendelssohn an der Gründung der Erich-Kästner-Gesellschaft beteiligt. Wie Marcel Reich-Ranicki, der Kästner «Deutschlands Exilschriftsteller honoris causa» nannte, gestand er ihm ethisch korrektes Verhalten während der Nazi-Herrschaft zu. Doch ihr Wiedersehen in Mayrhofen, das für die *Neue Zeitung* und damit für die deutsche Nachkriegskultur so folgenreich werden sollte, war für Mendelssohn im Nachhinein auch mit einer Enttäuschung verbunden – gerade im Hinblick auf Kästners moralische Legitimierung seines Ausharrens. Nach Kästners Tod wurde Mendelssohn mehrfach auf ihn angesprochen. Aus einem Interview geht hervor, dass Kästner ihm in Mayrhofen ein Buch über die Zeit zwischen 1933 und 1945 versprochen hatte. Auf Mendelssohns Frage in Mayrhofen, warum er in Deutschland geblieben sei, hatte Kästner rechtfertigend geantwortet, einer habe das von Anfang bis zum Ende miterleben müssen, als Chronist, einer, der es hinterher auch schildern könne. Er habe vom ersten bis zum letzten Tag Tagebuch geführt und Studien zu einem großen Roman betrieben. «Du musst dieses Buch über die 12 Jahre Hitlerdeutschland schreiben», sagte Mendelssohn zu Kästner. «Das kann außer dir niemand, du musst es machen, versprich mir, dass du das machen wirst. Er sagt: Ich verspreche dirs, ich habe nichts anderes im Kopf augenblicklich. Wir haben ihn dann nach München geholt, an die Redaktion der Neuen Zeitung, da hab ich ein bißl mitgeholfen, und von da ab hab ich ihn dann regelmäßig gesehen, jedes Jahr mehrmals, und ihn immer gefragt, Erich, was ist mit dem Buch, und das Buch kam und kam und kam nicht, und er hat es natürlich nie geschrieben.»[32]

ERIKA MANN, IHRE «LIEBE IRRENHÄUSLERIN» UND EIN UNANGENEHMES WIEDERSEHEN

«Manche nennen Dich streitsüchtig. Und was sonst sollte man sein, in diesem Jahrhundert [...] Verantwortung ohne Streit wäre keine.»

Hans Habe zum 60. Geburtstag von Erika Mann

In den ersten Prozesstagen trugen die 21 Angeklagten vor allem eine erwartungsvolle Miene zu Schau, «als wären sie die Zuschauer des Stücks und nicht dessen Akteure», schrieb John Dos Passos. Sie gaben sich teils arrogant-überlegen und unbeteiligt, ja empört, dass man sie überhaupt vor Gericht stellte. Rudolf Heß schenkte den Vorgängen im Gerichtssaal kaum Aufmerksamkeit und las die meiste Zeit in einem Buch. Hans Frank, der ehemalige Generalgouverneur von Polen, verfiel nach zwei Selbstmordversuchen in düsteres Schweigen. Julius Streicher, früher als Gauleiter Frankens der unbestrittene Herr Nürnbergs, kommentierte das Geschehen mit finster-trotzigem Blick, wie immer einsam unter seinen Mitangeklagten.

Hermann Göring aber war anders. Er genoss es sichtlich, wieder im Rampenlicht zu stehen, und freute sich, dass man ihm auf der Anklagebank den ersten Platz zugewiesen hatte. Der einstige Reichsmarschall war weit davon entfernt zu bereuen. Es stand noch nicht einmal fest, ob man ihm überhaupt schwere Verbrechen nachweisen konnte. Überboten sich die US-Offiziere bei seiner Festnahme nicht, ihn zu begrüßen, ihm die Hände zu schütteln und ihn zum Essen einzuladen? War er nicht kurz vor Kriegsende von Hitler all seiner Ämter entbunden worden? Völlig auseinander sei er mit dem Führer, betonte Göring bei einer Pressekonferenz. «Ich bitte, dies zu unterstreichen! Es ist wichtig!»[1] Wie alle Angeklagten hatte sich auch Göring vor dem eigentlichen Prozess als nicht schuldig bekannt. Nun gab er sich impertinent als «Star der Vorstellung», wie Peter de Mendelssohn festhielt, der Belehrung nicht bedürftig und quasi sakrosankt.

Die Beweisführung gegen die Angeklagten war für die Anklagevertreter ein schwieriges Unterfangen. Noch im Sommer 1945 verfügten die Alliierten über nur unzureichende Beweismittel. Robert H. Jackson sandte Archivarbeiterteams und Dokumentenjäger aus, um belastende Materialien zu finden. Eine fieberhafte Suche wurde in Gang gesetzt. Tatsächlich lagen nach wenigen Monaten fast 4000 Archivalien aus meist deutschen Dokumentensammlungen vor. Doch Kompetenzgerangel und Eifersüchteleien, insbesondere mit den Briten, erschwerten Jackson die Arbeit. Der amerikanische Hauptanklagevertreter setzte auf dokumentarische Beweise, weniger auf Zeugenaussagen. Er war davon überzeugt, dass Opferzeugen vor Gericht voreingenommen waren: Sie neigten zu Übertreibungen, da sie im Angesicht der Täter sprachen. Nazi-Zeugen wiederum seien moralisch anfechtbar und deshalb weitgehend wertlos.

Dieses Beharren auf dem Faktischen führte im Gericht zu unendlicher Langeweile. Richter Geoffrey Lawrence hatte in Bemühung um juristische Präzision bestimmt, dass alle eingereichten Beweismittel vorgelesen werden sollten. Die Prozessbesucher mussten daher stundenlang die Lektüre bürokratischer Schreiben über sich ergehen lassen. Janet Flanner schrieb resigniert: «Im großen und ganzen haben es unsere Ankläger geschafft, den am umfassendsten geplanten und dramatischsten Krieg, den die Welt je erlebt hat, langweilig und unzusammenhängend erscheinen zu lassen.»[2]

Auch wenn Langeweile für die Richter kein Kriterium bei der Wahrheitsfindung sein durfte, stellte sich den Anklägern die Frage, wie man das Ausmaß der Verbrechen überhaupt fassen konnte. Mündlich vorgetragene Amtsschreiben oder Gesprächsprotokolle eigneten sich kaum, um das Unvorstellbare wie den Massenmord in den Konzentrationslagern zu veranschaulichen. Über die Verlesung der in trockener Amtssprache verfassten Schriften konnten nur in geringem Maß innere Bilder erzeugt werden. Die Nürnberger Ankläger, deren Ziel neben

Beweisfindung und Aufklärung immer auch die Beeinflussung der Richter war, empfanden bald die Ohnmacht der rationalen Sprache. So griffen sie zur Macht des bewegten Bildes und setzten filmische Beweismittel ein, womit sie dem Optischen den Primat vor dem Begrifflichen gaben. Am 29. November 1945 wurde in der Nachmittagssitzung die drei Filmrollen umfassende Dokumentation *Nazi-Konzentrationslager* gezeigt. Es handelte sich um ein vorweggenommenes Beweisstück zum Anklagepunkt «Verbrechen gegen die Menschlichkeit», während es zu Prozessbeginn vornehmlich um die «Verbrechen gegen den Frieden» ging.

Der Film hatte jedoch eine Aufgabe zu erfüllen. Was sich den Zuschauern bei der Vorführung im verdunkelten Gerichtssaal darbot, war ein Alptraum des Grauens. Man hatte von den in den Konzentrationslagern begangenen Gräueltaten gehört. Auch hatten die Alliierten im Oktober begonnen, in deutschen Kinos im Rahmen der Umerziehungsbemühungen den Dokumentarfilm *Die Todesmühlen* zu zeigen. Nur die wenigsten im Gerichtssaal aber hatten die Zustände in den Lagern tatsächlich gesehen. Es waren Filmaufnahmen, die unmittelbar nach der Befreiung der Konzentrationslager entstanden waren: Leichenhaufen, Krematorien mit Resten verkohlter Körper, befreite Gefangene mit geschorenen Köpfen und entwürdigender Sträflingskleidung, vollkommen abgemagert, blass und leer in die Kamera blickend, als hätte der Tod für sie längst keinen Schrecken mehr. Bei der Bestandsaufnahme des Lagers Bergen-Belsen zeigte sich den Zuschauern neben einem befreiten Häftling, der sich vor Hunger krümmte, ein Bulldozer, der einen Berg nackter Leichen in ein Massengrab schob. Der Fahrer hielt sich ein Taschentuch vor die Nase, um den Verwesungsgeruch zu ertragen.

Es sind verstörende Aufnahmen, die man heute, tausendfach reproduziert, als «Ikonen der Vernichtung» (Cornelia Brink) bezeichnet, die bei ihrer Vorführung im Nürnberger Gerichtssaal aber eine überaus schockierende Wirkung entfalteten. Viele Zuschauer weinten. Einige verließen den Gerichtssaal, weil sie die Bilder nicht länger ertragen konnten. Die Anklagevertreter hatten das emotional aufwühlende Element der Filmaufnahmen allerdings einkalkuliert. Lediglich die Anklagebänke waren im verdunkelten Gerichtssaal beleuchtet mit eigens installierten Leuchtröhren, nicht aus Sicherheitsgründen, sondern, wie man später erfuhr, um zwei Sachverständigen, einem Psychiater und einem Psychologen, die Möglichkeit zu eröffnen, die Angeklagten während der Filmvorführung zu beobachten. Nach Einschätzung der Experten erfüllte der Film seine Schockfunktion, denn die Gefühlsreaktion der Angeklagten war die stärkste während des gesamten Prozesses. Zum ersten Mal konnten die Hauptkriegsverbrecher ihre arrogant-abweisende Haltung nur noch mit Mühe aufrechthalten. Franz von Papen und Hjalmar Schacht wandten den Blick absichtlich von der Leinwand ab. Walter Funk und Hans Frank verloren völlig die Fassung und weinten. «Alle Angeklagten reagierten offensichtlich betroffen», schrieben die beiden Sachverständigen in ihrem Protokoll, «bei der Mehrzahl war ein tiefes Gefühl der Scham angesichts dessen festzustellen, was sie nun als Deutschlands Schande vor der Welt begreifen mussten.»[3] Selbst der in der Vormittagssitzung noch so selbstsichere Hermann Göring verdeckte sein Gesicht mit dem rechten Arm und schien besonders erregt während der Sequenzen über Folterungen.

Für viele der anwesenden Korrespondenten war klar, dass die Vorführung des Films die Verteidiger vor eine unlösbare Aufgabe stellte. Das Gesehene war für ihr Anliegen niederschmetternd. Es war ein Wendepunkt. Erika Mann schrieb in ihrem Artikel für den *Evening Standard*: «Beim gemeinsamen Abendessen [der Verteidiger] gab es keine Unterhaltung, und niemand hatte richtigen Appetit. Man ging bleichen Angesichts nach Hause, wenn auch kaum zum Schlafen, sondern um zu grübeln, wie man etwas verteidigen soll, was nicht zu verteidigen ist.»[4]

Wiedersehen unter verkehrten Voraussetzungen

Was die Tochter Thomas Manns wohl dachte, als sie Wilhelm Frick während der Vorführung des Films von ihrem Korrespondentenplatz aus auf der Anklagebank beobachtete? Auch Frick saß versteinert mit kalkweißem Gesicht neben seinen Mitangeklagten und zeigte Zeichen starker emotionaler Belastung. Für Erika Mann (1905–1969) war es ein besonderes Wiedersehen, hatte sie mit dem ehemaligen Innenminister doch inzwischen die Plätze getauscht. Zwölf Jahre zuvor war sie es gewesen, die sich im Scheinwerferlicht befand, während Frick im Publikum saß und sich Notizen machte.

Am 1. Januar 1933, kurz bevor Adolf Hitler Reichskanzler wurde, hatte Erika Mann zusammen mit ihrem Bruder Klaus, Therese Giehse und Magnus Henning in München erfolgreich die erste Aufführung ihres politischen Kabaretts *Die Pfeffermühle* bestritten. Diese «lachende Kriegserklärung an Hitler»[5] war zu diesem Zeitpunkt noch möglich, weil die katholische bayerische Regierung energisch um die Unabhängigkeit Bayerns kämpfte – argwöhnisch beobachtet von Hitlers Helfern. «In unserem, wie immer überfüllten Saal befand sich Herr Frick, eifrig kritzelnd», schrieb Erika Mann. «Er stellte seine schwarze Liste her. Wir spielten, während der Reichstag brannte.»[6] Schon wenige Monate später war es um die Unabhängigkeit Bayerns geschehen. Fricks Denunziation zeigte Wirkung, und der Familie Mann wie auch den übrigen Mitgliedern der *Pfeffermühle*, die weit oben auf seiner Liste standen, blieb nur noch die Flucht. In Zürich wurde die *Pfeffermühle* zum ersten deutschsprachigen Exiltheater.

Thomas Mann, insbesondere aber die über ihre Mutter Katia jüdischstämmigen Mann-Kinder Erika und Klaus waren schon lange Zielscheibe nationalsozialistischer Hetzpropaganda gewesen. Als Erika Mann am 13. Januar 1932 in München bei einer Veranstaltung der Internationalen Frauenliga für Frieden und Freiheit las, kommentierte der *Völkische Beobachter*: «Ein besonders widerliches Kapitel stellte das Auftreten Erika Manns dar, die als Schauspielerin, wie sie sagte, ihre ‹Kunst› dem Heil des Friedens widmete. In Haltung und Gebärde ein blasierter Lebejüngling, brachte sie ihren blühenden Unsinn über ‹die deutsche Zukunft› vor.»[7] Während des Kriegs, als Erika Mann für die BBC arbeitete und sich mit ihren antifaschistischen Beiträgen für ein deutsches Publikum am Ätherkrieg beteiligte, wurden die Autoren des *Völkischen Beobachters* noch bösartiger. Sie sei eine «politische Gebrauchsdirne», schrieb der als «Lancelot» firmierende Verfasser am 8. Oktober 1940. «Denn nur dort, wo das Salz dumm geworden ist, wo sich die Geistlosigkeit mit dem Unrat der Gosse vermählt, da erscheint dieses Paradestück [Erika Mann].»[8]

Ein Wiedersehen mit Nazi-Funktionären gab es in Nürnberg auch für Erika Manns Lebensgefährtin Betty Knox (1906–1963). Auch sie

Kriegskorrespondentinnen im Gefolge der US Army, Herbst 1944, 3. von rechts: Betty Knox, 1. von rechts: Erika Mann

arbeitete als Prozessberichterstatterin. Ihre Herkunft hätte allerdings nicht unterschiedlicher sein können als die der großbürgerlichen Mann-Tochter. Erika hatte die aus Kansas stammende Betty Knox im Frühjahr 1944 in Frankreich kennengelernt. Die 38-Jährige, die damals als Journalistin für den *London Daily Express* und den *Evening Standard* arbeitete, während des Prozesses allerdings für das amerikanische Magazin *Tomorrow*, hatte eine bewegte Vergangenheit als Burlesque-Tänzerin hinter sich liegen. Betty Knox galt als wild und ausgeflippt, für Erika Mann war sie schlicht ihre «liebe Irrenhäuslerin». Als Mitglied des Trios *Wilson, Keppel and Betty*, das für seine Parodien klassischer Tänze in pseudo-ägyptischer Kleidung berühmt war, hatte sie die Metropolen der Welt bereist und war 1936 auch nach Berlin gekommen. Während der Verhandlungen zum Münchner Abkommen 1938 war sie mit ihren männlichen Tanzpartnern Teil des offiziellen Unterhaltungsprogramms. Doch während Benito Mussolini begeistert war von der frivolen Vorführung in der bayerischen Hauptstadt, zeigte sich die Nazi-Führungsriege, darunter Hermann Göring, wenig erbaut über behaarte Männerbeine in Miniröcken. Vor allem Joseph Goebbels fand die Vorführung, deren erotischer Mittelpunkt Betty Knox war, unmoralisch.[9]

1941, während des Krieges, wechselte Knox überraschend in den Journalismus. Ihr kam zugute, dass der Herausgeber des *Evening Standard* ein Bewunderer ihrer Tanzparodien war und die Absicht verfolgte, seiner Leserschaft über die bekannte Parodistin eine komische Perspektive auf das Kriegsgeschehen zu liefern. So gab Betty Knox den Stab im Tanztrio kurzerhand an ihre Tochter weiter und wurde Kriegsberichterstatterin. Sie schrieb die dreimal wöchentlich erscheinende Kolumne *Over Here*, die sehr beliebt wurde, nicht zuletzt, weil die Amerikanerin durch die Verwendung von Slang-Ausdrücken bei ihrem britischen Publikum einen *culture clash* evozierte. 1944 kreuzten sich ihre Wege mit Erika Mann, von der sie seitdem unzertrennlich war.

Genugtuung

Für Erika Mann war der Nürnberger Hauptkriegsverbrecherprozess eine Genugtuung, nicht nur, weil sie dem Denunzianten Wilhelm Frick triumphierend ins Gesicht blicken konnte. Dies hatte sie bereits zuvor getan. Vor Prozessbeginn war sie eigens nach Luxemburg gefahren, um die dort festgesetzten Kriegsverbrecher zu sehen. «Meine letzte Fahrt ging nach Bad Mondorf», schrieb sie ihrer Mutter, «wo ich den ‹Big 52› einen Besuch abstattete. Ein gespenstischeres Abenteuer ist nicht vorstellbar. Göring, Papen, Rosenberg, Streicher, Ley – *tout le horreur monde* (einschließlich Keitel, Dönitz, Jodl etc.) eingesperrt in einem ehemaligen Hotel, das zum Gefängnis wurde und aus dem seine Insassen ein regelrechtes Irrenhaus gemacht haben.»

Erika Mann war überaus wichtig, dass die Häftlinge in Bad Mondorf wussten, wer sie war. Sie durfte sie zwar vor Ort nicht persönlich sprechen, ging aber die Zimmer ab, betrachtete die Gefangenen und ließ über Vernehmungsbeamte wissen, dass sie anwesend war. Rosenberg soll, als er sie sah, verächtlich «Pfui Deubel» gerufen haben. Es kam nicht von ungefähr, dass Erika Mann selbst von ihrer Mutter als «rachsüchtig» bezeichnet wurde,[10] denn sie genoss ihren Triumph sichtlich. Damit einher ging ihre Fähigkeit zu hassen. «Hasse nicht zu viel», mahnte sie ihr Mann W. H. Auden in einem Brief vom Mai 1939. Grund allerdings, die Nazis zu hassen und über ihr Ende Genugtuung zu empfinden, hatte Erika Mann in besonderem Maße. Den Plänen der Nationalsozialisten zufolge hätte sie liquidiert werden sollen, sobald sie deutschen Boden betreten hätte.

Die 1905 in München Geborene, die sich selbst eine «militante Liberale» nannte, teilte mit ihren Geschwistern das Schicksal, im Schatten ihres weltberühmten Vaters zu leben. Erika und ihr Lieblingsbruder Klaus, dem sie die Richtung vorgab, traten in ihrer Jugend herausfordernd, frech und unverschämt auf. Wenn sie schon «die Kinder» waren, dann keine von den wohlerzogenen und braven, sondern die von der garstigen Sorte. Verwöhnt, humorvoll und freiheitsliebend, bezeichnete man Erika bald als Gefahr für die Anstalten höherer Bildung. Deren Ansprüchen und Erziehungsstil wollte sie nicht genügen, weshalb ihre Eltern sie auf eine Reformschule schickten. Auch dort entzog sie sich allen Erziehungsversuchen und pädagogischen Experimenten. Schließlich bestand sie das «Sau-Kotz-Abitur» am Münchner Luisengymnasium doch noch. Im elterlichen Haus in der Poschingerstraße stets von Künstlern umgeben, wurde sie Schauspielerin, obwohl sie nach eigener Aussage «einfach nicht zum Theaterspielen» geeignet war. Erika Mann heiratete Gustav Gründgens, ungeachtet der Tatsache, dass sie Pamela Wedekind und Therese Giehse liebte. Sie fuhr Autorennen in ganz Europa, wechselte dabei «die Länder weit öfter als die Kleider»,[11] gab sich ein androgynes Aussehen mit Männerkleidung und Bubikopf und betätigte sich als Reiseschriftstellerin und Kinderbuchautorin.

Erika Manns exzessives Leben im Galopptempo einschließlich Drogensucht entspricht dem Klischee, das man sich heute von einem Künstlerleben in den *Roaring Twenties* macht. Wie viele ihrer Zeitgenossen kam auch sie erst spät zur Politik. Die «tänzerische Generation», wie sie von Wilhelm Emanuel Süskind in einem Erika Mann gewidmeten Essay genannt wurde, war ihm zufolge liberal und materiell orientiert. Sie frönte im Gegensatz zur Kriegsgeneration einem hedonistischen Lebensstil mit dem Tanz als «Stilbild». Erika Mann wurde für Süskind zum Aushängeschild dieser Generation.

Doch während die Mann-Kinder beklemmende Vorgefühle bereits in den späten 20er-Jahren beschlichen, zumal in Folge der Weltwirtschaftskrise von 1929, änderte sich alles mit den Wahlerfolgen der NSDAP ab 1930. Die Angriffe auf Erika Mann nahmen zu und wurden unerträglich; als Schauspielerin bekam sie kaum noch Auftrittsmöglichkeiten. Einige ihrer Freunde wurden verhaftet, und selbst in der behüteten Welt der Poschingerstraße 1 war sie vor Verrat und Denunziation nicht sicher. Der Fahrer der Familienlimousine, ein gewisser Hans, war ein Spitzel der NSDAP. Regelmäßig erstattete er im «Braunen Haus», der Parteizentrale, Bericht über alles, was bei den Manns geschah. Der «schurkische, aber doch auch wieder barmherzige Chauffeur» (Klaus Mann) war es dann, der, von schlechtem Gewissen geplagt, den Mann-Geschwistern 1933 den Hinweis gab, sie sollten rasch aus Deutschland fliehen, wollten sie der Verhaftung entgehen. Erika und Klaus Mann konnten untertauchen und schließlich entkommen, nachdem sie ihren in der Schweiz weilenden Eltern mitgeteilt hatten, sie dürften auf keinen Fall nach Deutschland zurückkehren.

Doch Erika Mann wäre nicht Erika Mann gewesen, hätte sie nicht den Fehdehandschuh der Nazis aufgenommen. Noch über 1000 Vorstellungen gab sie mit der *Pfeffermühle* in der Schweiz, der Tschechoslowakei und den Beneluxländern, immer nur indirekt kritisch und doch verwegen politisch hinter der literarischen Tarnung. Sie würde «zehnmal mehr gegen die Barbarei, als wir alle Schriftsteller zusammen» machen, bescheinigte ihr Joseph Roth im Frühjahr 1935.[12] Im selben Jahr wurde ihr wegen deutschfeindlicher Aktivitäten die Staatsbürgerschaft entzogen. Kurzerhand ging sie eine Pass-Ehe mit dem Schriftsteller W. H. Auden ein und wurde britische Staatsbürgerin.

Während ihres Exils, zuerst in der Schweiz, später in den USA, betätigte sich Erika Mann publizistisch und klärte auf Vortragsreisen über die Vorgänge in Deutschland auf. Sie politisierte sich weiter und schrieb, obwohl sie dem «Familienfluch», dem Schreiben, eigentlich entgehen wollte, erfolgreiche Bücher über das nationalsozialistische Erziehungsprogramm und *The Other Germany* (1940). In all diesen Schriften zeigte sie sich als unerschrocken-mutige Kämpferin und Moralistin.

Gejagt von Hitlers Erfolgen, betätigte sie sich 1942 für die US-Propagandabehörde, das Office of War Information, ehe sie 1943 als Kriegsberichterstatterin für amerikanische und kanadische Zeitungen auf verschiedene Kriegsschauplätze ging.[13]

Im Status einer Angehörigen der US Army mit Offiziersrang kam Erika Mann 1944 zunächst nach Frankreich und dann nach Deutschland. Als Augenzeugin erlebte sie unter anderem die Befreiung von Paris und Aachen. In den befreiten Gebieten führte sie Interviews mit Menschen unterschiedlicher politischer Zuständigkeit. Sie schrieb über die psychologische und materielle Lage der deutschen Bevölkerung, über amerikanische Umerziehungs- und Wiederaufbaumaßnahmen. Nach Nürnberg kam sie 14 Tage vor Prozessbeginn und zog gemeinsam mit Betty Knox in das Frauenhaus des Presselagers.

Die Lebensumstände dort, insbesondere die mangelhafte Ernährung und die Kälte, nannte sie «widrig». Sobald sie konnte, floh sie. Am 3. Februar 1946 schrieb sie an Lotte Walter in die USA: «Auch Nürnberg ist bisher der wahre *fun* nicht gewesen. Wir machen zu viel falsch. Widrige Lebensbedingungen (eine völlig vitaminlose Büchsenkost, die wir uns bieten lassen müssen, [...] ziemliche Kälte und viel Verdruß) veranlaßten mich, auf das Weihnachtsfest und eine Woche in die liebe Schweiz zu fliehen.» Stolz signierte sie den Brief als «War Correspondent E. M.». Als Kontaktadresse, «wo gleich geschrieben wird», hinterließ sie: «I. M. T. Press Camp, Nürnberg».[14]

Erika Mann erwähnte ihrer Briefpartnerin gegenüber nicht, dass sie gemeinsam mit Betty Knox in der Schweiz war, wo sie die Weihnachtsfeiertage mit Klaus und Therese Giehse verbrachte. Betty war ihr in gewisser Weise peinlich. Bei Lotte Walters Vater in Kalifornien, dem berühmten Dirigenten Bruno Walter, hatte sich Betty Knox bei einem Besuch mit Erika «eher unpassend» benommen, und auch Thomas und Katia Mann waren *not amused* über die Freundin ihrer Tochter. Das gemeinsam verbrachte Silvester 1944 in Kalifornien blieb Katia in unguter Erinnerung. Die «Eule», wie sie Betty Knox despektierlich nannte, hatte sich im Dichtertempel Thomas Manns respektlos verhalten. Erika Mann, die sehr verliebt in die lebensfrohe und hübsche Betty gewesen sein muss, bemerkte dann auch selbstironisch ihrem Bruder Klaus gegenüber, Betty sei «not precisley what the doctor ordered».

Während ihres Aufenthalts in der Schweiz wurde sie schwer krank. Der deutsche Winter war bitterkalt, und Erika Mann, stets frierend, hatte, wie sie Klaus berichtete, nicht genügend Winterkleidung bei sich. Neben einer Infektion im Mund und den Folgen ihrer Drogensucht litt sie an einer verschleppten Bronchitis. Schließlich ging es ihr so schlecht, dass sie mehrere Wochen in einem Schweizer Sanatorium verbringen musste. «Die Eule befindet sich an meiner Seite», schrieb sie ihren Eltern am 10. Januar, «und erfreut sich ähnlicher Krankheiten, wenngleich in milderer Form. Ob sie mich in die Höh [das Sanatorium] begleiten wird, steht noch dahin.» Beide fürchteten wegen der Krankheit um ihre berufliche Existenz. Doch zum Äußersten kam es nicht. Nach der Kur kehrten sie ins Faberschloss zurück.

Im Steiner Head Quarter

Von Erika Mann sind kaum Äußerungen über das Press Camp und die dort ansässigen Kollegen überliefert, obwohl sie mit Peter de Mendelssohn und William Shirer auch Bekannte traf. Dass sie mit ihrer Geliebten im Frauenhaus wohnte, trug wahrscheinlich dazu bei, dass sie eher Distanz zu den Mitbewohnern wahrte und in ihrer Korrespondenz über ihr Privatleben schwieg. Das Presselager wurde von der US Army geleitet, und Homosexualität stand im amerikanischen Militär unter Strafe. Betty Knox' Namen umschrieb Erika Mann in ihren Briefen oder bedachte sie mit den geschlechtsneutralen Pseudonymen «Eule» und «Tomski». Bei Ernest Cecil Deane, ihrem Ansprechpartner im Press Camp, war Erika alles andere als beliebt. Im März 1946 beschwerte sie sich zusammen mit Betty Knox und anderen Bewohnerinnen über die beengten und unzureichenden Wohnverhältnisse im Frauenhaus. Am 17. März musste sich Deane eine regelrechte Standpauke anhören. Einen Tag später schrieb er entrüstet an seine Frau: «Es war eine der härtesten ‹Ausschusssitzungen›, an denen ich je teilgenommen habe, und ich hoffe, ich muss so etwas nie mehr erleben! Korrespondentinnen sind im Allgemeinen ein Problem, und einige der am gestrigen Treffen Beteiligten, darunter Higgins, Knox und Mann, sind es besonders.»[15]

Auch wenn Erika Mann die Lebensumstände im Press Camp für schwer erträglich hielt, maß sie der Einrichtung große Bedeutung bei. Von ihrem Buchprojekt *Alien Homeland*, das in der zweiten Hälfte des Jahres 1944 Gestalt annahm, allerdings nie abgeschlossen wurde, existiert neben einigen ausgeführten Kapiteln eine Synopsis. Im 17. Kapitel wollte Erika Mann eigens auf «The Press Camp, a unique establishment» eingehen. Bedauerlicherweise wurde dieses Kapitel nie geschrieben, aber allein die Tatsache, dass sie dem Presselager ein eigenes Kapitel widmen wollte, zeigt, dass sie dieser in der Mediengeschichte einmaligen Institution eine entscheidende Rolle beimaß. Schließlich plante sie, in ihrem Buch die wichtigsten Ereignisse und Erlebnisse während ihres Deutschlandaufenthalts zu schildern. Es bleibt zu vermuten, dass sie im Press Camp das Inbild einer freien und demokratischen Presse sah, eine Oase guten internationalen Einvernehmens. Das Presselager konnte Vorbildfunktion für Deutschland und seine Medienvertreter haben.

Die Situation unter den Korrespondenten im Faberschloss allerdings war von Konkurrenz geprägt, und auch Erika Mann konnte ein Lied davon singen. In der erhaltenen Überschrift des 16. Kapitels von *Alien Homeland* heißt es: «Mit anderen Korrespondenten wagt die Autorin nicht, die Szene länger als ein paar Tage zu verlassen, damit sie ihr Feldbett und ihren Platz nicht von einem Konkurrenten besetzt findet.» Erika Manns Kollegin Rebecca West bestätigt die klaustrophobische Atmosphäre in den Schlafzimmern. «Jedes Schlafzimmer füllte sich mit Menschen, die dort herumsaßen, weil auch sie ihre Schlafzimmer voll vorgefunden hatten.»[16]

Erika Mann war in dieser Zeit viel unterwegs. Von ihrem *Head Quarter*, wie sie das Press Camp nannte, schrieb sie zwischen Spätsommer 1945 und Frühjahr 1946 für das amerikanische Wochenblatt *Liberty*, vor allem aber für den englischen *Evening Standard*. 21 Artikel für diese Zeitung sind überliefert. Doch die in Nürnberg allseits Bekannte verschweigt in ihren Äußerungen, dass sie für die Londoner Redaktion nur zweite Wahl war. Fast alle ihrer Beiträge wurden nicht gedruckt oder erschienen in abgewandelter Form als anonyme Korrespondentenberichte. Nur der Bad-Mohndorf-Bericht wurde unter ihrem Namen publiziert, allerdings in veränderter Fassung. Der Hauptkorrespondent, der von den Nürnberger Prozessen für den *Evening Standard* berichtete, war der Schotte Richard McMillan, der zuvor schon von den Schlachtfeldern in Nordafrika und der Normandie geschrieben hatte.[17]

Erika Manns Alleinstellungsmerkmal unter den Berichterstattern war ihr besonderes Schicksal und ihre Herkunft aus einer berühmten Familie, die der Verfolgung durch die Nationalsozialisten ausgesetzt war. Unabhängig von ihrer Arbeit als Korrespondentin war sie eine gesuchte Gesprächspartnerin. Sie gab Interviews und stellte dabei gerne die historische Dimension des Prozesses und dessen Bildungsauftrag in den Vordergrund. Im Gegensatz zu ihren Kolleginnen Rebecca West und Janet Flanner fand sie auch die Prozedur der Beweisaufnahme nicht langweilig, sondern notwendig.[18]

Sie war eine Kennerin des Landes und kannte auch ihre einstigen Mitbürger. Dabei hätte ihre Meinung über die Nachkriegsdeutschen nicht negativer sein können. Von der Kollektivschuld der Deutschen war Erika Mann überzeugt. Scharf kritisierte sie deren mangelnde Selbstreflexion, das «penetrante Selbstmitleid» und die subjektive Schuldunfähigkeit. In einem Brief warnte sie ihre in den USA lebenden Eltern, nicht nach Deutschland zurückzukehren: «Und ich flehe Euch an: erwägt auch nicht eine Minute lang, in dieses verlorene Land zurückzukehren. Es ist einfach nicht menschenerkennbar. Und ich meine damit nicht seinen physischen Zustand!!!»

Das garstige, unselige Volk

Erika Manns Widerwille gegen alles Deutsche war so ausgeprägt, dass sie in Nürnberg bewusst ihre deutsche Herkunft und ihre Sprache verleugnete. Sie gab sich durch und durch als Amerikanerin und sprach stets von «wir», wenn sie amerikanische Handlungen thematisierte. Die Korrespondentenkollegen, die sie kannten, bemerkten dies und empfanden ihr Auftreten bisweilen als manieriert. Erich Kästner erlebte sie als patriotisch amerikanisch und nannte sie «die Amerikanerin mit dem schmalen Kopf und dem [...] kurzgeschnittenen Haar». Willy Brandt ging es «ein wenig auf die Nerven, daß Erika Mann vorgab, sie könne nicht mehr deutsch reden».[19] Erika Mann ging so weit, dass sie sich vor deutschen Interviewpartnern teilweise als naive amerikanische Journalistin «Mildred» ausgab, auch um ihre wahre Identität zu verhüllen. So gab sie sich der Frau des angeklagten Rudolf Heß, Ilse Heß, als «Mildred» zu erkennen. Die vorgespielte Fremdartigkeit appellierte an die Unvoreingenommenheit von Ilse Heß, die sich einer amerikanischen Provinzlerin gegenüber offener verhalten sollte als gegenüber der von den Nazis verfolgten Tochter Thomas Manns. Mildreds Trick gelang, Ilse Heß gab ihr offenherzig Auskunft.

Erika Mann, die ehemalige Schauspielerin, nutzte bei ihren Interviews ihre schauspielerischen Fähigkeiten und inszenierte ihre Auftritte. Effektvoll und mit sicherem Blick für erzählerische Wirkung wusste sie auch ihre Artikel anzureichern.[20] Oft haben ihre Berichte novellenartigen Charakter, indem sie eine unerhörte Begebenheit oder eine absurde Situation in den Vordergrund stellen. Hin und wieder wollte Erika Mann auch einfach die vielzitierte «Banalität des Bösen» sichtbar machen. Eine solche war zu besichtigen, als sich die Frau Wilhelm Fricks während einer Sitzung unerkannt auf die Besuchertribüne des Gerichtssaals schlich und ihrem Mann Kusshände zuwarf. «Der ältliche Frick behauptete, er habe keine Ahnung vom unerlaubten Auftreten seiner Frau gehabt. Dennoch bemerkte er sie sofort und verlor keine Minute, um ihre Luftküsse zu erwidern.»[21]

Erika Manns Blick auf Deutschland und das «garstige, unselige Volk» war gnadenlos, oft verbittert und desillusioniert. Selbst ihrem Bruder Golo ging sie damit zu weit. Er unterstellte ihr, in ihren Artikeln nicht nur kritisch, sondern teilweise wahrheitswidrig zu berichten. Denn dass die Deutschen genug zu essen hätten, wie Erika behaupte, treffe auf die meisten Deutschen nicht zu.[22] Doch Erika Mann blieb sich treu. Auch in der Adenauerzeit hielt sie ihre Sichtweise aufrecht. Sie attestierte den Deutschen einen Verdrängungsmechanismus und eine «Mitleidstour», und sie unterstellte ihnen, dass sie nie einen wirklichen Schlussstrich unter die Herrschaft der Nationalsozialisten gezogen hätten, dass vielmehr ehemalige Nazis in Justiz und Politik, Kultur und Wirtschaft weiterbeschäftigt wurden. Zu ihrem Leidwesen begegnete sie ihnen überall, selbst unter ihren Kollegen im Nürnberger Gerichtssaal. Die Tatsache, dass einer jener Anpassungsfähigen dort einmal ein guter Freund gewesen war, verbitterte sie umso mehr, sah sie sich doch gezwungen, ihn im Gericht zu schneiden.

Eine unangenehme Begegnung

Für die *Süddeutsche Zeitung* berichtete Wilhelm Emanuel Süskind als Sonderberichterstatter. Für den Vater des späteren Erfolgsautors Patrick Süskind war Erika Mann wie schon erwähnt einst zum Inbild der «tänzerischen Generation» geworden. Der früh als Schriftsteller und Literaturkritiker tätige W. E. Süskind – so nannte er sich – war mit Erika und Klaus Mann eng befreundet gewesen. Erikas Biografin Irmela von der Lühe zufolge war er in Erika verliebt gewesen und wollte sie heiraten.[23] Als sich die Manns aber gezwungen sahen, vor dem braunen Terror zu fliehen, blieb Süskind in München und passte sich dem NS-Zeitgeist an.

Er machte als Publizist Karriere, leitete den Literaturteil der *Krakauer Zeitung*, der einzigen deutschsprachigen Zeitung im Generalgouvernement Polen, und wurde Mitherausgeber der *Krakauer Monatshefte*, eines, wie der Historiker Knud von Harbou formulierte, «wüsten nationalsozialistischen Propaganda-Periodikums». Er schrieb für die Zeitung *Das Reich*, für die Joseph Goebbels als Leitartikler tätig war, und äußerte sich in seinen Beiträgen regelmäßig positiv über Hans Frank, den als Schlächter von Polen bekannten Generalgouverneur. Wie Hohn musste es im Nachhinein in Erika Manns Ohren klingen, dass Süskind ihren Vater 1933 aufforderte, nach Deutschland zurückzukehren, denn in Deutschland «stehe alles zum lustigsten, interessantesten und aufregendsten».

Mit Kriegsende vollzog sich bei Süskind jene wunderbare Wandlung, die für Erika Mann so typisch deutsch war. Sein Verhalten während des Nationalsozialismus blendete er vollkommen aus und gesellte sich damit zu einer Reihe von vorbelasteten Journalisten, die Aufnahme in die *Süddeutsche Zeitung* fanden.[24] Obwohl ihm 1957 vorgeworfen wurde, er fördere in der *Süddeutschen Zeitung* «mit allen Mitteln die NS-Kultur»,[25] nahm Süskinds Laufbahn keinerlei Schaden, im Gegenteil. 1963 veröffentlichte er seine Nürnberger Reportagen unter dem Titel

Die Mächtigen vor Gericht, die ein großer Bucherfolg wurden. Seinem Selbstverständnis nach war er in dem Band lediglich ein Chronist der Vorgänge, kein Geschichtsschreiber. Damit vermied er es, die eigenen Verwicklungen in die jüngste Geschichte thematisieren zu müssen. In den 50er-Jahren wollte er sogar juristisch gegen ein Buch vorgehen, in dem der frühere NS-Journalist Karl Ziesel ihn und andere SZ-Redakteure wegen ihrer verschwiegenen Vergangenheit aufs Korn nahm.

Legendär wurde Süskinds zusammen mit Dolf Sternberger und Gerhard Storz verfasstes Nachschlagewerk *Aus dem Wörterbuch des Unmenschen* (1957), eine Wortschatzanalyse des «Dritten Reichs», über die man der Schreckensherrschaft publizistisch entgegenwirken wollte. Dass man Süskind in der Wörtersammlung, die sich mit dem Ungeist des Totalitären in der Sprache befasst, ausgerechnet das Lemma «Propaganda» anvertraute, erscheint aus heutiger Perspektive fragwürdig. Doch wie die Richter des Tribunals die Taten der Angeklagten zu beurteilen hatten, fungierte Süskind in seinen Beiträgen als Sprachrichter über deren Wortschatz.

Freilich war er ein virtuoser Schreiber und ein intelligenter Kommentator. Als einer von wenigen Korrespondenten in Nürnberg thematisierte er die sprachlichen Probleme, die die nationalsozialistische Bürokratensprache bei der Übersetzung mit sich brachte. Wie etwa sollte man vor Gericht «Großeinsatz» oder «kolonnenmäßigen Einsatz» übertragen? Würden die Richter hinter dem harmlosen Amtswort das tödliche Faktum der Einsatzgruppe erkennen?, fragte er in der *Süddeutschen Zeitung*.[26]

Unter seinen deutschen Kollegen in Nürnberg war Süskind beliebt. Er war einer von vier Redaktionsmitgliedern des *Nürnberger Extra Blatts*, eines humoristischen Beitrags deutscher Berichterstatter. Der Band, eine in Wort und Bild dargebotene (selbst-)ironische Reflexion über Prozessgeschehen und Arbeitsbedingungen, erschien am 30. September 1946 in einer Auflage von 300 Stück. Mit Anklängen an Schillers Gedicht *Der Spaziergang* nahm Süskind darin die unzulänglichen Zustände im German Press Room auf die Schippe, etwa die «ewig-defekte, blinzelnd-asthmatische Röhre der flotten Neonbeleuchtung», das unüberhörbare «Autogerassel durch die klirrenden Scheiben» oder den fehlenden Wandschmuck im Raum. Als einzige Dekoration über den

Telefonen gebe es «Dr. Gaston Oulmàns Porträt – das Weitere ist Schweigen».

Süskinds Nachkriegstexte sind in politischer Hinsicht in keiner Weise beanstandenswert. Den Nürnberger Prozess begrüßte er, wobei er dafür plädierte, dass genau unterschieden werden müsse zwischen den Tätern und den passiv Gebliebenen. Die These von der Schuld der Vielen lehnte er ab, wohl auch, um die eigene Identität nicht zu hinterfragen. Ziel der Verteidigung solle sein, «aus der unbestimmten Anzahl einen bestimmten Personenkreis wirklich Schuldiger herauszufinden und den Schuldspruch möglichst auf diese Menschen einzudämmen».[27]

Süskind, der auch während der NS-Zeit seinem persönlichen Sprachstil treu blieb, galt im Nachkriegsdeutschland nicht zuletzt aufgrund seiner stilistischen Sonderstellung als Mitglied der inneren Emigration. Aus diesem Grund aber wurde er für Erika Mann zu einem doppelten Hassobjekt. Er zeigte ihrer Meinung nach nicht nur keine Reue, er konnte sich durch den Deckmantel der inneren Emigration auch zu den Opfern zählen, obwohl er nie in Opposition zum NS-Regime gestanden hatte.

Ausführlich schrieb Erika Mann über ihn in einem Brief an den Romancier Alfred Neumann, der aufgrund seiner jüdischen Herkunft vor den Nazis hatte fliehen müssen. Er hatte sie um eine Stellungnahme gebeten, weil Süskind vorgeworfen wurde, er hätte kurz nach der Flucht der Manns in einer Berliner Zeitschrift einen Artikel gegen Thomas Mann veröffentlicht. Erika Manns Charakterisierung des ehemaligen Freundes hätte nicht sarkastischer ausfallen können. «Selbst als er [Süskind] am 1. November 1943 die Literatur-Redaktion der ‹Krakauer Zeitung› übernahm, einer Gründung des blutigen [Hans] Frank, vergab er sich nichts in den Augen der ‹Inneren›. Mochte sein Chef sich besudeln, mochten unter diesem Regime Millionen von Polen und Juden grässlich zugrunde gehen, W. E. Süskind war waghalsig genug, dem ‹Generalgouverneur› in kultiviertem Deutsch zu kommen, und die ‹Innere› dankte es ihm. Es war mehr als andere ihrer ‹Kämpfer›, mehr als die von Molo, Bonsels und Thiess beim besten Willen hätten leisten können. Süskind, derweilen, verdiente nicht übel, musste auch nicht in den Krieg, sondern lebte beschaulich auf seinem neuen und hübschen Landsitz am Starnberger See.»[28]

Im Hintergrund dieser Sätze steht eine Auseinandersetzung, die im August 1945 mit einem offenen Brief des Schriftstellers Walter von Molo an Thomas Mann begonnen hatte. Von Molo, ein Vertreter der inneren Emigration, hatte Mann darin aufgefordert, nach Deutschland zurückzukehren. «Kommen Sie bald wie ein guter Arzt», hieß es in seinem aufsehenerregenden Schreiben, in dem er sich bemühte, Verständnis bei Thomas Mann für die Menschen zu wecken, die «nicht die Heimat verlassen konnten» und die man nicht pauschal in böse und gut trennen könne. Die Worte von Molos fand Thomas Mann «flau und schlecht», der Schock über das «Herzasthma des Exils» saß zu tief. Seine ebenfalls öffentliche Antwort *Warum ich nicht nach Deutschland zurückgehe* befeuerte die Debatte zwischen Exilliteraten und Vertretern der inneren Emigration. Er verstehe nicht, gab Thomas Mann unumwunden zu, wie man im Dienste Hitlers überhaupt Kultur habe machen können, ohne «das Gesicht mit den Händen zu bedecken und aus dem Saal zu stürzen».[29]

Polemische und für die Manns verletzende Formen nahm schließlich ein Zeitungsartikel des Autors Frank Thiess an, der die innere Emigration in der Debatte verteidigte, Thomas Mann hingegen scharf attackierte: Ihn leite «ein wahrhaft fürchterlicher und schrecklicher [Hass], der Hass gegen Deutschland», schrieb Thiess apodiktisch.[30] Die Bombennächte und den Hunger miterlebt zu haben, habe an Erfahrung und Wissen weit mehr bereichert, als der Tragödie «aus den Logen und Parterreplätzen des Auslands» zuzusehen.

Erika Mann, die ihrem Vater sehr nahestand, nahm aus der zweiten Reihe Anteil an der Debatte. Mit Spott und Argwohn sezierte sie die Mitglieder der inneren Emigration, «diese stolze Bruderschaft», deren Held, der Dichter Werner Bergengruen, «jegliche deutsche Schuld in einem Meer menschlicher Sündhaftigkeit aufzulösen» trachte. In ihrem Aufsatz *Die innere Emigration* konnte sie wenig später mit Genugtuung feststellen, dass jener Frank Thiess, «der den Club begründete», vor kurzem als Heuchler enttarnt und ausgeschlossen worden war. «Einer seiner Artikel, der in den frühen Tagen des Nazi-Regimes erschienen war und die ‹nationale Revolution› als ein großartiges, wunderbares und epochemachendes Ereignis preist, wurde von einigen deutschen Zeitungen noch einmal abgedruckt – und als Folge davon verlor die ‹Innere Emigration› eines ihrer prominentesten Mitglieder.»[31]

Erika Mann

Diese gesellschaftliche Ächtung hätte Erika Mann auch W. E. Süskind gewünscht. Doch in Franz Josef Schöningh, dem Mitherausgeber der *Süddeutschen Zeitung*, der ebenfalls belastet war und das Thema Nazi-Verbrechen in seiner Zeitung sorgfältig aussparte, hatte Süskind einen mächtigen Fürsprecher. Ohnehin waren die meisten seiner pronazistischen Beiträge nach Ende des Kriegs unauffindbar oder in den Kriegswirren verloren gegangen. Krakau, wo sie in der Mehrzahl erschienen waren, war von der Gegenwart in Süddeutschland weit entfernt.

Erika Mann traf Süskind, der als deutscher Staatsbürger nicht im Press Camp wohnen durfte, im Gerichtsgebäude.[32] Jedoch übersah sie ihn geflissentlich, als sie ihm nach Jahren zum ersten Mal wieder begegnete. Er existierte nicht mehr für sie. Seine Versuche, mit ihr in Kontakt zu treten, auch über ihren Bruder Golo, schlugen fehl. Golo Mann, der für Radio Frankfurt aus Nürnberg berichtete, schrieb am 16. Januar 1946 seiner Mutter: «Süskind saß hinter mir und er tippte plötzlich auf meine Schulter: ‹Du willst mich wohl nicht mehr erkennen?› Später sagte er, um sich nett und versöhnlich zu zeigen: ‹Die Leute vergessen meistens, daß Dein Vater nicht wirklich emigriert ist. Er befand sich lediglich außerhalb Deutschlands, als diese Dinge passiert sind!› Er glaubte, daß ich dies wirklich hören wollte, denn er legte Wert darauf, daß ich zwischen ihm und Erika vermittle! Aber, worüber können wir mit Leuten dieser Art diskutieren!»[33]

Süskind war für die Manns, insbesondere für Erika, zur Persona non grata geworden. 1955 schrieb er in der *Süddeutschen Zeitung* einen Nachruf auf Thomas Mann, der die Familienmitglieder erneut erzürnte. Darin fand sich kein Wort über Thomas Manns Gegnerschaft zum Nationalsozialismus, auch keine nennenswerte Würdigung seiner literarischen Werke. Süskind ging vielmehr auf dessen oberpriesterhafte Stellung innerhalb der Familie ein («Onkel Oberpriester»). Ebenso konnte er sich einen Seitenhieb auf Manns «unbedingt egozentrische Art» nicht verkneifen.[34] Nach dem Zweiten Weltkrieg hatte Süskind mit Thomas Mann in Briefkontakt gestanden. Dieser hatte seine Karriere anfangs wohlwollend begleitet, und obwohl er Süskind in seinen Briefen zu verstehen gab, dass er dessen Haltung während des Nationalsozialismus missbilligte, bescheinigte er ihm in einem Schreiben vom Juli 1946, ein «fein begabter Mensch» mit «reizvoller literarischer Intelligenz» zu sein. Mann hatte den Kontakt nicht abbrechen lassen wollen – doch nun dieser entwürdigende Nachruf. Das war zu viel für Erika Mann.

Für sie bestand Süskinds Schuld neben seiner Treulosigkeit und seinen moralischen Defiziten darin, dass er nicht nur politisch unkritisch und verantwortungslos, sondern vergnügungs- und abwechslungssüchtig war. In der aufkommenden Nazi-Bewegung sah er ihr zufolge nichts anderes als eine Gewähr für sein Streben nach Abwechslung und Sinneslust. Dass sie ihm durchaus Intelligenz und literarische Qualitäten zugestand, machte sein Verhalten in ihren Augen umso schlimmer. «So war er nun einmal», schrieb sie Alfred Neumann, «schwach, abwechslungs- und anregungsbedürftig, moralisch eher stumpf, ein genüsslerischer Voyeur, der jedes neue Spektakel [...] als Stimulus empfand.»

Somit war Süskind für Erika Mann der wahre Exponent der «tänzerischen Generation». In seinem gleichnamigen Essay hatte Süskind 1925 über diese geschrieben: «Aus irgendwelchen Gründen hält sie es nicht für angemessen, dieser Welt politisch [...] ihren Stempel aufzudrücken. Sie macht gar keine Anstalten dazu.»[35] Eben dies traf auf

Erika Mann sicher nicht mehr zu. Sie hatte sich von einer Hedonistin in den 20er-Jahren zu einer politisch engagierten Kämpferin entwickelt. Selbst Betty Knox, die einst Profitänzerin gewesen war und mit ihrem Trio nach jener Musik getanzt hatte, die Süskind in seinem Essay herablassend «Niggerjazz» nannte,[36] hatte sich als publizistische Kämpferin gegen den Nationalsozialismus ausgezeichnet. Süskind hingegen blieb in Erika Manns Augen immer der apolitische und «genüsslerische Voyeur».

Noch lange versuchte er, eine Versöhnung mit Erika Mann und ihrer Familie herbeizuführen. Zwischen den Zeilen tat er dies auch in der Buchfassung seiner Prozessberichte aus Nürnberg. Während des Prozesses nämlich wurde Thomas Mann indirekt Protagonist eines peinlichen Fehlers, der ihm unerwartete Aufmerksamkeit bescherte. Dass es dazu kam, war auch Süskind zu verdanken. Hartley Shawcross, der britische Chefankläger, endete eines Tages sein Plädoyer im Gericht mit einer Passage, die er Goethe zuschrieb. Darin heißt es über die Deutschen: «Dass sie sich jedem verrückten Schurken gläubig hingeben, der ihr Niedrigstes aufruft, sie in ihren Lastern bestärkt und sie lehrt, Nationalität als Isolierung und Rohheit zu begreifen, ist miserabel.» Dann rief Shawcross aus, indem er auf die Angeklagten wies: «Mit welch prophetischer Stimme hat er [Goethe] gesprochen – denn dies hier sind die wahnwitzigen Schurken, die genau diese Dinge ausgeführt haben.»[37]

Erst später bemerkte man, dass Shawcross ein literarischer Lapsus unterlaufen war: Das Zitat stammte nicht von Goethe, sondern von Thomas Mann, und zwar aus dem siebten Kapitel seines Goethe-Romans *Lotte in Weimar*. Süskind, Zeuge von Shawcross' Vortrag, war einer der ersten, der den Fehler erkannte. Erika Mann war zu diesem Zeitpunkt bereits in die USA zurückgekehrt. Die zitierte Passage sei nicht von Goethe, ließ Süskind seine Leser wissen, und doch von ihm, «um die erlauchteste literarische Ecke». Er merke dies an, weil die Begebenheit zukünftig im «Anekdotenschatz der Literaturgeschichte» stehen solle.[38]

Im November 1955 gratulierte Süskind Erika Mann zu ihrem 50. Geburtstag. Sein Geburtstagsgruß ist nicht überliefert, wohl aber ihr Antwortschreiben: «W. E. S.», redete sie ihn ohne weiteres an, «es war freundlich von Dir, diesen neuen Versuch nicht zu scheuen. Anlässlich des halben Jahrhunderts, das ich hinter mich gebracht, erinnerst Du mich an den 9. November 1923, der mir freilich ohnedies erinnerlich war. Gemeinsam verlebte Kindheits- oder Jugendjahre sind wohl verbindend, – oder wären es doch, wenn das, was dann kam, nicht die äusserste Entfremdung hätte schaffen müssen. An dieser weiss ich mich schuldlos und auch Dich bezichtige ich nicht. Ich bin niemandes Richter, doch steht es fest in mir, dass unsere Wege sich auf Nimmerwiedersehen getrennt haben. Ja, wäre ich selbst über ‹Krakau› hinweggekommen (was kaum zu denken ist!), – Dein angemasstes ‹Gespräch mit einem Toten› [Süskinds Nachruf auf Thomas Mann] hätte mich wieder verjagt. ‹Die Welt›, schriebst Du Klaus anno 27 in sein Exemplar von *Tordies* [Roman von Süskind], ‹ruht vornehmlich auf dem Gedanken der Treue›. Das war Joseph Conrad. Dir stand es nicht zu. Danke dennoch für Dein Gedenken.»

Erika Mann blieb unversöhnlich, und unversöhnlich war auch ihr Verhältnis zu Deutschland. Im Mai 1946 verließ sie ihr Geburtsland, um sich in Kalifornien ihrem Vater zu widmen, der wegen eines Lungenkarzinoms behandelt wurde. Nachdem die politische Knebelung in der McCarthy-Zeit unerträglich geworden war und die Manns erfahren hatten, dass sie wegen vermeintlich kommunistischer Umtriebe überwacht wurden, kehrten sie 1952 den USA den Rücken. Sie zogen nach Kilchberg bei Zürich, wo Erika Mann bis zu ihrem Tod 1969 lebte. Sie wurde die «Tochter-Adjutantin» (Thomas Mann) und Nachlassverwalterin ihres Vaters. Nie hätte sie sich vorstellen können, wieder dauerhaft in Deutschland zu leben.

Ihre Freundin Betty Knox sah dies anders. Es ist nicht bekannt, wann ihr Liebesverhältnis endete. Noch 1949 schrieb Katia Mann ihrer Tochter augenzwinkernd, dass Betty «hoffentlich nicht» bei Erika eingetroffen sei, was dafür spricht, dass das Verhältnis Bestand hatte und als Distanzbeziehung fortgeführt wurde. Erika Manns «liebe Irrenhäuslerin» jedenfalls blieb in Deutschland. Sie arbeitete weiter als Korrespondentin bei den Nürnberger Nachfolgeprozessen und zeigte sich zunehmend kritisch gegenüber der von ihr empfundenen Siegerjustiz. 1948 wohnte sie der Hinrichtung dreier Verurteilter im Kriegsverbrechergefängnis in Landsberg am Lech bei, deren letzte Worte und Unschuldsbeteuerungen sie protokollierte. Freda Utley, die in ihrer kritischen Studie zur alliierten Besatzungspolitik *The High Cost of Vengeance* (1949) darüber schreibt,[39] bemerkt, dass Betty Knox die Erfahrung als schockierend empfand. In den frühen 50er-Jahren leitete Betty Knox einen internationalen Presseclub in Bonn. Später schrieb sie Artikel für verschiedene kanadische Zeitungen. In ihren letzten Jahren lebte sie mit ihrer Mutter und ihrer Tochter in Düsseldorf. Dort starb sie 1963 im Alter von 56 Jahren.

WILLIAM SHIRER UND DER GUTE WEHRMACHTSGENERAL

«Ein großes Buch.»

Golo Mann über William Shirers Aufstieg und Fall des Dritten Reiches

War die schlechte Versorgungslage im Press Camp ein Akt der Vergeltung? Rächte sich die US-Militärregierung in Bayern für eine zu kritische Berichterstattung, indem sie die Korrespondenten in unzulänglichen Zuständen hausen ließ? Diesen Verdacht einiger Kollegen gab William L. Shirer (1904–1993) in der *Herald Tribune* kund, fügte aber die Mehrheitsmeinung seiner Mitbewohner gleich hinzu, wonach dies wohl nicht zutreffe. Die US-Armee sei viel zu demoralisiert und unorganisiert, um sich zu rächen, selbst wenn sie es wollte. Doch wie auch immer: William Shirer nutzte den Artikel für eine ungewöhnliche Abrechnung mit den Lebensumständen auf Schloss Faber-Castell. Dass er mit seiner Kritik, die einem Hilferuf gleichkam, im Dezember 1945 an die amerikanische Öffentlichkeit trat, zeigt, wie verzweifelt er war. Die Hälfte von denen, die über den Prozess berichteten, sei krank von dem «widerwärtigen Essen», das die Army den deutschen Kriegsgefangenen nicht im Traum vorsetzen würde, schrieb Shirer. Die Ruhr grassiere. «Zu acht oder zu zehnt in einem Raum zusammengepfercht, in einem baufälligen Gebäude, das als Press Camp dient, sind sie gezwungen, in sanitären Verhältnissen zu leben, die alles andere als sanitär sind und die der Staat New York in Sing-Sing [dem Gefängnis des Bundesstaats] niemals durchgehen lassen würde.»[1]

Was William Shirer als «baufälliges Gebäude» bezeichnete, erweckte bei Kollegen aus anderen Ländern Wohlgefallen. Der chinesische Korrespondent Xiao Qian war begeistert vom Press Camp und nannte das Schloss «zauberhaft».[2] Auch das «widerwärtige Essen» fand freundliche Aufnahme in Berichterstatterkreisen, zumindest so weit, dass man es nicht für schädlich erachtete. Während der Fotograf Eddie Worth die Verköstigung «absolut unglaublich» nannte, spricht der *Prawda*-Korrespondent Boris Polewoi in seinem Nürnberger Tagebuch von großartigen Dinners im Faber-Palais, bei denen sich die Küche «weidlich Mühe» gab. Auch wenn er den Köchen vorwarf, dass sie mehr auf das Aussehen als auf guten Geschmack achteten und zu sehr auf Konserviertes setzten, gab es etwa «die berühmten amerikanischen Steaks, zart gebraten, handdicke Fleischstücke mit Schoten».[3]

Doch andere Menschen, andere Ansprüche. Der Mann, der seine Kritik in der *Herald Tribune* so unverblümt zu Protokoll gab, war einen besseren Lebensstandard gewohnt, auch in Press Camps. Nach der Befreiung von Paris 1944 hatte William Shirer mit vielen anderen Journalisten im Hotel Scribe logiert, das komfortable Zimmer mit heißen Bädern, Restaurants und mahagonigetäfelte Bars zu bieten hatte. Shirer, dessen Zeitzeugenbericht *Aufstieg und Fall des Dritten Reiches* später zu einem internationalen Bestseller und verfilmt wurde, war einer der Starreporter im Steiner Presselager, und er wusste es. Das Leben in einer Wohngemeinschaft mit einem Feldbett als Schlafstätte, wie es ihm Schloss Faber-Castell abverlangte, war dem Sohn des ehemaligen Bezirksstaatsanwalts von Chicago nicht geläufig.

Shirers Artikel sorgte für Unruhe, zumal auch NBC in einem Radiobeitrag auf die scheinbare Epidemie einging. Ernest Cecil Deane hatte für die Klagen kein Verständnis. Er machte die zu Übertreibung neigenden Korrespondenten für den medialen Ärger verantwortlich. Zwar hätten einige Bewohner Diarrhö, schrieb er seiner Frau Lois am 6. Dezember 1945 verärgert, doch sei niemand ernsthaft krank. «Die Korrespondenten vergrößern Tatsachen so, dass sie in keinem Verhältnis zur Wahrheit stehen.»[4]

Shirer ging es jedoch um mehr als um schlechtes Essen und Darmbeschwerden. Mit seinem Protestartikel brach er eine Lanze für seine Kollegen, deren wichtige Arbeit von der Army nicht genug wertgeschätzt werde. Während die Militärs etwa einen Broadway-Impresario wie Billy Rose problemlos durch Deutschland transportierten, gebe es für die Berichterstatter keinerlei Transportmöglichkeit, um wichtige Stätten zu besichtigen.

Shirers selbstbewusster Protest in der *Herald Tribune* war so gesehen begründet, und er hatte Gewicht, denn Shirer war eine angesehene Persönlichkeit in den USA. Unter seinen Korrespondentenkollegen im Press Camp hatte er geradezu den Status einer Legende. Shirer war einer der wenigen, die authentische Zeitzeugenschaft beanspruchen konnten. Bis 1940 hatte er aus dem Herzen des nationalsozialistischen Deutschland berichtet, anfangs als Zeitungsreporter, dann bevorzugt als Sprecher über den Äther. Als Korrespondent, zunächst für die Nachrichtenagentur Universal News Service, dann für CBS New York, war er von 1934 bis Dezember 1940 in der Reichshauptstadt ansässig, kämpfte gegen die Zensur und enthüllte dem amerikanischen und britischen Publikum, wie Hitler und seine Streitkräfte den Krieg führten und was es bedeutete, im Nazi-Staat zu leben. Für Interviews stand er regelmäßig im Austausch mit der Nazi-Prominenz, insbesondere Hermann Göring kannte er gut. Als Shirers Vorgesetzte vor dem Krieg Göring als Kolumnisten für den Universal News Service gewinnen wollten, fungierte Shirer als Unterhändler. Das Engagement scheiterte nicht zuletzt an Görings Honorarforderungen.[5]

Aus Nürnberg hatte Shirer mehrfach über die Reichsparteitage geschrieben, «jene obszönen Orgien einer teutonischen Herde, bei denen deutsche Männer und Frauen freudig ihre Individualität, ihren Anstand und ihre Würde als menschliches Wesen aufgegeben hatten».[6] Während der militärischen Kampagnen, die zum Fall Frankreichs, Dünkirchens und zur Luftschlacht um England führten, lieferte Shirer eine dramatische Darstellung der Ereignisse. Seinen Bekanntheitsgrad verdankte er auch der Tatsache, dass er ein Pionier des Radio-Livebeitrags war. Der Rundfunkjournalismus, der damals noch in den Kinderschuhen steckte, brachte Shirers Stimme zahllosen Briten und Amerikanern in ihre Wohnzimmer. Mit seinen Radioreportagen – von Berlin aus begannen sie stets mit «This is Berlin» – etablierte Shirer den unmittelbaren Nachrichtenjournalismus. Das Radio lieferte nun nicht mehr nur Agenturmeldungen, Schlagzeilen oder Hintergrundberichte, sondern war am Puls der Zeit. Es war buchstäblich vor Ort, so etwa 1940, als Shirer aus dem Wald von Compiègne live über das für Frankreich demütigende Waffenstillstandsabkommen berichtete. Dass das Radio zu einem Massenmedium in den USA wurde, war auch Shirers Pionierarbeit zu verdanken.

Im Winter 1940 verließ er Deutschland, nachdem die Arbeitsbedingungen unerträglich geworden waren. Die Nationalsozialisten hatten ihn dazu gedrängt, offizielle Berichte zu senden, von denen er wusste, dass sie unvollständig oder falsch waren. Als er davon erfuhr, dass die Gestapo ein Spionageverfahren gegen ihn anstrengte, blieb ihm nur noch die Abreise. Zurück in den USA, gab Shirer schließlich sein *Berliner Tagebuch. Aufzeichnungen 1934–1941* heraus, eine Abrechnung mit Nazi-Deutschland, die ein Weltbestseller wurde und als historische Quelle bis heute fortwirkt – auch wenn man mittlerweile weiß, dass Shirer das Tagebuch vor Erscheinen stark redigierte und Textstellen strich, die seine anfängliche Begeisterung für Hitler belegen.[7]

Im November 1945 wurde die einstige amerikanische Stimme Berlins zur amerikanischen Stimme Nürnbergs. Grund für Shirers Unbehagen in Franken war auch, dass er fast den ganzen Aufenthalt über krank war und die Lebensumstände im Press Camp mit dafür verantwortlich machte. Er hatte Fieber, blieb, solange es ging, im Bett, schleppte sich mehr schlecht als recht in den Gerichtssaal, den Presseraum und das Tonstudio. Es war sein Zimmernachbar und Kollege Howard Smith, ebenfalls von der CBS, der Shirer hilfsbereit zur Seite stand und ihn unterstützte.

Shirer sollte über den Prozessauftakt berichten und blieb insgesamt nur wenige Wochen. Einen der Höhepunkte aber, Jacksons Eröffnungsrede, verpasste er, da er krank im Bett lag. Am 27. November übermittelte ihm Smith eine Hiobsbotschaft: Shirers Mutter war am Vortag gestorben, und obwohl er als Ältester die Grabrede hätte halten sollen, konnte er nicht an ihrer Beerdigung teilnehmen. Shirer berichtet in seiner Autobiografie, dass er verzweifelt versucht habe abzureisen, die Ärzte der Army ihm aber dringend davon abgeraten hätten. Er blieb schließlich in Stein und schickte lediglich ein Telegramm, das der Pastor beim Begräbnis vorlas.

In den nächsten Tagen berichtete er über das Gerichtsverfahren und übermittelte seine Reportagen einer amerikanischen Öffentlichkeit, die der Kriegsnachrichten überdrüssig geworden war. Nach einer drama-

William Shirer als Radioreporter, 1945

tischen Eröffnungswoche in Nürnberg wurde es langweilig. Wie Shirers Kollege Howard Smith bemerkte, war dies «eine Tatsache, die für die Geschichte unwichtig sein mag, aber für einen Reporter, der versucht, das Interesse eines Milchmanns in Peoria zu wahren, von entscheidender Bedeutung».[8] Auch Shirer fiel es schwer, sich auf das Gerichtsverfahren zu konzentrieren. Zu seinem Unmut und seiner depressiven Stimmung in Nürnberg trug sein Privatleben bei, das sich in Aufruhr befand. Der verheiratete Familienvater hatte ein Verhältnis mit der österreichischen Tänzerin Tilly Losch, einer ehemaligen Solotänzerin der Wiener Staatsoper, die er 1941 in den USA kennengelernt hatte. Die Frage, ob er sich von seiner Frau, einer Wiener Fotografin, und damit auch von seinen Kindern trennen sollte, führte zu seelischer Pein. Zweifel und Schuldgefühle quälten ihn.[9] Den einzigen Ausweg sah er in der Arbeit, in die er sich trotz Krankheit fast zwanghaft stürzte.

Während seines Aufenthalts in Nürnberg sammelte er Abschriften der Prozessunterlagen, die ihm später für seine Analyse des «Dritten Reichs» in Buchform hilfreich wurden. Der seit einem Skiunfall einäugige Shirer kommentierte in Nürnberg nicht nur als Radioreporter für die CBS, sondern schrieb auch einen umfangreichen Artikel für

Reader's Digest. Im Press Camp begegnete er seinem Kollegen John Dos Passos, dessen literarisches Werk er schätzte. Inhaltlich hätten ihre Beiträge allerdings nicht unterschiedlicher sein können. Denn Shirer war im Gegensatz zum deutschfreundlichen Dos Passos, der darauf hinwies, dass «auch die Amerikaner den Gerichtssaal nicht mit reinen Händen betraten», ein überzeugter Vansittartist.[10]

Anhänger Vansittarts

Der britische Diplomat Baron Robert Vansittart war in den 30er-Jahren ein Gegner der Appeasement-Politik von Neville Chamberlain gewesen, nicht nur, weil er Hitler beargwöhnte und in ihm einen kriegstreibenden Barbaren sah, sondern weil er den Deutschen grundsätzlich misstraute. Während des Kriegs wurde Vansittart ein prominenter Verfechter einer antideutschen Linie, die man bald als Vansittartismus bezeichnete. Er war der Ansicht, dass Deutschland von Grund auf militaristisch sei und die Deutschen einen «Volkscharakter» hätten, der sich durch Aggressivität auszeichne. In seiner Broschüre *Black Record. Deutsche Vergangenheit und Gegenwart* (1941) stellte er den Nationalsozialismus als die jüngste Manifestation der fortwährenden deutschen Aggression seit der Zeit des Römischen Reichs dar. Nach der Niederlage müssten Deutschland daher alle militärischen Kapazitäten einschließlich der Schwerindustrie entzogen werden. Und die Deutschen müssten mindestens eine Generation lang unter strenger alliierter Aufsicht umerzogen werden.

Eine Entnazifizierung war in Vansittarts Augen nicht genug. Die deutsche Militärelite sei die eigentliche Kriegsursache, insbesondere das preußische Offizierskorps und der deutsche Generalstab: Beide galt es zu vernichten. 1943 schrieb er im Klappentext seines Buches *Lessons of my Life*: «Nach Meinung des Autors ist es eine Illusion, zwischen der deutschen Rechten, Mitte oder Linken oder den deutschen Katholiken oder Protestanten oder den deutschen Arbeitern oder Kapitalisten zu unterscheiden. Sie sind alle gleich, und die einzige Hoffnung für ein friedliches Europa ist eine vernichtende und gewaltsame militärische

Niederlage, gefolgt von einigen Generationen von Umerziehung, die von den Vereinten Nationen kontrolliert werden.»

Abgesehen von Willy Brandt, der den Vansittartismus ablehnte und ihn «Rassismus mit umgekehrten Vorzeichen» nannte,[11] stießen Vansittarts Ideen bei vielen Korrespondenten im Press Camp auf Sympathien. Martha Gellhorn äußerte sich in einem Brief an Ernest Hemingway wohlwollend über diese Denkrichtung. Erika Mann hatte Vansittart 1942 für die *Vogue* interviewt und später seine Bücher öffentlich verteidigt, so 1944 in *The Nation* mit dem Beitrag *In Defense of Vansittart*. Beide korrespondierten unter anderem über das «deutsche Wesen». Allerdings gab es in Kreisen deutscher Emigranten auch heftige Kritik an Vansittarts Thesen, hatte er doch – so etwa der Einwand kommunistischer Kritiker – den politischen Widerstand vieler Deutscher gegen Hitler und den Antimilitarismus in Deutschland unterschlagen.

William Shirer, der Erika Mann gut kannte und ein Bewunderer ihres Vaters war,[12] teilte den Antigermanismus Vansittarts, wenn auch in gemäßigterer Form. Bevor er Deutschland 1940 verließ, schrieb er in sein Berliner Tagebuch, dass es natürlich Dinge gebe, die er von Deutschland gerne mit auf die Reise nehme. «Die Liebe zur deutschen Musik etwa – Bach und Beethoven, dazu die Österreicher Haydn, Mozart und Schubert. Oder zu den meisterlichen Werken einiger Dichter – Goethe, Schiller, Heine, später Thomas Mann und Rilke (in Prag geboren) und Kafka [...]. Sie alle verkörpern, wenn man so will, einen deutschen Geist, mit dem ich für den Rest meiner Tage im angelsächsischen Heimatland leben kann.»[13]

Doch die Größen der deutschen Kultur waren für Shirer die Ausnahme. Was er Ende Oktober 1945 nach seiner Rückkehr in das einst stolze Land sah, zunächst in der alten Reichshauptstadt Berlin, anschließend in Nürnberg, desillusionierte ihn zutiefst: etwa die ungeheure Apathie der Deutschen und ihr tiefes Bedauern nicht etwa darüber, dass sie den Krieg begonnen, sondern dass sie ihn verloren hatten; ihr Jammern über Hunger und Kälte und zugleich der völlige Mangel an Empathie oder wenigstens Interesse für das ungleich schwerere Los der einst von ihnen okkupierten Völker. Hinzu kamen ihre gelangweilte Reaktion auf den Nürnberger Prozess, ihre auffallend geringe Bereitschaft zur Demokratie.[14] «Es kann sein, dass man zu Hause sagt, die deutsche

Story sei doch noch nicht zu Ende, das deutsche Problem noch nicht gelöst, ein dritter deutscher Krieg gar nicht so fern [...]. Wer so spricht, wird Recht haben. Denn die deutsche Story wird niemals zu Ende sein.»[15]

Wesentlicher Bestandteil der «deutschen Story» war auch Shirers Meinung nach der militaristische Charakter der Deutschen. In einem kurz vor Kriegsende entstandenen Film über die Hitlerjugend machte er die amerikanische Öffentlichkeit auf den schockierenden Fanatisierungsgrad der jungen Männer in Deutschland aufmerksam. Mit Kriegsspielen trainiere man sie für kommende Auseinandersetzungen. Es sei der Ungeist dieser jungen Menschen, den man nach dem Krieg austreiben müsse, wolle man nicht riskieren, bald wieder zu den Waffen greifen zu müssen. Shirer ließ seinen Worten Taten folgen. Noch während des Kriegs trat er dem Direktorium der Society for the Prevention of World War III bei, einer Organisation, die für eine harte Haltung gegenüber den Deutschen eintrat. Sie wollte eine militärische Bedrohung durch Deutschland ein für alle Mal unterbinden.

Für Shirers Pessimismus war auch sein Geschichtsbild verantwortlich. Er glaubte in der historischen Entwicklung Deutschlands eine Kontinuitätslinie feststellen zu können, die zwingend auf die Machtübernahme durch Hitler hinauslief. Bereits bei Martin Luther, der die Deutschen wie kaum ein anderer geprägt habe, zeichne sich eine Tendenz zur Gewalt ab, bemerkt Shirer in seinem Buch über das «Dritte Reich». Der Reformator sei neben seinen positiven und weltverändernden Eigenschaften grob, heftig, fanatisch, intolerant und gewaltsam gewesen.[16] Shirer nahm hier Gedankengänge Thomas Manns auf, der in einer Washingtoner Rede im Jahr 1945 auch das «Cholerisch-Grobianische» Luthers hervorkehrte, insbesondere dessen Begrüßung der Niederschlagung des Bauernaufstands durch die Fürsten.[17] «Wie tolle Hunde hieß er die Bauern totschlagen», deren Wunsch lediglich die Freiheit gewesen sei. Luther aber sei die politische Freiheit des Staatsbürgers im Gegensatz zur Freiheit des Christenmenschen in tiefster Seele zuwider gewesen. Seine «antipolitische Devotheit», sein Paulinisches «Sei untertan der Obrigkeit» prägten die unterwürfige Haltung der Deutschen über Jahrhunderte, so Thomas Mann.

Für William Shirer war es Georg Wilhelm Friedrich Hegel, der den

Staat als das Höchste im menschlichen Leben verherrlichte und damit Luthers Forderung nach politischem Untertanentum fortschrieb. Der Staat, so Shirer, sei nach Hegel dem Individuum übergeordnet, dessen höchste Pflicht es sei, Staatsbürger zu sein. Der große Läuterer sei der Krieg. Er sorge für sittliche Gesundung der durch lange Friedenszeit verderbten Völker. Einer der maßgeblichen und prägenden Verherrlicher des preußischen Militarismus, so Shirer weiter, wurde dann der Historiker Heinrich von Treitschke, dessen «sehr populäre» Vorlesungen an der Berliner Universität sowohl von Studenten als auch von Generalstabsoffizieren und Beamten besucht wurden. «Hegel noch übertreffend, sieht Treitschke im Krieg den höchsten Ausdruck des Männlichen. [...] Der Krieg sei nicht nur eine praktische, sondern auch eine theoretische Notwendigkeit, eine Erfordernis der Logik.»[18]

Militärischer Widerstand vor Gericht

Als heftiger Kritiker der preußisch-deutschen Militärtradition war Shirer erstaunt, als er am 30. November 1945 im Nürnberger Gerichtssaal einem Wehrmachtsgeneral begegnete, der so gar nicht seinen Vorstellungen entsprach. Der erste Zeuge nach Verlesung der Anklage war General Erwin von Lahousen, ein enger Mitarbeiter von Admiral Wilhelm Canaris. Dieser war Chef der Abwehr gewesen, des militärischen Nachrichtendienstes, der für Sabotage und den Krieg hinter den feindlichen Linien verantwortlich war. Canaris war von Anfang an gegen Hitler und das nationalsozialistische Regime eingestellt gewesen und war noch kurz vor Kriegsende im Zusammenhang mit dem Attentat vom 20. Juli 1944 verhaftet und auf besonderen Befehl Hitlers umgebracht worden. Von Lahousen, ein großer, hagerer Mann, hatte die Abteilung II der Abwehr geleitet. Kaum jemand im Nürnberger Gerichtssaal hatte je von ihm gehört, auch Shirer nicht. Als sich der Kriegsgefangene als Zeuge vorstellte und über seine geheime Tätigkeit sprach, waren Engländer und Russen überrascht, dass eine spezielle Aufklärungsstaffel der Luftwaffe offenbar noch vor Kriegsbeginn in großer Höhe Erkundungsflüge über London und Leningrad unternommen hatte.

Erwin von Lahousen bei seiner Aussage vor Gericht, 30. November 1945

Lahousen, gebürtiger Österreicher, war einer der Hauptzeugen gegen die Angeklagten, und er hatte zu deren Überraschung jahrelang eine Doppelrolle in der Abwehr gespielt. Bereits seiner Gastgeberin im Nürnberger Zeugenhaus, Gräfin Kálnoky, war aufgefallen, dass Lahousen anders war als die übrigen Zeugen. «Er hielt sich abseits von den anderen, schien wie in Gedanken versunken zu sein», schrieb sie in ihren Erinnerungen.[19] Lahousen war ein gebrochener Mann, von Verletzungen aus zwei Weltkriegen gezeichnet. Seinen Mitbewohnern im Zeugenhaus, zu denen mehrere Generäle zählten, fiel sein fragiler nervlicher Zustand auf. Als im Wohnzimmer aus dem Radio unvermittelt die Arie *Ombra mai fu* aus Händels Oper *Xerxes* erklang, fing er plötzlich an zu weinen. Er habe die Arie, eines seiner Lieblingsstücke, seit Monaten nicht gehört, sagte er der Gräfin.

Erwin Lahousen Edler von Vivremont war einer der wenigen Widerstandskämpfer, die Hitlers Rachefeldzug überlebt hatten. Maßgeblich war er an dem geplanten Sprengstoffattentat auf Hitler im März 1943 beteiligt gewesen, das aus technischen Gründen scheiterte. Er hatte die lautlosen englischen Zünder und den Sprengstoff nach Smolensk ins Hauptquartier der Heeresgruppe Mitte geschmuggelt. Doch als der Sprengstoff bereits in Hitlers Flugzeug positioniert und dieses in der Luft war, funktionierte die Zündung wegen der Kälte im Frachtraum nicht. Nur die Abkommandierung zur kämpfenden Truppe an die Ostfront und eine schwere Verletzung bewahrten Lahousen vor Nachstellungen. Als die Gestapo im April 1945 das geheime Tagebuch von Admiral Canaris entdeckte, dem Kopf der Widerstandsgruppe, wurden er und seine Mitstreiter auf grausame Weise hingerichtet. Lahousen lag in dieser Zeit schwer verletzt in einem Lazarett und blieb der einzige Verschwörer der Abwehr, der den Krieg überlebte.

In Nürnberg handelte er auch aus Loyalität Canaris gegenüber, den er bewunderte. Die Angeklagten hingegen verachtete er: «Ich muss aussagen für alle, die sie ermordet haben – ich bin der einzige Überlebende.» Während seiner Dienstzeit hatte er in Vertretung von Canaris an Sitzungen mit Hitler, Keitel und Ribbentrop teilgenommen. Er wusste Bescheid, und er hielt vor Gericht mit der Sprache nicht zurück, wenn es darum ging, die Propagandalügen der Nazis zu entlarven. Polens angeblicher Angriff auf einen deutschen Radiosender? Vorgetäuscht. Lahousen nannte Zahlen, Fakten und Namen, zur massenweisen Erschießung russischer Kriegsgefangener, zur Auslöschung der polnischen Intelligenz, der vorsätzlichen Bombardierung Warschaus, zu Keitels Befehl, zwei französische Generäle zu ermorden. Vom Standpunkt der Anklagevertretung aus gesehen war seine Stellungnahme ein Glücksfall.

William Shirer war wie viele andere Prozessbeobachter beeindruckt von Lahousens Aussage. Überdeutlich erschien ihm der Kontrast zu den Angeklagten. «Es war etwas Bewegendes», schrieb er in sein Tagebuch, «eine Art von Aufrichtigkeit, von Integrität, von menschlichem Anstand, die aufmerken ließ, […] weil man plötzlich daran erinnert wurde, dass genau diese Züge […] in den Gesichtern jener Naziführer völlig fehlen, die da, besorgt angesichts des Zeugen, in ihren Bänken sitzen.»[20] Shirer bewunderte, dass ein Generalmajor der Wehrmacht den Mut hatte, vor aller Welt aufzustehen und die Nazis für das geschehene Unheil zu brandmarken. In seiner frühen Korrespondentenzeit war er bei Nazi-Kundgebungen in Nürnberg gewesen. Gerade Nürnberg war ihm einst als Symbol des deutschen Militarismus erschienen. Anlässlich einer Kundgebung mit Massenaufmarsch und militärischen Ritualen schrieb er in seiner Autobiografie: «Mir fiel auf, dass der deutsche Militarismus, von dem wir in der Außenwelt so viel gehört hatten, nicht nur ein Produkt des spartanischen Preußens und der Hohenzollern war. [...] Es war etwas tief in diesen Menschen verwurzelt, und offensichtlich war es nicht mit dem verlorenen Krieg von 1914–1918 gestorben.»[21] Nun bewies ihm in Nürnberg ein Wehrmachtsgeneral, dass man auch in Hitler-Deutschland Anstand und Verantwortungsgefühl hatte bewahren können.

Mahner vor den Deutschen

Am 10. Dezember 1945 verließ William Shirer Nürnberg. Später bemerkte er, dass er dem Nürnberger Prozess vor allem die Kenntnis von Hitlers diabolischem Plan der «Endlösung der Judenfrage» zu verdanken habe. Selbstkritisch räumte er ein, dass er während seiner Korrespondentenzeit in Nazi-Deutschland nie eine Vorstellung vom Ausmaß der Judenvernichtung gehabt habe.[22] Während Shirer 1945 in sein Tagebuch schrieb, es müsse weniger hässliche, weniger brutale und unheilvolle Dinge geben, auf die er sich in seinen verbleibenden Lebensjahren konzentrieren wolle, war es bittere Ironie, dass ausgerechnet seine Kenntnis Deutschlands und der Deutschen zu seiner Berühmtheit und seinem Wohlstand beitrugen.

Kurz nach seiner Rückkehr in die USA führten Auseinandersetzungen und politische Meinungsverschiedenheiten mit der CBS dazu, dass er entlassen wurde. Als Kommunistenfreund gebrandmarkt, zog er sich auf eine Farm in Connecticut zurück und lebte fortan als Publizist. Politisch hatte er die entgegengesetzte Richtung von John Dos Passos genommen, seinem einstigen Mitbewohner im Schloss. Während dieser zu einem Befürworter der Politik McCarthys wurde, sah sich Shirer bei der CBS als deren Opfer. Dementsprechend konnte er Dos Passos seine Nähe zum McCarthyismus und seine antirussische Haltung nicht verzeihen.[23] Er sah die Russen nicht als Feinde an. Bereits während seiner Zeit im Press Camp hatte er «Gemeinsamkeiten mit den russischen Kollegen» festgestellt, die er als kultiviert, intelligent und informiert bezeichnete und mit denen man gut auskommen könne.

Shirers Hauptthema aber blieb das Land, in dem er viele Jahre als Berichterstatter gelebt hatte. Nach seiner Heimkehr in die USA versuchte er sich zunächst als Romancier. Seine Romane *The Traitor* und *Stranger Come Home* tragen autobiografische Züge und haben einen US-Korrespondenten in Berlin zum Protagonisten, der im Fall des Schlüsselromans *Stranger Come Home* in Konflikt mit dem McCarthyismus gerät. Kommerziell erfolgreich waren diese belletristischen Versuche nicht. Erst Shirers Wandlung vom Journalisten zum (populären) Historiker brachte den Erfolg. Er schrieb mehrere Sachbücher, unter anderem über den Untergang des Schlachtschiffs *Bismarck*, über Gandhi und das Ehepaar Tolstoi, sowie seine dreibändigen Memoiren. Doch es war das über 1000 Seiten umfassende Geschichtswerk *Aufstieg und Fall des Dritten Reichs* (1960), das den größten Verkaufserfolg erzielte, den je ein historisches Buch in den USA gehabt hatte. Es erhielt den National Book Award, stand monatelang auf Platz 1 der amerikanischen Bestsellerliste, wurde in viele Sprachen übersetzt und machte Shirer, der nach seinem Ausscheiden bei der CBS verschuldet war, wohlhabend.

Kritik an dem Buch blieb freilich nicht aus. Historiker bemängelten, dass Shirer wesentliche Studien zu seinem Thema nicht berücksichtigt habe, den politischen Widerstand gegen Hitler weitgehend übergehe und den Zusammenhang zwischen der historisch-philosophischen Tradition Deutschlands und dem Nationalsozialismus dichter, direkter und einfacher mache, als er gewesen sei.[24] Vor allem aber waren es Deutschland und die Rezeption seines Buches dort, die Shirer besondere Probleme bereiteten. Als sich nach der Übersetzung 1961 auch in Deutschland ein großer Verkaufserfolg abzeichnete, wurde *Aufstieg und Fall des Dritten Reiches* in der deutschen Presse als antideutsch gebrandmarkt und verrissen. Im Vorfeld soll es sogar Versuche gegeben haben, die Publikation mittels einstweiliger Verfügung zu unterbinden.[25] Kein Geringerer als Konrad Adenauer soll gegen das Buch interveniert haben. Er verurteilte es in Medieninterviews und in seinen Gesprächen mit einflussreichen Amerikanern. Shirer zufolge berichtete der Verleger der Zeitschrift *Look*, Mike Cowles, dass der westdeutsche Bundeskanzler ihn bei einem Besuch in New York zu einem Gespräch in sein Hotel geladen habe. Adenauer warf seinem Gast vor, dass er Auszüge aus *Aufstieg und Fall des Dritten Reiches* und Shirers Artikel *Wenn Hitler den Krieg gewonnen hätte* veröffentlicht hatte. Als Cowles sich freiwillig bereit erklärte, einen Widerruf zu drucken, wenn Adenauer beweisen könne, dass Shirers Schriften nicht der Wahrheit entsprächen, soll Adenauer erklärt haben: «Es geht nicht darum, ob es wahr ist oder nicht. Der Punkt ist, dass es sich als äußerst schädlich für die deutsch-amerikanischen Beziehungen herausstellt. Es schürt in Amerika den Hass auf die Deutschen.»[26]

Shirer gibt diese Sätze in seiner Autobiografie mit Stolz wieder. Sie sind zweifellos tendenziös, hatte er im Vorfeld der Publikation in den USA doch bewusst Ängste vor einem wiedererstarkten, aggressiven Deutschland geschürt, um sein Buch besser vermarkten zu können. Zeitlebens pflegte Shirer sein Kassandra-Image als Warner vor den Deutschen. Ein positives Gegenbeispiel wie General Lahousen, den er in seinem *Berliner Tagebuch* noch mit Erstaunen hervorhob, fand in seinen späteren Publikationen, wenn überhaupt, nur noch in Nebensätzen Erwähnung. Dass die Bonner Regierung aber tatsächlich eine Pressekampagne gegen *Aufstieg und Fall des Dritten Reiches* startete und eine 24-seitige Kompilation erstellte, die ausschließlich negative Rezensionen enthielt, ist belegt.[27]

Shirer schrieb weiter mit scharfem analytischem Blick und Ressentiment über Deutschland, ehe er 1993 verstarb. 1985 reiste er anlässlich des Staatsbesuchs von Ronald Reagan noch einmal in sein einstiges Gastland. Dass der amerikanische Präsident auf Bitte der deutschen Regierung einen Kranz an der Kriegsgräberstätte Bitburg niederlegte, wo zahlreiche SS-Männer bestattet wurden, empfand Shirer als Skandal. Er sah darin eine deutsche Geschichtspolitik am Werk, die die Absicht verfolgte, die SS zu rehabilitieren. «Ich verließ Berlin im Frühjahr 1985 in einem Zustand tiefer Depression», schrieb er in seiner Autobiografie.[28] Die rhetorisch verunglückte Rede des Bundestagspräsidenten Philipp Jenninger zum 50. Jahresgedenken der Novemberpogrome 1938 im Deutschen Bundestag diente Shirer einmal mehr als Beleg, dass man den Deutschen gegenüber extrem kritisch bleiben müsse.[29]

ALFRED DÖBLINS VERSCHLEIERUNG: VON VERMEINTLICHEN GÄSTEN AUF SCHLOSS FABER-CASTELL

«Die Zeitungen spielen manchmal völlig verrückt.»

Ernest Cecil Deane, Brief vom 9. April 1946
an seine Frau Lois

Fake news, wie man heute sagen würde, wurden auch während des Nürnberger Hauptkriegsverbrecherprozesses verbreitet. Am 10. April 1946 veröffentlichte *Stars and Stripes* einen Artikel unter einem Titel, der fälschlicherweise nahelegte, der sowjetische Ankläger Roman Rudenko habe Hermann Göring im Gerichtssaal erschossen. Die Schlagzeile wurde von einigen Agenturen übernommen und in Umlauf gebracht. In diesem Fall handelte es sich um die Verbreitung eines Gerüchts – Göring habe Stalin vor Gericht als Kriegsverbrecher bezeichnet, woraufhin Rudenko aus der Haut gefahren sei und geschossen habe. Doch es gab vielfältige Formen der Lesermanipulation. Falschmeldungen wurden teils von der politischen Führungsschicht gesteuert und absichtlich in Umlauf gebracht, so etwa Nachrichten in sowjetischen Medien, wonach die Deutschen das Massaker von Katyn zu verantworten hätten. Teils wurden sie von Journalisten aus Unwissenheit verbreitet, Fehler wurden übernommen, weitergetragen oder variiert. Insbesondere die Berichterstatter der amerikanischen Boulevardpresse waren sich aber auch für nichts zu schade, oft fantasierten sie munter drauf los. «American and British troops battle Germans», lautete eine ebenso falsche wie sensationsheischende Schlagzeile. An anderer Stelle wurde behauptet, Göring sei in einem amerikanischen Militärkrankenhaus einem Herzinfarkt erlegen. Manch einer erfand eine Nachricht, um sich in ein besseres Licht zu rücken, wie jener amerikanische Journalist, der eines Morgens im Badezimmer des Press Camp den drei Weltliteraten Hemingway, Steinbeck und Dos Passos begegnet sein wollte. Während dies eine harmlose Variante der Täuschung war, betrieben andere Agitation, um den politischen Gegner zu diskreditieren. So verfuhr etwa die französische Stalinistin Elsa Triolet, die ihrer kommunistischen Leserschaft eine Zeugenaussage vor Gericht schilderte, die so nie stattgefunden hatte.

Einen Sonderfall der Lesertäuschung stellt Alfred Döblin (1878–1957) dar, der sich mit seinem Beitrag direkt an die deutsche Bevölkerung wandte. Er nahm es mit der Wahrheit nicht so genau, um eine erzieherische Wirkung zu entfalten. Im Namen der Umerziehung erschien dem promovierten Psychiater Verhüllung als die einzige Möglichkeit. Alfred Döblin schrieb keinen Artikel, keine Reportage oder Monografie. Er verfasste eine Aufklärungsschrift, *Der Nürnberger Lehrprozess*, die im Februar 1946, mit zehn ganzseitigen Fotografien der Kriegsverbrecher angereichert, als 33-seitige Broschüre erschien.[1] Es war ein publizistisches Massenunterfangen mit einer Auflage von 200 000 Exemplaren.

Im Rang eines Offiziers im französischen Bildungsministerium war Döblin damals von Baden-Baden aus für die französische Besatzungsmacht tätig. Er, der als Jude und Sozialist schwer unter den Nazis gelitten und Angehörige in Auschwitz verloren hatte, war einer der ersten Exilautoren, die nach Deutschland zurückkehrten. Döblin, seit 1936 französischer Staatsbürger, wollte sich nützlich machen und am kulturellen Wiederaufbau teilhaben. Nach seiner Rückkehr befasste er sich mit der Zensur zum Druck vorgelegter Manuskripte. Außerdem bereitete er die literarische Monatsschrift *Das goldene Tor* vor, schrieb für die *Neue Zeitung* und, als künstlerisch-moralische Instanz, für den Südwestrundfunk. Selbstverständlich galt sein Augenmerk auch dem medialen Großereignis dieser Zeit, dem Kriegsverbrecherprozess. «Ich sah, hörte und las vieles», bemerkte er in einer autobiografischen Schrift. «Es stieß mich oft ab, es ekelte mich. Aber noch mehr jammerte es mich, wenn ich die Armut und den Hunger sah. Man musste gut Gesinnte um sich sammeln. Zunächst entschloss ich mich, eine kleine fassliche Broschüre

Alfred Döblin, um 1946

zu schreiben, die ich betitelte ‹Der Nürnberger Lehrprozess›. Ja, der Nürnberger Prozess, der grade in großer Öffentlichkeit lief, sollte sie etwas lehren.»[2]

Nicht nur der Prozess sollte die Leser etwas lehren, auch Döblin wollte dies. Indem er über das Tribunal berichtete, versuchte er, den Lernprozess in Gang zu setzen. Dafür wählte er eine manipulative Strategie. Döblin publizierte seine Schrift unter dem Allerweltspseudonym «Hans Fiedeler», wobei seine Leser keine Ahnung hatten, dass es sich um einen fingierten Namen handelte. Erst 1968 konnte das Pseudonym gelüftet und der Text Döblin zugeschrieben werden.[3] Vor allem aber vermittelt Döblin den Eindruck, während des Prozesses selbst dabeigewesen zu sein. «So nüchtern grau die Richter aussehen», schrieb er als vermeintlicher Beobachter Hans Fiedeler, «so geschäftsmäßig sich alles abspielt, so leise und sachlich sie sprechen [...].» Tatsächlich war Döblin während des Prozesses nie in Nürnberg.[4] Weshalb er sich am Prozesstourismus nicht beteiligte, entzieht sich der Kenntnis der Nachwelt. Es bleibt zu vermuten, dass er die Schrift als eine Pflichtübung sah und den Anblick der Täter meiden wollte. Eine große Meinung von seinem Text hatte er jedenfalls nicht: Seinem Tagebuch vertraute er am

13. Dezember 1945 beiläufig an, er habe eine Arbeit über den Nürnberger Prozess «zu Ende gemurkst».

So frei wie mit der Authentizität ging Döblin teilweise auch mit Zitaten um. Für ein Tacitus-Zitat, das er dem Text als Motto voranstellte – «Die freiwilligen Sklaven machen mehr Tyrannen, als die Tyrannen Sklaven machen» –, gibt es keinen Beleg im Werk des römischen Historikers. Döblin brachte den Satz allem Anschein nach bewusst mit Tacitus in Verbindung, denn der Name Tacitus besaß während des Nationalsozialismus einen enormen Stellenwert. Seine Schrift *Germania* hatte den Germanenkult im Nationalsozialismus befördert und wurde als völkische Bibel gelesen. Tacitus, der den Germanen unter anderem Mut, Ehrlichkeit und Einfachheit der Lebensführung zusprach – im Gegensatz zur römischen Dekadenz –, sah bei ihnen auch einen latenten Untertanengeist. In diesem Sinne zumindest muss man Döblins Zitat deuten, wonach Sklaven freiwillig Tyrannen erschaffen. Döblin schlug damit die «Rassenpropaganda» der Nationalsozialisten mit ihren eigenen Waffen. Denn jener Mann, auf dessen Schrift diese sich in ihrem germanischen Überlegenheitsanspruch historisch beriefen, las ihnen nun bei Döblin die Leviten. Tatsächlich stammt das Zitat aber nicht von Tacitus, sondern von dem französischen Aufklärer Graf Mirabeau. Weshalb aber die Lesertäuschung mit dem erfundenen Namen?

Mit dem Pseudonym wollte der berühmte Autor des Romans *Berlin Alexanderplatz*, der 1933 mit seiner Familie emigrieren musste, zunächst in die Schweiz, dann nach Frankreich und nach der deutschen Invasion schließlich in die USA, wohl Nähe zu den Deutschen suggerieren. Aus pädagogischen Gründen nahm Döblin die Perspektive eines Deutschen ein, der, anders als er, die vergangenen zwölf Jahre in Deutschland geblieben war. Bei Nennung seines Klarnamens hätte er dagegen mit psychologischem Widerstand rechnen müssen. Döblin war bestrebt, den Daheimgebliebenen gegenüber nicht als besserwisserischer Richter zu erscheinen. Gleich zu Beginn spricht er diejenigen an, «die das letzte Jahrzehnt in Deutschland verbracht haben» und die es nun als etwas Besonderes betrachten dürften, die «Träger der bis dahin gewaltigsten Namen des Landes» als gewöhnliche Verbrecher auf der Anklagebank zu sehen. Döblin achtete darauf, dass seine Leser nicht als Angeklagte erschienen. Stellvertretend lässt er am Schluss einen «Einsichtigen» klagen: «Sie haben uns unterworfen und uns zu üblen Dingen getrieben, dass die Schande noch lange Zeit auf uns liegen wird.» Es sind jene Gutgesinnten, denen Döblins Aufmerksamkeit galt und die er motivieren wollte.

Erziehungstheater gegen Nazi-Theater

Döblin wählt in seiner Schrift die Theaterperspektive: «Wir» – Hans Fiedeler und die Deutschen – sind im Nürnberger Gerichtssaal Zuschauer eines «Riesentheaters». Im ersten Teil des Stücks, einer Art Exposition, stellt Döblin die Szenerie, die Anklage und die Ankläger vor, wobei er mit Letzteren nicht die alliierten Anklagevertreter meint, sondern die Millionen Toten. Dass es einen zweiten Teil des Stücks überhaupt geben würde, hätten sich die Verbrecher nicht träumen lassen – Gegenstand dieses zweiten Teils sind Sühne, Buße und die «Wiederherstellung der Menschheit». Doch die Theatermetapher greift über die Zuschauerperspektive im Gerichtssaal hinaus, denn das Theater wird bei Döblin auch zu einem Sinnbild für das «Dritte Reich». Die Nazi-Schauspieler haben den Deutschen etwas vorgegaukelt, sie als «Herrenrasse» proklamiert und verzaubert. «Ihr Trick gelang». Im Gegensatz zu Shakespeares Drama *Der Widerspenstigen Zähmung*, in dem einem betrunkenen Bauern eingeredet wird, er sei ein großer, reicher Herr, wurde aus der Nazi-Herrschaft aber keine Komödie, «sondern eine wüste Orgie mit Mord und Vernichtung».

Diesem Wahn stehe in Nürnberg nun die Realität gegenüber. «Sie heisst Moral und Vernunft», steigt die Stufen zur Bühne hinauf «und setzt sich – auf den Platz des Richters!» Pervertiertes Nazi-Theater wird durch moralisches Lehrtheater ersetzt. Döblin, ein Kritiker des moralischen Relativismus, der nach einem Erweckungserlebnis am 30. November 1941 zum Katholizismus konvertiert war, spielt hier mit dem Allegorienreichtum des jesuitischen Lehrtheaters. Davonkommen lässt er die ehemaligen Reichsbürger freilich nicht; er motiviert, kritisiert und belehrt sie zugleich. Die abweisend-feindliche Haltung vieler Deutscher gegen den Prozess benennt er unumwunden. «Was redet man da von Gerechtigkeit?», murmelt ein missmutiger Deutscher. «Seit wann ist das ein Gerichtssaal?» Pastor Martin Niemöller wird getadelt und als Deutscher «von gestern» bezeichnet, weil er sich 1939 trotz Gegnerschaft zum Nationalsozialismus und KZ-Haft aus patriotischen Gründen als Kriegsfreiwilliger meldete. Über Döblins Schrift steht ein Motto Alphonse de Lamartines, das den Opportunisten unter seinen Lesern wie eine Ohrfeige erscheinen musste: «Wehe den Feigen! Man wird grausam, wenn man nicht den Mut zum eigenen Mut aufbringt!» Gerade weil die Deutschen keinen Mut aufbrachten, lehnte Döblin, im Gegensatz etwa zu Willy Brandt, eine Beteiligung deutscher Richter am Prozess ab. Die Gelegenheit, die Verbrecher zu richten, hatten die Deutschen verstreichen lassen, jetzt würde sich die Welt gegen einen solchen Anspruch erheben.

Döblin schließt einen Exkurs über die Historie des «Dritten Reichs» an, dazu einen mentalitätsgeschichtlichen Abschnitt über den Machtglauben der Deutschen. Die Schrift endet mit der Klage des «Einsichtigen». Der Prozess, so Döblin, müsse als Verkörperung der Hoffnung auf eine bessere Zukunft begriffen werden. Es geht ihm um die ethische Legitimierung des Tribunals, um Einsicht in begangene Untaten und um eine Bekehrung der Deutschen zur Demokratie – letztlich um nichts Geringeres als eben die «Wiederherstellung der Menschheit». Gerade deshalb habe man in Nürnberg «einen juristischen Wolkenkratzer» gebaut, wie ihn die Welt noch nicht gesehen hat. Somit ist *Der Nürnberger Lehrprozess* Ermahnung und nüchterne Analyse, verbunden mit leidenschaftlicher Ermutigung.

Ein Bluff mit Folgen

Hatte die Broschüre eine Wirkung? «Mir scheint: kaum», schrieb Döblin 1953 resigniert. Allerdings hatte sie vielleicht eine den Absichten des Autors entgegengesetzte Wirkung und wurde gekauft «wegen ihrer Bilder, der Photos der Hauptakteure in diesem Prozess»,[5] also aus voyeuristischem Interesse. Schließlich konnte der Leser hier die einstige Nazi-Prominenz großformatig in Gefängniszelle und Gerichtssaal sehen. Indessen war Döblin an dieser Art der Rezeption nicht ganz unschuldig. Die nüchtern-scharfen Bildunterschriften hatte er selbst verfasst. Unter ein Foto von Göring etwa schrieb er: «Hermann Göring, Reichsluftfahrtminister, Reichstagsbrandstifter, Schöpfer der Höllen von Buchenwald und Dachau, vollendeter Räuber, Lebemann, Ballettfreund.»

Döblins Bluff aber, mit dem er seiner Leserschaft weismachen wollte, er sei während des Prozesses vor Ort gewesen, blieb bis in die Gegenwart weitgehend unerkannt. Seine Täuschung wurde sogar beglaubigt, indem man ihm eine Unterkunft im Press Camp zuschrieb. Nicht nur der Schreibwarenhersteller Faber-Castell nennt Döblin auf seiner Homepage als Prozessteilnehmer und Gast der globalen Herberge, zahlreiche überregionale Zeitungen und Zeitschriften haben seinen Aufenthalt im Faberschloss hervorgehoben.[6] Theoretisch hätte Döblin als französischer Staatsbürger durchaus im Press Camp wohnen können. Doch Belege dafür gibt es nicht, ebensowenig für einen Besuch der Verhandlung.

Besonders unbekümmert agierten in diesem Zusammenhang die Verantwortlichen der TV-Dokumentation *Der Jahrhundertprozess. Das Nürnberger Tribunal aus prominenter Sicht*. Dieser Film aus dem Jahr 2016 zeigt einen auf Alfred Döblin ausgestellten Presseausweis für den Nürnberger Gerichtshof mit Datum 5. März 1946, außerdem eine Pressezeichnung von Döblin im Gerichtssaal, mit Kopfhörern und zwei anderen Zuhörern.[7] Dies wären zweifellos die fehlenden Beweise für Döblins Teilnahme am Prozess. Da sich aber in der einschlägigen Forschungsliteratur zu seinem Leben nichts dazu findet, nahm der Verfasser des vorliegenden Buches Kontakt zum verantwortlichen Redakteur der ZDF-Redaktion Zeitgeschichte auf. Auf die Anfrage, wo sich der Presseausweis Döblins befinde, antwortete er, man habe, wo es ging, auf Originaldokumente zurückgegriffen; er meine sich beispielsweise zu erinnern, dass die «Frau von Markus Wolf uns seinerzeit dessen Ausweis zukommen ließ». Aber es sei denkbar, dass dies nicht in allen Fällen möglich gewesen sei und die Grafiker dann eigenständig auf Vorlagen zurückgriffen hätten, «um sie entsprechend zu personalisieren. Sie sollten hier ja vorwiegend als grafische Trenner und Bildfläche zur Vorstellung der Protagonisten dienen.»[8]

Christina Althen, Herausgeberin der kritischen Edition von *Der Nürnberger Lehrprozess*, ließ dieser Hinweis keine Ruhe, zumal der in der Dokumentation benutzte angebliche Presseausweis auch in Döblins Wikipedia-Eintrag mit der Zuschreibung zum Nürnberger Prozess erschien. Sie begab sich auf Spurensuche und konnte schließlich nachweisen, dass das verwendete Foto Döblins von der Homepage des Deutschen Historischen Museums in Berlin übernommen wurde. Dort ist dokumentiert, dass es vom Pressebild-Verlag Schirner am 9. Juli 1947 in Berlin aufgenommen wurde – somit Monate nach Ende des Nürnberger Hauptkriegsverbrecherprozesses. Als Althen den verantwortlichen ZDF-Redakteur darauf hinwies, gab dieser in einer Email vom 19. Mai 2021 entschuldigend zu, dass man einem «Fehlhinweis» aufgesessen sei. Die Dokumentation sei in der Mediathek nicht mehr abrufbar, und man sehe sich in der Pflicht, die irreführenden Spuren im Netz zu beseitigen.

Hätte Döblin nur geahnt, was sein «Gemurkse» für Folgen haben sollte.

JANET FLANNERS PROVOKANTE KRITIK AN HERMANN GÖRINGS VERHÖR

«Zwei Bilder Deutschlands liefern den dramatischen Beweis, dass die Alliierten den Krieg gewonnen haben. Zum einen das Panorama der in Asche gelegten deutschen Städte, zum anderen das Tableau der mit Nazi-Gefangenen besetzten Anklagebänke.»

Janet Flanner

Ich wollte Schönheit mit einem großen S. [...] Ich wurde von meinem Appetit verzehrt, die Schönheiten Europas zu konsumieren, die Ansammlungen von Architektur und Poesie, von Zivilisationen und Bildung, die schönen Gärten, die schönen Paläste.»[1]

Mit diesen Worten begründete die amerikanische Journalistin Janet Flanner (1892–1978) ihre Entscheidung, an der Seite ihrer Geliebten Solita Solano nach Paris zu ziehen. Janet Flanner, die Tochter eines Bestatters, der der Religionsgemeinschaft der Quäker angehörte, floh aus einer unglücklichen Ehe und dem verachteten Mittelklassemilieu. 1922 ließen sich die beiden im Strom künstlerischer und intellektueller Auswanderer in Paris nieder und begannen Romane zu schreiben. Noch in den USA hatte Flanner erste literarische Erfahrungen als Feuilletonistin gesammelt. Obwohl sie später mit Ehrungen überhäuft wurde – 1947 wurde sie von der französischen Regierung in die Ehrenlegion aufgenommen, 1966 erhielt sie in den USA den National Book Award –, war sie voller künstlerischer Selbstzweifel und betrachtete sich ein Leben lang als Journalistin, nicht als Schriftstellerin.

In der Tat ersetzte sie ihren Versuch, eigene Romane zu schreiben, schon bald durch den Journalismus, obwohl ihr 1925 erschienener autobiografischer Roman *Cubicle City* durchaus Beachtung fand. «Mir fehlte die kreative, jungfräuliche Gabe, um mir Fiktion vorstellen zu können.» Als Journalistin hingegen besaß sie genügend Stoff. Dies minderte aber ihren literarischen Anspruch an sich selbst keineswegs. Berühmt wurde sie für ihren *Flanner touch*, jene in ihren Artikeln dargebotene Mischung aus neuer Sachlichkeit und witzig-pointierten Schlussfolgerungen, aus Stimmungsbildern und Satzfetzen. Oft sprang sie im selben Satz von einem Thema zum anderen und stellte auf unkonventionelle Art eine Verbindung von Gegensätzen her. Als Harold Ross und Jane Grant 1925 das Magazin *The New Yorker* gründeten, beauftragten sie Flanner, regelmäßige Beiträge aus Paris zu schreiben. In ihren Briefen an Jane Grant hatte Flanner zuvor das Leben der Künstler und Intellektuellen in Europa so eindrucksvoll geschildert, dass Grant ihrem Mann vorgeschlagen hatte, die Briefe in dem neuen Magazin zu veröffentlichen. Unter dem androgynen Pseudonym Genêt, von dem Ross anfangs dachte, es sei das französische Pendant zu Janet, wurden Flanners Briefe zu einem festen Bestandteil der Zeitschrift. Ein halbes Jahrhundert lang, bis 1975, lieferte sie nahezu alle 14 Tage den *Letter from Paris*.

Die Kolumne wurde nicht zuletzt deshalb zu einer Institution, weil Flanner in ihrem unnachahmlichen Stil eine Schlüssellochperspektive auf die Gesellschaft der Alten Welt bot. Oft mit einer Zigarette und einem Kaffee auf der Terrasse angesagter Cafés sitzend, kommentierte Flanner mit dem distanzierten Blick der Amerikanerin alles: von der Haute Couture über die neue Musik, das Ballett, den jüngsten Chaplin-Film, die moderne Kunst der Dadaisten und Surrealisten bis hin zur Politik. Flanner half mit ihren Beiträgen, den Essay-Journalismus als Tradition zu etablieren.

In ihrer Pension in der Rue Bonaparte lebte sie inmitten der Bohème. Sie schrieb als Beteiligte und war mit vielen Künstlerinnen und Künstlern befreundet, darunter zahlreichen Auswanderern wie Gertrude Stein, Ernest Hemingway, Alice Toklas oder Djuna Barnes. Außerdem gehörte sie zu einem zu jeder Überschreitung gesellschaftlicher Regeln entschlossenen Haufen verwegener, souveräner und hochgebildeter Frauen – Malerinnen, Dichterinnen, Verlegerinnen, Journalistinnen, Fotografinnen und Mäzeninnen. Zu Flanners Liebhaberinnen zählten die schöne Sängerin Noël Murphy und Oscar Wildes extravagante Nichte Dolly. Mit Solita Solano, mit der sie eine offene Beziehung führte, wurde sie als Nip und Tuck in Djuna Barnes' Reiseführer für das lesbische Paris, *The Ladies Almanack*, verewigt.

Flanners Biografin Brenda Wineapple beschreibt die Situation dieser schillernden Frauengemeinde im Paris der 20er-Jahre wie folgt: «Als Amerikanerinnen in der französischen Gesellschaft genossen sie die Vorteile beider Welten. Zuhause waren sie zu einem Schattendasein verurteilt – ignoriert, zensiert, ihrer abweichenden Sexualität wegen verachtet oder herablassend behandelt –, in Paris waren sie plötzlich eine andere Minderheit: Sie waren Amerikanerinnen in der Fremde. Das ließ sie zusammen leben und arbeiten, ihre Sexualität auch außerhalb des Familien- und Freundeskreises offen leben.»[2] Bekannt wurde dieser einzigartige Zirkel südlich der Seine als «Die Frauen von der Left Bank». Zusammen schreibend, feiernd, diskutierend und ständig in neuen Paarkonstellationen, versuchten sie, ihren Sehnsüchten nach einem ungezwungenen Leben gerecht zu werden.

Freilich waren Janet Flanner und ihre Freundinnen mit falschen Vorstellungen nach Europa gekommen. Das freie Leben endete spätestens 1929 mit der Weltwirtschaftskrise und dem Aufkommen faschistischer Bewegungen. Flanner erkannte die Zeitenwende ganz im Geist der *Twenties*, als sie schrieb, dass im Heiligtum der *expatriates*, der feudalen Bar des Hotels Ritz, «die hübschen Frauen für ihre Cocktails jetzt selber zahlen müssen». Den Börsenkrach tat sie in ihrer Kolumne vom 4. Dezember 1929 noch als «augenblickliche Unerfreulichkeit der Wall Street» ab.[3] Als die Franzosen jedoch 1930 die Maginot-Linie zu bauen begannen, das Verteidigungssystem entlang der französischen Grenze, um Angriffe aus den Nachbarländern abzuwehren, wurde die Bedrohungslage offensichtlich.

Flanner wollte ihren Blickwinkel weiten und sich ein Bild vor Ort machen. 1931 reiste sie nach Berlin. Lakonisch und mit einer gezielten Spitze gegen den deutschen Nationalismus betitelte sie ihre Reportage «Über alles», in deutscher Sprache. In ihrem Bericht über das Berliner Kultur- und Nachtleben zeigte sie sich dann aber doch erstaunt über die lebendige und multikulturelle Stadt, deren trendige Bars Ungezwungenheit und «semitischen Chic» ausstrahlten. «In der Zwischenzeit züchten die Berliner, mögen sie auch ansonsten arbeitslos sein, eine neue Rasse. Möglich, dass der stiernackige Vorkriegsdeutsche im Krieg gefallen und seine zu ihm passende fette Frau vor Gram gestorben ist. Jedenfalls sind sie aus der Hauptstadt verschwunden. Zu sehen bekommt man sie hier nur in Karikaturen.»[4]

Wie so viele wurde sich auch Flanner erst langsam bewusst, welch ernsthafte Bedrohung die Nazis für die Welt waren. Ihr in snobistischem Ton geschriebenes Hitler-Porträt aus dem Jahr 1936 ist ein weitgehend anekdotischer Text, der den kulinarischen Geschmack des «Führers» schildert, auf sein provinzielles Verhalten und seine sexuelle Askese eingeht. Flanner stellt ihn eher als lächerlich denn als gefährlich dar. «Adolf wurde am 20. April 1889 im österreichischen Grenzort Braunau am Inn in ein Haus geboren, das heute ein billiges Hotel ist, jedoch reich mit rosa Farbe verputzt wurde.»[5]

In einer Rechtfertigung ihrer fehlenden Voraussicht bemerkte sie rückblickend, dass die Situation erst Mitte der 30er-Jahre bedenklich geworden sei. Schleichend, unmerklich sei der Übergang eingeleitet worden, und niemand hätte den dramatischen Ausbruch der Machenschaften vorhersagen können.[6] Spätestens als im Herbst 1939 ihr *Letter from Paris* zensiert wurde, wusste Flanner, dass es Zeit war, Frankreich zu verlassen. Aus Paris war sie bereits am 16. September geflohen. Über Bordeaux gelangte sie schließlich, eingekeilt in einen Treck fliehender *expatriates*, Anfang Oktober in den rettenden Hafen von New York. Als die Deutschen 1940 Paris besetzten, war das Ende der Frauengemeinschaft der «Left Bank» endgültig gekommen.

In New York fühlte sich Flanner heimatlos. Die Grundpfeiler ihres Lebens waren weggebrochen, das geistige Betätigungsfeld Paris, ihre Briefe, die Arbeitsroutine, ihre Freunde. Der exotische Blick, mit dem die meisten Amerikaner Europa bedachten, befremdete sie. Ihr Geburtsland erschien ihr zunehmend eng, spießig, materialistisch und weithin ungebildet. Während des Zweiten Weltkriegs lebte sie mit der Römerin Natalia Murray in New York zusammen und arbeitete weiter für den *New Yorker*. Sie hielt Vorträge, schrieb ein Porträt über Thomas Mann und unterstützte Klaus Mann mit einem Beitrag für dessen neu gegründete Exilzeitschrift. Darüber hinaus steuerte sie in den Monaten nach der Befreiung von Paris im August 1944 eine Reihe wöchentlicher Radiosendungen mit dem Titel *Listen: the Women* für das Blue Network bei, den Vorläufer der späteren ABC.

Offizielle Kriegskorrespondentin

Flanner war nicht mehr dieselbe, als sie im November 1944 mit einem amerikanischen Armeeflugzeug als offizielle Kriegskorrespondentin nach Europa zurückkehrte. Ihr journalistischer Stil, stets wissend, anfällig für Selbstbewusstsein und Ironie, verächtlich gegenüber konventioneller Moral und immun gegen die Gefahr, schockiert zu werden, hatte sich geändert. Flanners Berichterstattung über den Zweiten Weltkrieg zeichnete sich zunehmend durch Aufrichtigkeit, Härte sowie durch echte Zuneigung gegenüber den Parisern aus, die sie oft leichtfertig behandelt hatte.

Ihr Reiseziel war das befreite Paris, das sie nach einer Zwischenstation in London unter winterlichen Bedingungen erreichte. Die Franzosen aber erkannte sie kaum wieder. Sie waren ausgehungert, traumatisiert und misstrauisch. Eine regelrechte Jagd fand auf Nazi-Kollaborateure der Vichy-Regierung statt. «Paris ist nicht heiter», schrieb Flanner, «es ist ruhelos, angstvoll, verdrossen.» Die sensible Ästhetin zog es vor, in einem internationalen Presselager zu wohnen, dem Hotel Scribe, wo auch andere Korrespondenten logierten. Dort begegnete sie Ernest Hemingway und William Shirer, den sie bald in Nürnberg wiedersehen sollte. Flanner wusste, dass sie im Hotel Scribe jeden Morgen zwischen acht und zehn Uhr ein warmes Bad nehmen konnte, was mit ein Grund für sie war, eine Weile dort zu leben. Noch ahnte sie nicht, dass sie bald in einem Press Camp in Deutschland unterkommen würde, wo ihr bereits der kurze Gang zum Waschbecken einen Konkurrenzkampf aufnötigte.

Nach Reportagereisen nach Lyon und La Rochelle, aber auch in das befreite Rheinland, wo sie sich angeekelt zeigte von den Kölnern und deren Unvermögen, «vernünftig zu denken oder die Wahrheit zu sagen», kehrte Flanner nach Paris zurück. Sie plante Porträts und Reportagen, verwarf aber vieles nach kurzer Zeit. Am 16. April 1945 war sie im Kon-

Janet Flanner mit Ernest Hemingway, 1944 in Paris

zentrationslager Buchenwald. «Das», schrieb sie Solita Solano erschüttert, «ist jenseits der Vorstellungskraft.» Berichten konnte sie darüber nicht.

Kurz vor Weihnachten 1945 reiste sie dann nach München, wo sie für den *New Yorker* einen Bericht schreiben sollte. Doch Nürnberg lockte. Am 13. Dezember fuhr Flanner von der bayerischen Hauptstadt aus zum Prozess und wohnte der Nachmittagssitzung bei. Am nächsten Tag verließ sie Nürnberg nach der Morgensitzung wieder. Publizistischen Niederschlag fand der Kurzaufenthalt in einem *New-Yorker*-Artikel vom 17. Dezember, in dem Flanner panoramaartig einen Überblick bietet – von der städtischen Trümmerwüste über die Angeklagten, die Kläger und Richter, die Prozessberichterstattung der *Nürnberger Nachrichten* bis hin zum Tagesgeschehen. Flanner schildert in dem facettenreichen Artikel, wie vor Gericht Filmmaterial und Fotos deutscher Soldaten aus dem Warschauer Ghetto gezeigt wurden. Man sah Angehörige der Wehrmacht mit sadistischer Brutalität handeln. Ein Offizier half einer ausgehungerten, mageren Jüdin, die auf dem Gehsteig lag, auf die Beine, nur um sie wieder niederschlagen zu können. Nackte jüdische Frauen und Männer bewegten sich mit «alptraumhafter Würde» vor ihren Peinigern, «lachenden deutschen Soldaten», so Flanner schockiert.

Auch ihrer Geliebten Natalia Murray berichtete sie über das Gesehene. Ihr gegenüber nahm Flanner den Prozess allerdings zum Anlass, ihrer Kritik an Männern und deren Selbstbezogenheit Ausdruck zu verleihen. Wie für die argentinische Schriftstellerin Victoria Ocampo war das Tribunal auch für Flanner viel zu sehr Männersache. Nachdem sie bereits das besiegte Deutschland mit einem «riesigen Mannsbild» verglichen hatte, das blute, winsle und «endlich zu Fall gebracht worden» sei, übertrug sie ihren Groll nun auf ihre Landsmänner. «Auch dieser Prozess ist wichtig, und auch er wird behindert durch den ermüdenden Egoismus bestimmter Profi-Männer, jedenfalls bei den Amerikanern, die darauf aus sind, vor Gericht möglichst viel Zeit zu schinden und so auf billige Art mit ihrer Geschwätzigkeit persönlich Geschichte zu machen.»[7]

Ende Februar 1946, kurz vor ihrem 54. Geburtstag, schickte Harold Ross Flanner für einen dauerhaften Aufenthalt nach Nürnberg. Der *New Yorker* benötigte eine Korrespondentin vor Ort. Ernest Cecil Deane, ein begeisterter Leser des Magazins, war erfreut, als er von Flanners Ankunft erfuhr, war sie ihm doch trotz des Pseudonyms Genêt ein Begriff. Seiner Frau schrieb er am 5. März: «Übrigens ist Janet Flanner jetzt im Camp, eine *New-Yorker*-Korrespondentin. Sie ist eine grauhaarige kleine alte Dame, voller Elan und eine verdammt gute Schriftstellerin. [...] Sie war überrascht, als ich ihr sagte, dass die Leute in Arkansas das Magazin mögen.» Deanes Wohlwollen dauerte allerdings nicht lange, denn bald sollte Flanner ihm gemeinsam mit anderen Frauen die Leviten lesen.

Der Gegensatz zum Hotel Scribe hätte für Flanner nicht größer sein können. In der Villa im Schlosspark logierten insgesamt 30 Frauen, die in einer Art «ineffizienten Elends» lebten, wie Flanner entrüstet vermeldete. Die Verantwortlichen um Deane hatten ein Bad und zwei Urinale für die Bewohnerinnen vorgesehen und beschwerten sich dann, dass Frauen schwierig seien. «Wenn du ihnen Urinale gibst, musst du sie wirklich schwierig finden», meinte Flanner sarkastisch, nachdem sie mit Erika Mann, Betty Knox und anderen am 17. März bei Deane protestiert hatte. Unbehagen bereiteten ihr auch die Mitbewohnerinnen, insbesondere die Russinnen, die grundsätzlich zu einem halben Dutzend das Badezimmer bevölkerten und einen «Schweinestall» hinterließen. Politisch-sarkastisch, wie Flanner war, nahm sie die Gruppengänge der Russinnen zum Anlass, deren Verhalten als Ausprägung des Kommunismus zu deuten. «Wir Demokraten haben keine Chance gegen sie. Wir wollen einzeln in das Bad gehen und alleine sein. Die Russen scheinen es zu lieben, sich selbst beim Austreten in Gruppen zu organisieren.»[8] Flanner musste sich ihr Zimmer mit zwei anderen Frauen teilen. Das einzig Positive, das sie dem Press Camp abgewinnen konnte, war eine geflüchtete Masseurin aus Karlsbad, die in Stein lebte. Wie alle anderen Bewohnerinnen des Frauenhauses bemühte auch Flanner ihre Dienste. «Sie hat meinem Ischias ganz gut getan.»

Flanners grimmiger Humor amüsierte ihre Kolleginnen. Eines Morgens schockierte sie mehrere Frauen am Frühstückstisch, indem sie sie fragte, mit welchem der Angeklagten sie schlafen würden, wäre es nötig.[9] Die Angeklagten waren *das* Gesprächsthema. Einer von ihnen faszinierte Flanner besonders, wenn auch nicht sexuell, so doch wegen seiner Widersprüchlichkeit und seines Auftretens: Hermann Göring. Sobald Flanner den Gerichtssaal betrat, galt ihr erster Blick dem einstigen Reichsmarschall, der «stärksten Persönlichkeit im Saal».

Görings Kreuzverhör

Als Hermann Göring am Ende des Krieges von amerikanischen Soldaten gefangengenommen worden war, hatte er umgehend verlangt, zu General Eisenhower geführt zu werden. Er hoffte, die Amerikaner würden ihn als Vertreter Deutschlands akzeptieren. Man erlaubte ihm zwar, eine Pressekonferenz abzuhalten, doch es kam anders, als er es sich ausgemalt hatte: Eisenhower dachte nicht daran, ihn zu empfangen. Der Militärgouverneur der amerikanischen Besatzungszone sah in Göring nichts anderes als einen Kriegsverbrecher. Bald fand sich Göring in einer Zelle in Nürnberg wieder, wo er eine Führungsrolle lediglich gegenüber seinen Mitangeklagten beanspruchen konnte.

Kurz nach seiner Gefangennahme hatten die Ärzte mit einer Entziehungskur begonnen: Göring durfte nicht mehr je 20 Paracodin-Tabletten am Morgen und am Abend schlucken. Die Dosierung des Opiats wurde schrittweise so reduziert, dass sie sich medizinisch vertreten ließ. Gleichzeitig setzte man ihn einer Diät aus, um ihn von seinem enormen Übergewicht zu befreien. Göring war schließlich in einer guten körperlichen Verfassung, als der Prozess begann. Auf viele wirkte er lebendiger und schlagfertiger als in den Jahren zuvor. Die meisten seiner Mitangeklagten akzeptierten ihn als Oberhaupt, wenige, darunter Hjalmar Schacht und Franz von Papen, versuchten, ihn zu ignorieren. Für die Alliierten war Göring der Gefangene Nummer eins. Schon seine Positionierung auf der Anklagebank war ein Indiz dafür: In seiner verblichenen Luftwaffenuniform ohne Rangabzeichen saß er in der ersten Reihe an der Gangseite außen. Von seinem Eckplatz aus hatte er die perfekte Übersicht, konnte den rechten Ellbogen auf ein niedriges Geländer stützten und darauf schreiben.

Göring, machtgierig und eitel, wusste seinen Einfluss auf die Mitangeklagten auszuüben, der den Machtverhältnissen im «Dritten Reich» entsprach. Er versuchte, sie auf seine Verteidigungslinie einzuschwören – sie sollten nichts sagen, was nicht im Sinne des alten Systems sei, das Gericht sei nur Ausdruck einer Siegerjustiz. Zeit dazu fand er während der gemeinsamen Mahlzeiten. Hier konnte er seine Anweisungen erteilen, die Willigen motivieren und die Abtrünnigen mit Verachtung strafen. Das nahm Ausmaße an, die den Gefängniskommandanten veranlassten, Göring von seinen Mitangeklagten zu isolieren.

Ein ebenso guter Schauspieler wie Manipulator, war er rhetorisch geschickt und schlagfertig. Jedem Wort vor Gericht hörte er aufmerksam zu, antwortete mit streitsüchtiger Leidenschaft, machte sich, wenn er nicht im Zeugenstand saß, Notizen und schickte Zettel an seinen Anwalt. Weite Teile seiner juristischen Verteidigung übernahm Göring selbst. Die Anwendung blinder Gewalt, seine Verstrickung mit der Gestapo oder seine Rolle bei der Aufrüstung Deutschlands gab er unumwunden zu. Doch nicht die NS-Führung stand für ihn vor Gericht, sondern Deutschland selbst. Dem internationalen Gerichtshof sprach er die Rechtmäßigkeit ab, denn viele Dinge, derentwegen er angeklagt wurde, seien innenpolitische Fragen gewesen. Insgesamt rechtfertigte er sich mit Vaterlandsliebe und Loyalität zu Hitler. «Wenn ich das Gericht auch nicht überzeugen kann, so werde ich zumindest das deutsche Volk überzeugen, dass alles, was ich tat, für das Deutsche Reich war.»

Damit einhergehend konnte die deutsche Frage für Göring nicht durch die exemplarische Bestrafung der NS-Führung gelöst werden. Sie war seiner Vorstellung nach, in deren Zentrum eine Erlöserfigur stand, noch offen. «Wer weiss, vielleicht wird gerade zu dieser Stunde der Mensch geboren, der mein Volk einigen wird.» Für die begangenen Gräueltaten und die «Rassenverfolgung» seien andere als er selbst zuständig gewesen, insbesondere Himmler und Bormann. Göring, der immerhin im Juli 1941 Reinhard Heydrich mit der Organisation der «Endlösung der Judenfrage» beauftragt hatte, erklärte, dass die Verbrechen von anderen verschleiert worden seien und er «diese furchtbaren Massenmorde auf das Schärfste» verurteile. Weder Hitler noch er selbst hätten eine Ahnung davon gehabt, wie wörtlich die SS den Befehl für die «Endlösung» genommen habe. Mit bravourösem Zynismus erklärte er zudem, jede große Politik sei von Verbrechen begleitet gewesen.

Dass Göring vor Gericht unbelehrbar, frech, aber auch mutig aufgetreten sei, bescheinigten ihm viele. Doch es war wohl nicht nur Görings Mut, sondern auch seine Intelligenz, die ihn zu der Überzeugung gelangen ließ, er habe nichts mehr zu verlieren, sein Schicksal sei bereits entschieden – zu offensichtlich war seine führende Rolle während des «Tausendjährigen Reichs». Als Feigling aber wollte er nicht erscheinen, sich vielmehr einen Platz in den Geschichtsbüchern sichern. «Die eigentliche Triebfeder für Görings Äußerungen wurde erkennbar, als er meinte, dass die Sieger ihn zwar umbringen könnten, dass aber schon nach fünfzig Jahren seine Überreste in einen Marmorsarkophag gebettet und er vom deutschen Volk als Nationalheld und Märtyrer gefeiert würde», bemerkte Albert Speer in seinen Erinnerungen.[10]

Am 18. März 1946 begann im Justizpalast das mit Spannung erwartete Kreuzverhör Görings. US-Hauptanklagevertreter Jackson, dessen Eröffnungsrede weltweit viel Anerkennung gefunden hatte, ließ es sich nicht nehmen, Göring selbst zu verhören. Damit standen sich die beiden Hauptprotagonisten des Prozesses zum Showdown gegenüber. Doch das Verhör, das dazu gedacht war, die Glaubwürdigkeit des ranghöchsten Nazis vor Gericht zu erschüttern, lief für Jackson anders als

Hermann Göring bei seinem Kreuzverhör, März 1946

geplant. Er zeigte sich ungewöhnlich unkonzentriert, war schlecht vorbereitet, hatte ein Dokument missverstanden, ließ sich von Göring provozieren und fuhr aus der Haut. Als er versuchte, Göring mit einem kompromittierenden Zitat zu überraschen, das einem umfangreichen Dokument entnommen war, forderte Göring die Vorlage des gesamten Texts und schaffte es, in diesem einen anderen Passus zu finden, der Jacksons Argument zumindest in gewisser Weise abschwächte.

Geschickt brachte Göring offensichtliche Widersprüche oder negative Präzedenzfälle der anglo-amerikanischen Geschichte ins Spiel. Als ihn Jackson über die Art der Vorbereitungen für die Mobilmachung befragte und betonte, dass sie «absolut dem Ausland gegenüber geheimgehalten» wurden, entgegnete Göring: «Ich glaube mich nicht zu erinnern, die Veröffentlichung der Mobilmachungsvorbereitung der Vereinigten Staaten jemals vorher gelesen zu haben.» Jackson kam mit Görings unverschämt-intelligentem Auftreten und dessen spitzfindigen Manövern nicht zurecht. Auf dem Höhepunkt der Vernehmung warf er seine Kopfhörer wütend auf den Tisch. Immer wieder forderte er das Gericht auf, den Angeklagten zur Ordnung zu rufen, was allgemein als Beweis seiner Schwäche gedeutet wurde.

Medial war das Rededuell ein Großereignis, zahlreiche Korrespondenten waren eigens dafür angereist. Viele Beobachter äußerten unumwunden, dass Jackson seinen Gegner unterschätzt habe. Allgemein wurde der Amerikaner als Verlierer angesehen, Göring hingegen für sein Auftreten Respekt gezollt, selbst von anwesenden Juristen. Der britische Richter Norman Birkett bemerkte, Göring habe einen «positiven Eindruck» hinterlassen, er sei intelligent, schlagfertig und einfallsreich. Auch Boris Polewoi, dessen Texte der sowjetischen Zensurbehörde vorgelegt werden mussten, attestierte dem «Erzspitzbuben», er sei eine überragende Persönlichkeit, «freilich im Sinne jenes abscheulichen entmenschten Systems, wie es der Nationalsozialismus darstellte».

Janet Flanner hingegen ging über Respektsbekundungen hinaus und verlieh Göring, «dem letzten wichtigen überlebenden Protagonisten des Bösen», dämonische Größe. Bereits in ihrem Bericht vom 15. März hatte sie geschrieben, dass jeder im Saal auf die eine oder andere Weise Görings Verstand zu spüren bekommen habe. «Was er seinen Richtern bot, war kein *mea culpa*, sondern eine Dissertation über die Technik der Macht. Im Zeugenstand wartete er nicht, bis ihm die alliierte Anklage Fragen stellte; er lieferte ihnen die deutschen Antworten zuerst. Der Reichsmarschall ließ Machiavellis Fürsten wie einen langweiligen Apologeten erscheinen. Göring war entschieden amoralischer und witziger.»

In ihrem Artikel vom 22. März stilisierte sie dann das «tödliche Duell» zwischen Jackson und Göring in der Art eines Drehbuchs mit Spannungsbogen. Für Flanner war es der ultimative Kampf zwischen Gut und Böse, die Auseinandersetzung eines brillanten Dämons mit der zivilisierten Welt, die, nach zahlreichen Höhen und Tiefen, am Ende nur mit äußerster Mühe gewonnen werden konnte. Keiner ihrer Kollegen hatte Göring je mit solch überhöhenden Worten bedacht. Göring war für sie ein «Gladiator», sein anfänglicher Sieg ein «strahlender Triumph». Er zeige vor Gericht ein «phänomenales Gedächtnis» und «teuflische Geschicklichkeit», er sei eine «wahrhaft phantastische und furchteinflößende Persönlichkeit».

So wie Flanner Göring vergrößerte, verkleinerte sie Jackson. Den

Mann, dessen programmatische Eröffnungsrede nicht nur bei John Dos Passos einen außerordentlichen Eindruck hinterlassen hatte, verglich sie nun mit einem «Provinzanwalt». «Jackson machte sogar äußerlich eine schlechte Figur. Er knöpfte die Jacke auf, zog sie mit den Händen in den Gesäßtaschen über den Hüften zusammen und wippte wie ein Provinzanwalt. Ihm schien es nicht nur an Hintergrund und Weisheit zu mangeln, [...] auch sein Wissen über europäische Zusammenhänge war voller Lücken, in die er beim Versuch, Göring Fallen zu stellen, selbst stolperte.»[11]

Verhängnisvoller Antiamerikanismus

In der Chefredaktion des *New Yorker* war man von Flanners Bericht wenig angetan. Diese hatte nicht nur den Nationalhelden Jackson kritisiert und im selben Atemzug den ranghöchsten Nazi vor Gericht glorifiziert, sie hatte, schlimmer noch, den gesamten amerikanischen Stab der Anklagevertretung als naiv-unterlegen dargestellt. «Im Ganzen gesehen bestand das amerikanische Team aus einfachen Davids, die eher mit Vertrauen gewappnet als gegen Nazi-Goliaths gerüstet waren. Davids, die, im übertragenen Sinn gesprochen, nicht grundlos klein waren, angesichts ihrer Aufgabe.» Viel besser hätten es die Europäer gemacht. Nachdem in höchster Not der russische Oberankläger Rudenko und der Brite Maxwell Fyfe zum Kreuzverhör hinzugezogen worden waren, wurde Göring «gebändigt». Nur durch die Hilfe der Europäer habe man sein erstes Geständnis bekommen. Selbst Stalins Vertreter habe sich besser geschlagen als Jackson, implizierte Flanner. «Vielleicht wird die amerikanische Vorherrschaft im Prozess von nun an nachlassen.»[12]

Derartige Worte waren für das amerikanische Lesepublikum eine Zumutung. Immerhin hatten sich die USA, deren militärisches Eingreifen ausschlaggebend war für Hitlers Niederlage, zur maßgebenden Weltmacht entwickelt. Als Harold Ross in den 20er-Jahren Flanner für den *New Yorker* engagierte, hatte er ihr zu verstehen gegeben, sie solle «über die Gedanken der Franzosen [...] schreiben, nicht über ihre eigenen», und sich von «den verdammten Leitartiklern, von denen wir ohnehin schon genug haben», unterscheiden. Das Magazin sei für die Berichterstattung gegründet worden, nicht für das interpretierende Schreiben.[13] Die Leserschaft sollte sich ihre eigene Meinung bilden. Ross zielte auf städtische, gebildete Leser ab, die entweder tatsächlich Mitglieder der Oberschicht waren oder diesen Status anstrebten. Flanners Aufgabe bestand darin, die Käufer zu unterhalten, zu informieren und zufriedenzustellen, nicht aber deren politische Ansichten zu ändern. Zwar hatte sie stets unter dem Deckmantel ihres Stils, der ironisch lapidar, witzig treffend und mitunter auch boshaft sein konnte, geurteilt. Nun aber trug Flanner ihre Gedanken zum Prozessgeschehen unverhüllt vor. Der Prozess und die Schwere des Verhandelten hatten ihren Stil erneut verändert. Sie wertete, kommentierte und verstieß damit offen gegen Ross' einstige Verpflichtung zur Neutralität.

Flanner erhielt einige positive Rückmeldungen auf ihre Nürnberg-Artikel, doch insgesamt war ihre Amerikakritik für die städtischen Eliten in den USA schwer zu ertragen. Ihre Missbilligung der vermeintlichen Naivität ihrer Landsleute und ihre Annerkennung der europäischen Überlegenheit hatten Konsequenzen: Harold Ross entschloss sich, Flanner aus Nürnberg abzuziehen.[14] Zu einer ernsten Verstimmung kam es nicht zuletzt deshalb, weil er ihr beständiges Klagen über das Press Camp mit als Grund für seine Entscheidung angab. Flanner, gekränkt, verließ Nürnberg am 5. April und unternahm eine Recherchereise nach Krakau.

Ross ersetzte sie durch Rebecca West, die Grande Dame des britischen Journalismus, die im Sommer nach Nürnberg kam. Zur Freude amerikanischer Patrioten rückte sie die Dinge schnell wieder gerade. Nie um drastische Formulierungen verlegen, nannte sie das russische Kreuzverhör Görings rückblickend «kindisch», obwohl sie dabei gar nicht anwesend gewesen war. Und während Göring bei Flanner ein dämonischer Heros war, wurde er bei West zu einer lächerlichen Figur. «Alles in allem glich sein Kopf dem einer Bauchrednerpuppe.» In ihrem Bericht für den *New Yorker* vom 26. Oktober nannte sie ihn einen «riesigen Clown». Sie war sich in ihren Beiträgen auch nicht zu schade, Göring in abfälliger Weise zu feminisieren. «Er war unglaublich weichlich. […] Er glich keinem bekannten Typus Homosexueller, dennoch war er feminin.» Während Flanner Göring intellektuelle Brillanz bescheinigte und in ihm einen Machiavellisten par excellence sah, nannte West ihn «naiv».[15] Sie verlor kaum ein kritisches Wort über die Amerikaner – mit dem amerikanischen Hauptrichter sollte sie bald eine Affäre beginnen –, dafür aber übte sie, politisch korrekt, harsche Kritik an den Sowjets und der «Peinlichkeit» ihrer Richter. West verkehrte Flanners Urteile in ihr Gegenteil. Ihre Einschätzung Görings kam einer verbalen Vernichtung des ehemaligen Reichsmarschalls gleich.

Janet Flanner war in Nürnberg ihr Paneuropäismus zum Verhängnis geworden. Kulturell und geistig identifizierte sie sich viel mehr mit der Alten als mit der Neuen Welt. Ihrer Geringschätzung für die Amerikaner verlieh sie unumwunden Ausdruck. So schrieb sie Natalia Murray, die Hauptbeschäftigung der Amerikaner sei, Geld zu verdienen. Sie seien unkultiviert und ungebildet, zu ihrem kulturellen Erbe, das sie nicht verstünden, würden sie nur Lippenbekenntnisse ablegen. In eine derartige Umgebung wolle sie nicht zurückkehren, leben könne sie unter solchen Menschen nicht.[16] Es blieb, trotz der depressiv-paranoiden Stimmungslage, die alte Heimat Paris, in die Flanner bald zurückkehrte, um weiter für den *New Yorker* zu arbeiten. Trotz aller Streitigkeiten wollte Harold Ross sein Pariser Aushängeschild nicht verlieren. Flanners Rückkehr nach Frankreich war auch eine Rückkehr zu ihrer ehemaligen Geliebten Noël Murphy, der Nachfolgerin von Solita Solitano, die die deutsche Okkupation auf ihrem Landgut mehr schlecht als recht überstanden hatte. Geschickt pendelte Flanner zwischen Paris und New York, zwischen Noël und Natalia. Die Dreiecksbeziehung sollte über viele Jahrzehnte Bestand haben.

Hermann Göring, insbesondere sein exzentrisch-krimineller Lebensstil, blieb für Flanner noch lange ein Faszinosum. Verstärkt wurde ihr Eindruck durch Görings aufsehenerregenden Selbstmord mit einer Zyankalikapsel, mit deren Versteck er nicht nur das Gefängnispersonal genarrt, sondern sich auch der Hinrichtung entzogen hatte. Flanner sah in ihm mit Bewunderung die Wiederkehr eines Archetyps der europäischen Kulturgeschichte: des amoralisch-gerissenen, gewalttätigen, aber auch kunstsinnigen Renaissancefürsten, an dem ein Machiavelli seine Freude gehabt hätte.

Zwischen März und Mai 1946 arbeitete Flanner nach einer Begegnung mit den *Monuments Men* an den *Annals of Crime*, einer Artikelserie über den Kunst- und Kulturraub der Nazis. Nach einem Beitrag über Hitlers geplantes Kunstmuseum in Linz widmete sie sich Görings Kunstsammlung, die er größtenteils auf seinem Landsitz Carinhall in der Schorfheide untergebracht hatte. Flanner trug so viel Material für ihren Artikel *Collector with Luftwaffe* zusammen, dass sie schließlich Probleme bekam, ihn zu beenden. Offen schrieb sie über ihre Schwierigkeiten, den Stoff zu bewältigen. Doch erneut zeigte sie sich fasziniert vom ehemaligen Reichsmarschall. Der *New York Times* erzählte sie später, Göring, der eine spezifisch nordische Kunstsammlung plante, habe einen exzellenten Kunstgeschmack besessen, insbesondere was gestohlene Cranachs betraf. Und als sie 1948 in Königstein vom Entnazifizierungsverfahren Fritz Thyssens berichtete, in dem der Großindustrielle als minderbelastet eingestuft wurde, widmete sie einen Teil des Artikels Thyssens amüsanter Schilderung einer Jagdgesellschaft bei Hermann Göring. Göring hatte Thyssen und seinen Förster losgeschickt, um Hirsche zu erlegen. Thyssen traf jedoch das Wild nicht, gewollt oder ungewollt, bis der Förster schließlich einen Hirsch schoss «mit der Entschuldigung, dass der Marschall [Göring] immer einen Wutanfall bekäme, wenn die Gäste mit leeren Händen zurückkehrten».

Derart anekdotische und unterhaltsame Begebenheiten konnte oder wollte Flanner über den Durchschnittsdeutschen nicht berichten. Wie so viele ihrer Kollegen sah auch sie bei den Deutschen keinen Lernprozess in Gang gesetzt. Die Nürnberger Prozesse hätten die finsteren Pläne der Nazis ans Licht gebracht, «doch der Durchschnittsdeutsche kann natürlich behaupten, dass er mit diesem Größenwahn nichts zu tun hatte», schrieb sie 1947. «Die stehende Allerweltsformel in Berlin heisst: ‹Damals war Krieg, aber jetzt ist Frieden.› Diese rätselhafte Bemerkung bedeutet, frei übersetzt, dass sich die Leute für den Krieg, den sie als ferne Historie betrachten, nicht verantwortlich fühlen und dass sie die Schuld an den Nöten und Wirren des Friedens den Alliierten zuschieben.»[17] Entgegen dieser Verdrängung, diesem mangelnden Schuldbewusstsein ließ Flanner an der Kollektivschuld der Deutschen keinen Zweifel. Nie hatte sie den Kampf der alliierten Soldaten als einen Kampf gegen Hitler oder die Nazis geschildert, sondern gegen

Deutschland und die Deutschen. Zwischen beiden machte sie letztlich keinen Unterschied.[18]

Was Flanner von ihren Korrespondentenkollegen in Nürnberg trennte, von denen viele ebenfalls der Kollektivschuldthese anhingen, war ihre Diagnose des Problemfelds «Mann». Für Flanner, die überzeugte Feministin, war es die von Männern und vom Militarismus geprägte Welt, egal ob in Deutschland, der Sowjetunion oder in den USA, die die Durchsetzung umfassender menschlicher Werte und Garantien unmöglich machte. Nürnberg scheiterte in ihren Augen auch am Faktor Mann. Demokratische Prinzipien und die Idee einer umfassenden Verantwortung für die Menschheit, wie sie der Rechtsprechung des Nürnberger Prozesses zugrunde lagen, konnten für sie mit ausschließlich männlichem Führungspersonal nicht durchgesetzt werden. Einen moralisch-politischen Neuanfang nach dem Zweiten Weltkrieg würde es so nicht geben.

Dergleichen konnte Flanner einem Harold Ross nicht sagen. In ihrer privaten Korrespondenz aber beklagte sie «das langsame Ausbreiten der Dummheit, die umfassende Verwirrung und den Instinkt, immer das Falsche zu tun, alle Angelegenheiten durch Bürokratie, männliche Selbstgefälligkeit, Eifersucht und Neid zu komplizieren, so dass, was sie zu tun vorgeben, unter ihren Armeeuniformen, ihren Bärten, ihren lächerlichen Rangabzeichen, ihren Drinks, ihren Geliebten, ihrem Ehrgeiz, ihren falschen Auffassungen von Europa erstickt wird. Diese Bedingungen lassen mich zunehmend schwarzsehen.» An anderer Stelle fuhr sie verzweifelt fort: «Ich bin es leid, auf diesem männlichen Niveau zu reden, ich bin ihrer Standards müde, die alle wirklich flach sind, einige mehr, einige weniger, aber alle seicht.»[19]

Nach dem Nürnberger Hauptkriegsverbrecherprozess lebte Janet Flanner überwiegend in ihrer Wahlheimat Paris. Noch bis ins hohe Alter von 83 Jahren schrieb sie für den *New Yorker*. 1975, drei Jahre vor ihrem Tod, kehrte sie nach New York zurück, hochgeehrt und mit Auszeichnungen bedacht.

STALINISMUS AUF FRANZÖSISCH: ELSA TRIOLET

«Ich bin Scheherazade, die große Erzählerin.
Ich bin die Muse und der Fluch des Dichters.
Ich bin schön und ich bin abstoßend.»

Elsa Triolet

Als Elsa Triolet (1896–1970) im Mai 1946 den Nürnberger Kriegsverbrecherprozess besuchte, konnte sie nicht ahnen, dass ihr gegenwärtiger Ruhm in nicht allzu ferner Zukunft verblassen würde. Die berühmte Schriftstellerin und Résistance-Kämpferin wurde zur Verschmähten, zur Zielscheibe persönlicher wie politischer Angriffe. 1945 hatte sie noch als erste Frau überhaupt den renommierten Prix Goncourt erhalten, die höchste literarische Auszeichnung Frankreichs. «Schon nach kurzer Zeit hatte ich genug Geld, um ein Landhaus zu kaufen. Die Leute begannen, meine Bücher zu mögen, ja, sie rannten ihnen hinterher. Theater, Kino, Zeitungen und Magazine standen mir offen.» Nicht nur die Tatsache, dass Elsa Triolet als Frau solchen Erfolg hatte, war für die Verhältnisse der Zeit ungewöhnlich. Zum ersten Mal in der Geschichte des Prix Goncourt hatte ein Nichtmuttersprachler den Literaturpreis gewonnen. Die 1896 in Moskau geborene Elsa Triolet, gebürtige Ella Jurjewna Kagan, hatte sich das Französische erst mühsam aneignen müssen.

Schreibt man über Elsa Triolet, fällt zwangsläufig auch der Name ihres Partners Louis Aragon (1897–1982). Dies liegt nur bedingt an einer männlich dominierten Literaturgeschichtsschreibung oder der vermeintlichen Degradierung Triolets zum Anhängsel eines berühmten Autors, war Aragon doch zu Lebzeiten bereits eine Legende. In der an großen

Elsa Triolet mit Louis Aragon, 1945

Schriftstellerpaaren reichen französischen Tradition – von den Schutzheiligen französischer Liebespaare Abaelard und Heloise über George Sand und Alfred de Musset bis zu Jean-Paul Sartre und Simone de Beauvoir – waren es Triolet und Aragon, die ihre Partnerschaft bewusst als Symbiose stilisierten. Auf ihrem Doppelgrab in der nahe Paris gelegenen Mühle, die sie als Wohn-, Rückzugs- und Bestattungsort wählten, steht zu lesen: «Und wenn wir dann Seite an Seite nebeneinander ruhen, wird die Verbundenheit unserer Werke uns im Guten wie im Schlechten in einer Zukunft vereinen, die unser Traum und unsere größte Sorge war. So werden unsere vereinten Bücher, schwarz auf weiß, Hand in Hand, dem die Stirn bieten, was uns einander entreißen wird.»[1]

Ab 1964 erschienen ihre Werke in den *Œuvres romanesques croisées* über Kreuz, abwechselnd in 42 Bänden, gleichsam als monumentaler literarischer Dialog. Aragons Liebesgedichte für Triolet, von berühmten Chansonniers wie George Brassens oder Leo Ferré vertont, gehören zum Gemeingut der französischen Kultur. Das kämpferische Motto des Epitaphs aber war beider Lebensprogramm. Als sich Triolet und Aragon 1928 zum ersten Mal begegneten, fanden sich zwei Außenseiter. 1939 heirateten sie, 42 Jahre lang, bis zu Triolets Tod, blieben sie unzertrennlich. Die «Liebenden des Jahrhunderts», wie man sie später idealisierend nannte, waren verbunden durch eine besondere Geistesverwandtschaft, zu der das Schreiben, die Liebe zur russischen Literatur, aber auch ihre politischen Ansichten und vor allem ihr Widerstandswille zählten.

Triolet hatte dem sensiblen, bisexuellen Aragon nach ihrer ersten Begegnung tatkräftig unter die Arme gegriffen. Wenige Monate zuvor hatte er aus unglücklicher Liebe in Venedig einen Selbstmordversuch unternommen. Der literarische Avantgardist, der zunächst als Dadaist hervorgetreten war, dann aber neben seinem Freund André Breton zum Hauptvertreter des literarischen Surrealismus wurde, saß am Abend des 6. November 1928 im Café La Coupole am Boulevard Montparnasse: «Plötzlich rief mich jemand beim Namen», schrieb er später über die Begegnung. «‹Der Dichter Wladimir Majakowski bittet Sie, sich zu ihm zu setzen› … Am nächsten Tag, etwas später, das Café war schon fast leer, traf ich Elsa Triolet wieder. Seit damals haben wir uns nicht wieder getrennt.» Triolet kannte Aragons Montageroman *Der Pariser Bauer*, ein Hauptwerk des Surrealismus und ein Hymnus auf dic Sinnlichkeit und die Fantasie. Sie wollte den Mann kennenlernen, der dies geschrieben hatte. Dass ihr Freund Wladimir Majakowski sie bat, den Kontakt zu Aragon herzustellen, kam ihr nur gelegen.

Elsa Triolet hatte zu diesem Zeitpunkt bereits eine Ehe hinter sich. 1919 hatte sie den französischen Kavallerieoffizier André Triolet geheiratet, mit dem sie bis 1921 auf Tahiti lebte. Doch die literarisch und intellektuell Interessierte, die noch vor ihrem Moskauer Architekturstudium mit den Formalisten um Roman Jacobson verkehrt hatte und zeitweilig die Geliebte des revolutionären Dichters Wladimir Majakowski gewesen war, empfand das Leben an der Seite eines intellektuell wenig empfänglichen Mannes bald als langweilig: «Mit einem Mann muss einen mehr verbinden als die Liebe.» Nach der Trennung von André Triolet führte sie ein unstetes Leben zwischen der Moskauer Intelligenzija und europäischen Hauptstädten, in die es sie der Beschwernisse des russischen Lebens wegen immer wieder zog. Ihre ältere

Schwester Lilja war mittlerweile Geliebte und Muse Majakowskis, doch hielt Triolet dem Bewunderten, der ein wildes Leben führte, immer die Treue. Nach seinem Tod 1930 übersetzte sie Majakowskis Gedichte ins Französische und schrieb eine Biografie über ihn.

Nach Aufenthalten in Berlin, dem Zentrum einer russischen Diaspora, und London 1921/22 fand Triolet ihren Lebensmittelpunkt schließlich in der Pariser Welt der Künstler. Zur Literatur kam sie über eine literarische Indiskretion. Der Schriftsteller Wiktor Schklowski, ein glühender Verehrer Triolets, hatte einige ihrer Briefe ohne ihr Wissen in seinen Band *Zoo oder Briefe nicht über die Liebe* eingefügt. Maxim Gorki las das Buch, hielt Triolets Texte für das literarisch Wertvollste darin und ermunterte sie zum Schreiben. Nach ihren auf Russisch verfassten Erinnerungen an die Zeit auf Tahiti folgte 1926 der autobiografisch gefärbte Roman *Fraise-des-Bois* (*Walderdbeere*). Den Sprachwechsel unternahm sie als bereits etablierte Autorin 1938 mit *Bonsoir Thérèse*. Nie aber sah sie sich als französische Schriftstellerin, sondern als eine «Russin, die französisch schreibt».

Wie bei Majakowski faszinierte Triolet auch bei Aragon neben dessen literarischem Talent die Nonkonformität und das Außenseitertum. Majakowski und Aragon waren theatralisch, dandyhaft und bekannt dafür, dass sie redeten, als hinge ihr Leben davon ab. Beide verbanden künstlerisches und politisches Engagement, kultivierten ein Image als Bürgerschreck und fielen durch gezielte Provokationen auf. In seiner 1928 veröffentlichten *Abhandlung über den Stil* ergeht sich Aragon in rüden Schimpfereien. Aragon wusste, dass Triolet in ihm, dem überragenden Sprachkünstler, einen Wahlverwandten und in gewisser Weise einen intellektuell-künstlerischen Erben Majakowskis sah, der 1930 Selbstmord begangen hatte. «Wladimir Majakowski», schrieb Aragon später, «den Elsa im Alter von fünfzehn Jahren traf, als dieser noch unbekannt bzw. beinahe unbekannt war, hat nicht nur ihr Leben geprägt, er blieb für sie ein Bild, das sie über Jahre hinweg quälte, so dass man darin den Ursprung für das Thema sehen kann, das zu einer Obsession wird, dem man von Buch zu Buch wieder begegnet.»[2]

Stalinismus

Majakowski war ein Dichter, den Stalin trotz seiner Exzentrik und seines ungebundenen Lebensstils schätzte. Auch wenn sein Verhältnis zur Kommunistischen Partei nicht ungetrübt blieb, tat er sich als propagandistischer Agitator hervor. Dimitri Schostakowitsch übte in seinen Memoiren scharfe Kritik an ihm: Majakowskis Charakter zeichneten «Wichtigtuerei, Selbstinszenierung, Selbstreklame, Luxusgier und vor allem Verachtung der Schwachen und Liebedienerei vor den Mächtigen» aus. «Er war es, der als erster den Wunsch äußerte, Stalin möge auch auf Versammlungen der Lyriker das Wort ergreifen.» Damit wurde Majakowski zum ersten Barden des Personenkults.[3] Zu seinen Bekannten zählte auch Jakow Agranow, ein hoher Offizier der sowjetischen Geheimpolizei GPU, der für die Überwachung der Kulturschaffenden zuständig war. Zu Agranows Zuträgern wiederum gehörte Triolets Schwester Lilja, Majakowskis Geliebte.

Auch Elsa Triolet war Stalinistin, auch sie unterhielt enge Kontakte zur GPU, wie jüngere Recherchen in sowjetischen Archiven beweisen.[4] Während Majakowskis Aufenthalt in Frankreich, wo Triolet in seinem Auftrag Aragon um ein Treffen bat, war sie es, die auf Anweisung der GPU dafür sorgen musste, dass der kapriziöse Dichter wieder in die Sowjetunion zurückkehrte.[5]

Als Triolet 1946 nach Nürnberg kam, sah man ihr Eintreten für den Kommunismus noch größtenteils positiv. Der französische Widerstand gegen den Nazismus, zu dessen literarischen Aushängeschildern Triolet und Aragon zählten, hatte stark auf der Organisationsstruktur der Kommunistischen Partei basiert. Für viele Franzosen war der Kommunismus eine politische Strömung, die mit dem siegreichen Widerstand gegen Hitler gleichzusetzen war. Und Triolet war eine französische Heldin, eine Ikone. 1940, nach der militärischen Niederlage Frankreichs gegen die Deutschen, waren die jüdische Kommunistin und der als Halbjude eingetragene Aragon in die unbesetzte Südzone Frankreichs geflohen. Von Nizza aus übernahmen sie Kurierdienste für die Résistance, für die sie zu Fuß weite Strecken zurücklegen mussten. Aragon hatte zeitweise die Leitung einer Widerstandsgruppe von Schriftstellern inne. Nachdem die Italiener Nizza besetzt hatten, ging das Paar in den Untergrund und veröffentlichte unter Pseudonym. «Zimmer folgte auf Zimmer und Nacht auf Nacht / Als ob der Arm des Würgeengels nach uns griff.» (Louis Aragon)

Aragon war in diesen Jahren ein enger Mitarbeiter der literarischen Zeitschrift *Les Lettres françaises*, die 1941 zunächst als Geheimzeitschrift der Résistance gegründet wurde. Sowohl er als auch Triolet waren literarisch produktiv. Sie schrieben konspirative Pamphlete und kämpften mit Worten gegen die Besatzer. Aragons zwischen 1940 und 1942 entstandene Gedichtsammlung *Elsas Augen* enthält mehr oder weniger verschlüsselte, indirekte Aufrufe zu Revolte und Widerstand («Paris, das nur im Hagel der Pflastersteine Paris ist»). 1943 erschien Triolets unter dem Pseudonym Laurent Daniel veröffentlichte Erzählung *Die Liebenden von Avignon*, die das beschwerliche Leben im Untergrund schildert. Der Titel ihrer mit dem Prix Goncourt gekrönten Novellensammlung *Der erste Vorstoß kostet 200 Francs* zitierte das Losungswort, mit dem im August 1944 die Landung der Alliierten in der Provence angekündigt wurde. Aragons Gedichte aus der Besatzungszeit, insbesondere *Glückliche Liebe gibt es nicht* oder das Gedicht *Elsas Augen*, in dem er die Liebe zu seiner Frau mit der des geschundenen Vaterlands gleichsetzt, wurden nach Kriegsende zu Symbolen der Widerstandsbewegung.

Doch so sakrosankt Triolet spätestens nach dem Prix Goncourt als Schriftstellerin und moralisches Gewissen zunächst war, Kritik an ihren politischen Überzeugungen kam schon bald nach dem Krieg ausgerechnet aus dem Kreis der Surrealisten: Sie, die Stalinistin, soll es gewesen sein, die den surrealistischen Neuerer Aragon seinen Kreisen entfremdet und auf Parteilinie gebracht habe. Daher sei hier noch einmal kurz zurückgeblickt:

Ab 1927 waren viele Gruppenmitglieder der Surrealisten der Kommunistischen Partei Frankreichs beigetreten, der einzigen Antikriegspartei, darunter auch Aragon. Bald aber begegneten die kommunistischen Funktionäre verschiedenen Bestrebungen ihrer surrealistischen Genossen mit Befremden. Insbesondere die Person Salvador Dalís, von dessen exzentrischen Darstellungen sexueller Motive sich die Surrealisten nicht distanzieren wollten, bildete für die Partei einen Stein des Anstoßes. Auf Initiative Triolets besuchte Aragon 1930 den 2. Internationalen Kongress revolutionärer Schriftsteller in Charkow. Von dort kam er in politischer und künstlerischer Hinsicht als ein anderer zurück, und es war dieses Erlebnis, das zum Bruch mit André Breton und dessen Vorstellung von einer surrealistischen Kunst führte. Nach seiner Rückkehr aus Charkow forderte Aragon in einem Aufsatz, der Surrealismus solle «den dialektischen Materialismus als die einzige revolutionäre Philosophie anerkennen und diesen Materialismus verstehen und vorbehaltlos übernehmen».[6] In Charkow hatte er eine Erklärung unterzeichnet, wonach die künstlerischen Mittel künftig unter die Kontrolle der Partei zu stellen seien: ein Tabu für Breton, der in der kommunistischen Parteibürokratie einen natürlichen Feind seines radikalen Freiheitsbegriffs sah. Gehorsam und Anpassung, wie sie Stalins Staat forderte, waren für ihn unvereinbar mit dem surrealistischen Programm totaler Befreiung.

Für Breton war es Elsa Triolet, die seinen einstigen Freund zum Apostaten werden ließ. 1952 erklärte er in einem Radiointerview: «Bedenken Sie, dass diese Reise [nach Charkow], die voller Überraschungen – und Konsequenzen – sein würde, keineswegs auf Initiative Aragons, sondern Elsa Triolets stattfand, die er gerade kennengelernt hatte und die ihn aufforderte, ihn zu begleiten. Aus der Distanz und so wie sie sich im folgenden definierte, besteht aller Anlass zu vermuten, dass sie dort das verlangte und durchsetzte, was sie wollte. [...] Hätten die Umstände nicht nachgeholfen, [...] so hätte Aragon, wie ich ihn kenne, niemals etwas auf sich genommen, womit er eine Trennung von uns riskierte.»[7]

Nach seinem Aufenthalt in Charkow war Aragon auf die Parteilinie Stalins eingeschworen, Breton hingegen blieb dem Trotzkismus verhaftet. Gemeinsam mit Trotzki schrieb er das Manifest *Für eine freie revolutionäre Kunst*, in dem die Autonomie der Kunst gegenüber dem Staat selbst unter revolutionären Bedingungen gefordert wird. Auch hinsichtlich seines literarischen Stils vollzog sich bei Aragon ein Wandel. Während Breton den Idealen des literarischen Surrealismus und dessen Verzicht auf Logik, Syntax und ästhetische Gestaltung treu blieb, wurde Aragon zum Realisten. 1935 forderte er in einem Artikel die französischen Autoren auf, im Stil des Sozialistischen Realismus zu schreiben, jenes seit 1934 in der Sowjetunion einzig erlaubten Schreibmodus. Freilich schuf sich Aragon am Rande dieser Doktrin sprachliche Freiräume.

Auch Triolet insistierte stets auf der Bedeutung des sprachlichen «Handwerks», obwohl sie den Prinzipien der russischen Avantgarde und insbesondere Majakowskis die Treue hielt.[8] Dass die konkrete Sprache Raum für politisches Engagement bot, sollten Aragon und Triolet während ihres Kampfes für die Résistance erfahren. Ihre leicht nachvollziehbaren Texte wirkten auf die Masse, aus literarischer Tätigkeit resultierte gesellschaftlicher Nutzen. Umso mehr musste ihnen der Surrealismus als ein elfenbeinerner Turm sozialer und ästhetischer Exklusivität vorkommen.

In jüngerer Zeit wird die Frage, inwiefern Triolet Aragon leitete oder gar manipulierte, ausführlich und mitunter emotional diskutiert. Dass es auch Triolets Einfluss war, der Aragon zum Stalinisten werden ließ, ist nicht von der Hand zu weisen. Aragon ging 1931 so weit, das Gedicht *Es lebe die GPU* zu schreiben, in dem er die sowjetische Geheimpolizei verherrlicht und sich einen französischen Ableger von ihr wünscht. Die Verfolgung politischer Gegner rechtfertigte er als «notwendige Grausamkeit».

Der Walzer der Richter

Aragons und Triolets Forum für ihre literarisch-politische Einflussnahme war mit der Zeit die Zeitschrift *Les Lettres françaises* geworden, die Aragon nach der Befreiung Frankreichs leitete. Wie viele renommierte Journale entsendete auch *Les Lettres françaises* einen Korrespondenten zum Nürnberger Kriegsverbrecherprozess, und die Wahl fiel auf Elsa Triolet. Sie erklärte sich zu dieser Mission nicht zuletzt deshalb bereit, weil sie die Haupttäter sehen wollte, die ihrer Familie und ihren Freunden unbeschreibliches Leid zugefügt hatten. Triolet veröffentlichte am 7. und 14. Juni 1946 einen Artikel mit dem Titel *La Valse des juges* (*Der Walzer der Richter*), eine mit Karikaturen angereicherte Reportage über den Prozess, an dem sie Ende Mai 1946 teilnahm.[9] Sie nächtigte im Grand Hotel, war aber auch im Press Camp auf Schloss Faber-Castell.

Dem Presselager widmete sie einen eigenen Abschnitt ihrer Reportage. Dabei zeigte sie sich wenig angetan vom Faberschloss, lediglich Tristesse und Großmannssucht erschienen dort vor ihren Augen. Es gebe einen «richtigen Thron für den Faber-Chef», mokierte sie sich kapitalismuskritisch. Militarismus sah sie auf einem Wandfresko im Speisesaal verkörpert. «Auf einem Gemälde kann man den Kampf zweier Ritter in voller Rüstung sehen, mit Bleistiften als Lanzen. Offensichtlich durchbohrt der Ritter mit der Faber-Waffe den anderen [...]. Wie viele Bleistifte waren nötig, um den Fabers die Möglichkeit zu geben, solch ein durch und durch hässliches Schloss zu bauen?» Ganz anders der «wundervolle» Park, denn «Bäume bleiben selbst bei Fabers Bäume».

Es ist ein Gefühl des Unbehagens und der Empörung, das sich leitmotivartig durch den Artikel zieht. Der Text ist vieles zugleich: Collage und eigenwilliger Prozessbericht, vornehmlich über das Verhör Baldur von Schirachs, autobiografischer Bericht von den Schwierigkeiten, die sie überwinden musste, um nach Nürnberg zu gelangen, aber auch Montage, in der unter anderem Jacques Decour, ein von den Deutschen ermordeter Widerstandskämpfer, hervorgehoben wird. Insgesamt enthüllt der Text Triolets Entsetzen über das Gericht und die Angeklagten. Bestürzt ist sie insbesondere über die Worte Baldur von Schirachs, aber auch angeekelt von dem in ihren Augen frivolen Auftreten der Richter und Prozessteilnehmer. Beispielhaft für deren Einstellung sei, dass sie nach getaner Arbeit dem Vergnügen frönten. Im Marmorsaal des Grand Hotel sehe man abends die Richter das Tanzbein schwingen. Triolet kam diese Tatsache so denkwürdig vor, ja anstößig in Anbetracht des tagsüber verhandelten Grauens, dass der Tanz der Richter für ihren Text titelgebend wurde.

Triolet unterteilt ihren Artikel in verschiedene Abschnitte: «Das Tribunal», «Im Presse-Camp», «Der Job», «Das hohe Gericht», «Der Monsterprozess», «Nach der Arbeit», «Die nackte Wirklichkeit», «Schicksale». Es ist ein stark metaphorischer und rhetorischer Text, der das Explizite oft meidet. Triolets Ausdrucksweise ist bisweilen inspiriert von surrealistischen Bilderwelten. Nürnberg sei «eine Stadt wie ein zermatschtes Gehirn, rosa und grau in stark erhitzter Butter». Regelmäßig verwendet sie das rhetorische Stilmittel der *praeteritio*: Sie hebt eine Sache besonders hervor, indem sie schreibt, dass sie eben diese Sache eigentlich übergehen will. Doch ist sie mit ihren Worten auch sarkastisch, ironisch und schmähend. Triolet macht dem Prozess den Prozess.

Das Verhör Baldur von Schirachs, dem sie in Nürnberg beiwohnte, hatte einen unmittelbaren Bezug zu ihrem Freundeskreis. Pierre Daix, ein langjähriger Freund Triolets, veröffentlichte 2010 ein Erinnerungsbuch, in dem er ihre Beziehung zwischen 1945 und 1971 schildert. Wie Triolet Résistancekämpfer und Kommunist, war er von den deutschen Besatzern festgenommen und 1944 im KZ Mauthausen interniert worden. In seinem Buch berichtet er von einem Gespräch, das unmittelbar nach Triolets Rückkehr aus Nürnberg stattfand. Da Triolet sich erinnerte, dass er im KZ Mauthausen inhaftiert war, und Mauthausen in Nürnberg Prozessthema war, habe sie ihn darauf angesprochen.

Während des Hauptkriegsverbrecherprozesses hatte sie Baldur von Schirachs Aussage gehört, der seine Unkenntnis der Gräueltaten in den Konzentrationslagern damit begründete, dass er bei einem Besuch in Mauthausen ein vorbildliches Straflager vorgefunden habe. «Ich habe ein Gebäude gesehen, in dem sich eine geradezu hervorragend eingerichtete zahnärztliche Behandlungsstation befand», zitiert Triolet von Schirach in ihrem Artikel. «Dann wurde ich in einen großen Raum geführt, in dem Häftlinge musizierten. Es war ein ganzes Symphonieorchester. Bei der Gelegenheit sang auch ein Tenor.»[10] Triolets Reportage entnimmt man, dass sich Baldur von Schirach, der ehemalige Reichsjugendführer der NSDAP, vor Gericht als Kulturmensch ausgab. Zu seiner Entlastung führte die Verteidigung eigens ein Schreiben des Dichters Hans Carossa an, in dem dieser sich erstaunt zeigt über von Schirachs kulturelle Bildung und bezeugt, dass von Schirach sich für den Schriftsteller Rudolf Kassner eingesetzt habe, dessen Frau Jüdin sei. Triolet zitiert diesen Entlastungsbrief in ihrem Artikel vollständig in französischer Übersetzung. Dass Carossa jedoch vor Gericht als Dichter vorgestellt wurde, erschien ihr als eine «gewaltige Blasphemie». Es war ihr von den Nazis hingerichteter Freund Jacques Decour, Gründer der *Lettres françaises*, der Werke von Carossa ins Französische übersetzt hatte. Für Decour war Carossa kein Entlastungszeuge gewesen, bemerkt Triolet bitter. «Vielleicht weil er keinen Kontakt zu ihm pflegte und weil Hans Carossa nichts von seiner Kultur wusste, dieser Kultur, die ihn bei Herrn von Schirach so zu erstaunen scheint, der doch aus einer vornehmen und wohlhabenden Familie stammt.»

Daix gab Triolet während ihres Gesprächs zu verstehen, dass von Schirachs Aussage zum Konzentrationslager Mauthausen durchaus zuverlässig sein könne, denn dass die Verantwortlichen der Konzentrationslager mitunter ein «potemkinsches Dorf» errichteten, um die wahren Verhältnisse zu verhüllen, entspreche seiner Erfahrung. Während eines Inspektionsbesuchs des Roten Kreuzes in Mauthausen wurde er als Gefangener gezwungen, sich vor einem Schweizer Abgesandten des Roten Kreuzes positiv über das Lagerleben zu äußern. Sogar Geranien habe man aufgestellt, um den Schein zu wahren. Es war ein perfekt inszenierter Betrug, dem das Rote Kreuz aufsaß.

Das unmittelbare Erleben der Aussage von Schirachs war für Triolet Anlass, das gesamte Nürnberger Prozessvorhaben in Zweifel zu ziehen. Denn Menschen wie von Schirach gebe man dort die Möglichkeit, der ganzen Welt etwas vorzuspielen, so wie es die Nazis in Mauthausen getan hätten. Schlimmer noch, man gewähre ihnen die Möglichkeit, ihre Weltanschauung zu verteidigen. «Nürnberg lässt mich rot sehen», sagte Triolet zu Daix. «Sie können nicht glauben, Pierre, der ganze Prozess, das ganze Nürnberg ist dazu da, um sie [die Hauptkriegsverbrecher] ihre Ideologie rechtfertigen zu lassen.»[11]

Diese Überzeugung spiegelt auch Triolets Artikel in *Les Lettres françaises* wider, nahezu mit denselben Worten. Schuld an dem verfehlten Verfahren des Nürnberger «Monsterprozesses» gab sie den anglo-amerikanischen Organisatoren. «Man braucht keine Existenzbeweise von Auschwitz, von Dachau, usw. Es gibt genügend Zeugen, um eine Ideologie und ein Regime zu überführen. [...] Trägt dieser Prozess überhaupt zur Entnazifizierung der Welt bei? Nein, weil er diesen mit der Propaganda vertrauten Männern die Möglichkeit gibt, ihre Ideologie zu entschuldigen.»

Deutliche Kritik an den Fehlern des Prozesses äußerten auch andere westliche Korrespondenten, etwa Hans Habe. Was Triolets Artikel aber von den Beiträgen ihrer Kollegen unterscheidet, ist die entschieden anti-anglo-amerikanische Haltung und die Tatsache, dass sie den Prozess ganz ablehnte, ja ihn als geradezu verschwörerisch und schädlich betrachtete. Abgesehen von ihrer Kritik am Verfahren bedauert

Triolet, ohne es explizit auszusprechen, dass man die Angeklagten nicht gleich hinrichten ließ. «Warum tut man nicht, was man tun muss? [...] Die Welt steckt schon tief in einem Abgrund und tut alles, um noch mehr zugrunde zu gehen und noch tiefer, vollkommen zu versinken. Ich erkenne viel deutlicher als vor meiner Abreise nach Nürnberg, dass wir uns mitten in einem Krieg befinden.» Sie meinte den sich anbahnenden Kalten Krieg. Dieser wurde ihrer Meinung nach dadurch befördert, dass die Anglo-Amerikaner den Nazis in Nürnberg eine Bühne für deren Wiedererstarken lieferten und sich mit ihnen verbündeten.

Triolets Artikel, wie er heute auch in deutscher Übersetzung vorliegt, ist ein redigierter Text, der später von Aragon noch einmal in dem Band *Elsa Triolet choisie par Aragon* (1960) veröffentlicht wurde. Untersuchungen haben ergeben, dass die politisch brisantesten Spitzen aus Triolets handschriftlicher Erstfassung entfernt wurden.[12] Den Anglo-Amerikanern unterstellte Triolet darin antidemokratische Tendenzen, Infizierung durch die Nazi-Ideologie, ja kriminelle Nachsicht und Nazi-Kollaboration: «Die Nazi-Sepsis ist in vollem Gange, sie wächst [...]. Alle undemokratischen Kräfte erkennen sich gegenseitig, strecken ihre Hände aus, getröstet von krimineller Nachsicht.» In der publizierten Fassung heißt es dagegen abgeschwächt: «es beweist, wie stark das Nazi-Gift ist.» Doch was Worte nicht wiedergeben durften, übernahm in den *Lettres françaises* die bildende Kunst unter dem Deckmantel der Satire. Die beigefügten Karikaturen geben Triolets ursprüngliche Intention wieder, indem sie überzeichnen und krasse Kritik an den anglo-amerikanischen Richtern üben. Auf einer der Karikaturen sieht man Baldur von Schirach im Zeugenstand sitzen. Ein Richter in schwarzer Robe weist freundlich auf ihn und sagt: «Und jetzt geht das Wort an unseren guten Kameraden von Schirach.»

Auch wo sie die Anglo-Amerikaner nicht direkt mit Worten angreift, arbeitet Triolet mit Übertreibungen und Polarisierungen, um sie zu diskreditieren. Dreimal bemerkt sie fälschlich, dass der Prozess in dem «von den Nazis erbauten» Justizpalast stattfinde, wohl um eine Kontinuität in der Geisteshaltung der Richter zu evozieren. Tatsächlich wurde der Bau bereits 1916 vollendet, lange bevor die Nationalsozialisten an die Macht kamen. Triolet verwendet Halb- und Unwahrheiten, ja Fiktion, um die Verantwortlichen des Prozesses zu schmähen: «Im

«Et maintenant la parole passe à notre bon camerade von Schirach», Karikatur in Elsa Triolets Artikel La Valse des juges in Les Lettres françaises, *14. Juni 1946*

Zeugenstand Baldur von Schirach, der Führer der Hitlerjugend, der heute als Zeuge im Prozess gegen Höß (nicht zu verwechseln mit Heß) gehört wird. [...] Man wird die Zeugenaussage eines Mannes, der seinerseits als Krimineller verurteilt ist, als etwas Rechtsgültiges auffassen.» Das ist schlicht unwahr. In Nürnberg gab es keinen Prozess gegen Rudolf Höß, dieser fand erst 1947 in Warschau statt, folglich konnte von Schirach auch nicht als Zeuge gegen Höß auftreten, geschweige denn seine Aussage als rechtsgültig aufgefasst werden. Höß war vielmehr als Zeuge der Verteidigung von Ernst Kaltenbrunner nach Nürnberg geladen worden, wo er am 15. April 1946 seine Aussage machte. Triolet evoziert in ihrem Artikel, dabeigewesen zu sein und Höß gesehen zu haben – «heute» werde von Schirach als Zeuge gegen Höß gehört. Auch das aber kann nicht stimmen, da sie erst Ende Mai nach Nürnberg kam.[13]

Triolets Reportage ist absichtsvoll manipulativ. Sie beugt die Wahrheit, um ihrem Anliegen, den Prozess als das «Kranke» darzustellen,

Gewicht zu verleihen. Das Verfahren erscheint ihr, wie das potemkinsche Dorf Mauthausen, als Farce, hinter der die Wahrheit verborgen wird: die Kollaboration von Anglo-Amerikanern und Nationalsozialisten. Triolet hält nichts von den Prinzipien eines rechtsstaatlichen Verfahrens: «Die Gesetze sind in solch einem Fall ohnmächtig.» Das «Gefühl», bemerkt sie, habe «tausendmal mehr Recht als das Gesetz».

Auch Louis Aragon argumentierte emotional, auch er hielt wenig von Legalität und juristischen Prinzipien. Kurz nach Kriegsende hatte er in den *Lettres françaises* ein Pamphlet veröffentlicht, *L'Enseigne de Gersaint* (*Das Ladenschild von Gersaint*). Der Titel spielt auf ein gleichnamiges Gemälde des französischen Nationalmalers Antoine Watteau in Schloss Charlottenburg an, das Aragon von den Deutschen zurückforderte, obwohl es sich nicht um Beutekunst handelte; das Bild war 1744 im Auftrag von Friedrich dem Großen rechtmäßig erworben worden. Aragons Text ist ein von Emotionen getriebener Appell, die Erniedrigung seines Landes durch die Deutschen zu rächen. Ihm geht es um die Restitution aller französischer Kunstwerke als Linderung des unermesslichen Leids, das den Franzosen von den Deutschen zugefügt wurde: «Deswegen schlage ich vor, dass kein französisches Buch, kein französisches Bild, keine französische Skulptur in deutschen Händen belassen werden. Es möge im Friedensvertrag festgelegt werden, dass alle französischen Kunstwerke, welche auch immer, aus öffentlichen Museen oder privaten Galerien Deutschlands nach Frankreich zurückgeschafft werden. Die Kunst Frankreichs muss nach Frankreich zurückkehren. Dieser Krieg ist nicht beendet, solange unsere Gefangenen und Verschleppten in Deutschland bleiben. Die französische Kunst, die ein Teil Frankreichs ist, darf nicht in Deutschland bleiben. Sie hat hier, bei unserer Wiedergeburt, ihren Part zu spielen. Wir brauchen diese geistige Bluttransfusion. Dieses schnelle Blut, dieses heisse, rote Blut, soll nicht in Berlin, München, Dresden pulsen. Ich habe gesagt, wir werden von diesem Verbrechervolk eine schreckliche, aber tragische Buße fordern; wir werden diesem deutschen Volk ein schwereres, drückenderes Joch aufzwingen, als es die Geschichte je kannte.»[14]

Der deutsche Schriftsteller Stephan Hermlin, Kommunist, Emigrant und Verehrer Aragons, wandte sich öffentlich gegen eine solche Forderung. Dabei wies er auf die erzieherische Funktion dieser Kunstwerke gerade im moralisch verkommenen Deutschland hin. Doch Aragon legte einen zweiten Artikel nach, in dem er sein Anliegen trotzig wiederholte. Beide Artikel erschienen in der Schweiz vereint in einer bibliophilen Luxusausgabe.

Gegen den Pakt mit den Nazis

Aragons und Triolets radikales Denken, so missionarisch wie militant vorgetragen, erstaunt gerade im Vergleich zu zeitgenössischen Beiträgen sowjetischer Kollegen, die ebenfalls Anhänger Stalins waren. Triolet traf in Nürnberg auf Ilja Ehrenburg, den berühmten sowjetischen Schriftsteller, der wie sie vom Grand Hotel aus über den Prozess berichtete. Für die französischen Kommunisten war er ein Referenzmodell, es galt, ihn zu lesen. Insbesondere die *Lettres françaises* boten ihm eine Publikationsfläche, wo seine Romane auszugsweise in französischer Übersetzung veröffentlicht wurden. Direkt neben Triolets Nürnberg-Reportage vom 7. Juni 1946 findet sich ein Auszug aus seinem Roman *Sturm*.

Ehrenburg, geradezu ein Stalin-Verehrer, hatte während des Krieges für die Armeezeitung *Roter Stern* geschrieben, in der er sich durch Hasstiraden auf die Deutschen hervortat. Als publizistischer Einpeitscher folgte er dem Willen Stalins und propagierte den Satz «Töte den Deutschen». Alexander Werth, der für die BBC aus Moskau berichtete, bescheinigte ihm «ein geradezu geniales Talent, den Hass gegen die Deutschen zu schüren». Willy Brandt, der Ehrenburg in Nürnberg begegnete, sprach von dessen «Agitation» und «übertriebenen Schreibereien». Doch selbst Ehrenburg stellte in seinem Bericht *In Nürnberg* die Legitimität des Prozesses nicht infrage, und er übte auch nicht wie Triolet Kritik an den anglo-amerikanischen Richtern. Die Notwendigkeit und die Rechtmäßigkeit des Prozesses standen für ihn außer Frage. «Niemand kann uns dieses Recht [zu richten] nehmen. Wir haben es Richtern übertragen, denn wir glauben, dass Gesetz und Gewissen Hand in Hand gehen.»[15]

Auch Yaroslav Halan, Korrespondent für die sowjetisch-ukrainische

Presse, wäre nicht auf die Idee gekommen, den Prozess zu hinterfragen. In seinem Artikel *Jetzt klagen wir an* hebt er seinen Stolz hervor, den der Auftritt des russischen Anklagevertreters General Rudenko in ihm hervorrief.[16] Markus Wolf nannte die Arbeit des Gerichtshofs in seinem Schlusskommentar sogar «vorbildlich».

Triolets Sicht auf den Prozess war anders als die ihrer sowjetischen Kollegen. Ihr verschwörungstheoretischer Impetus, ihre Unterstellung, die Anglo-Amerikaner würden mit den Nazis paktieren, war einzigartig. In ihrer Gegnerschaft zu den englischsprachigen Ländern, insbesondere den USA, sah sie eine Fortsetzung des Kampfes gegen den Faschismus. Triolet hatte Angst, dass die Nürnberger Angeklagten nach Churchills Rede in Fulton am 5. März 1946 am Ende noch triumphieren könnten. Mit seiner Rede hatte Churchill einen Keil in die Nürnberger Anklagefraktion getrieben, indem er die Sowjets frontal angriff und ihnen vorwarf, einen «eisernen Vorhang» in Europa zu errichten. Damit wurde die Hoffnung der Angeklagten genährt, Westalliierte und Sowjets würden sich zerstreiten, auf einen neuen Krieg zusteuern und Deutschland zum Partner der Westmächte werden.

Freilich beruhte Triolets Dämonisierung der Anglo-Amerikaner auch auf der realen Furcht, Frankreich könne nach dem Freudentaumel der Befreiung den Anschluss an die amerikanische, nicht aber an die sowjetische Politik suchen. In der Tat kam es dann auch so. Nachdem die Euphorie über die Befreiung verflogen war, brachen in der französischen Politik die ideologischen Gräben wieder auf. Die Kommunisten stellten in der französischen Regierung anfangs Minister, 1947 aber entließ sie der sozialistische Premierminister. Während sich die Sozialisten und die Volksrepublikaner zunehmend der anglo-amerikanischen Strategie des *containment* anpassten, der Politik der Stärke innerhalb des westlichen Verteidigungsbündnisses, schlossen sich die Kommunisten bedingungslos der Stalin'schen Forderung nach einer Sicherung des sozialistischen Lagers an.

Aragon und Triolet ignorierten die Grausamkeit und Erbarmungslosigkeit des stalinistischen Regimes noch lange, obwohl Stalins Verbrechen inzwischen niemandem mehr unbekannt bleiben konnten. Im März 1953 bekundete *Les Lettres françaises* in einer Sonderausgabe die ungebrochene Verehrung für den soeben verstorbenen Stalin. Die erste

Seite zierte neben einem huldigenden Essay von Aragon ein Stalin-Porträt Picassos.

Für viele ihrer einstigen Bewunderer war es nun ein Rätsel, wie sich Triolet, die Widerstandskämpferin, derart unkritisch auf die Seite des sowjetischen Diktators stellen konnte. Elsa Triolet aber hatte ein sentimentales Verhältnis zum Kommunismus, den sie nicht als Doktrin, sondern, wie ihre Biografin Unda Hörner bemerkt, «in einem parareligiösen Sinne als eine ‹Beschaffenheit der Seele› verstand».[17] Mit einer ähnlichen Gloriole versah sie Stalin als Oberhaupt der kommunistischen Bewegung. Die europäische Integration durch Amerika aber, insbesondere über den Marshallplan, drängte die Kommunistische Partei Frankreichs immer mehr ins Abseits und mit ihr Triolet und Aragon. Infolge der politischen Marginalisierung des Kommunismus radikalisierten sich die einstigen Helden der Résistance.

Beiden wurde auch mit übler Nachrede begegnet. Bereits die Zusprechung des Prix Goncourt war als «rote Machenschaft» verunglimpft worden.[18] Anlass zur oberflächlichen Kritik bot auch der beiden unterstellte Salonkommunismus. Tatsächlich lebten Aragon und Triolet herrschaftlich mit Bediensteten. Und Triolet, die sich stets elegant kleidete, hatte in den 30er-Jahren zeitweise Schmuck für Pariser Haute-Couture-Unternehmen hergestellt und damit den Luxus der Reichen bedient. Aragon wiederum war dafür bekannt, dass er nach dem Tod seiner Frau Samtjacken von Yves Saint-Laurent trug. Dass Triolet in Nürnberg das Grand Hotel als Unterkunft wählte und nicht das Press Camp, wo die anderen französischen Korrespondenten nächtigten, zeugt ebenfalls von ihrem Anspruch auf Exklusivität.

1953 veröffentlichte sie den dystopischen Roman *Das rote Pferd*, in dem es um den Dritten Weltkrieg und die Atombombe geht und der eine apokalyptische Vision zeichnet. Von den Kritikern wurde das Buch des Objektivismus geziehen, einer Position, wonach die Gültigkeit von Aussagen unabhängig vom urteilenden Subjekt sei. Doch «was ich auch geschrieben hätte», beklagte sich Triolet später, «es hätte sich nichts geändert. Die Meinung über uns beide schien ein- für allemal festgelegt, unsere Bücher von vornherein verurteilt.»[19]

Es dauerte noch viele Jahre, bis Triolet und Aragon ihren politischen Blickwinkel änderten und einsahen, dass der unkompromittierte Kommunismus ihrer Résistancejahre wenig mit dem real existierenden Stalinismus gemeinsam hatte. 1962 gestand Triolet ihrer Schwester in einem Brief, dass sie sich «durch ihre Gutgläubigkeit schuldig gemacht» habe.[20] Doch erst in den späten 60er-Jahren trat sie an die Öffentlichkeit. Sie intervenierte gegen die Ausweisung Solschenizyns aus der Sowjetunion, die sie als «monumentalen Fehler» bezeichnete. 1968 verurteilten Triolet und Aragon den Einmarsch der sowjetischen Truppen in Prag, woraufhin die Partei die finanzielle Unterstützung der *Lettres françaises* strich. 1970 musste die Zeitschrift ihr Erscheinen einstellen.

Während ihres Nürnberg-Aufenthalts 1946 noch gefeierte Ikone, wurde Triolet in den erbitterten politischen Auseinandersetzungen des Kalten Krieges aufgrund ihrer stalinistischen Linientreue ausgegrenzt. Sie litt unter politischer Stigmatisierung, aber auch unter der Legendenbildung um Aragons mythische «Elsa». Gesundheitlich angeschlagen, zog sie sich mit Aragon immer öfter in ihr Landhaus zurück, eine alte Mühle westlich von Paris, wo sie 1970 starb, zwölf Jahre vor ihrem Mann.

Triolets Meinung über die Deutschen, deren romantische Literatur sie schätzte, blieb bis zu ihrem Lebensende negativ, ja pessimistisch. 1965 kam sie in *Le Grand Jamais* zu dem Schluss, auch der Kalte Krieg habe dazu geführt, dass die Bemühungen der Entnazifizierung scheiterten. Die Deutschen, so Triolet, seien sich stets treu geblieben. Das nationalsozialistische Übel lauere noch immer hinter der Schönheit der deutschen Landschaft.[21]

Mahnerin, Pessimistin und Außenseiterin: Elsa Triolet verkörperte in ihrer Widersprüchlichkeit die Ambivalenz des Fremdseins. Wirklich zugehörig fühlte sie sich nirgendwo. Dass auch ihre Mitmenschen ihre Ambivalenz erkannten, wusste Triolet, und es schmerzte sie. Demoralisiert schrieb sie im Alter: «Ich habe Elsas Augen. Ich habe einen Ehemann, der Kommunist ist. Und ich bin daran schuld. Ich bin ein Werkzeug der Sowjets. Ich bin ein Luxusgeschöpf. Ich bin Grande Dame und Schandfleck. Ich bin dem sozialistischen Realismus ergeben. Ich bin eine Moralistin und ein frivoles, strickendes, fabulierendes Geschöpf. Ich bin Scheherazade, die große Erzählerin. Ich bin die Muse und der Fluch des Dichters. Ich bin schön und ich bin abstoßend.»[22]

WILLY BRANDT, MARKUS WOLF UND DER MASSENMORD VON KATYN

«Wer kann sich nach diesem Prozess noch dafür hergeben, die Freiheit anderer Menschen [...] zu rauben?»

Markus Wolf, Schlusskommentar zum Nürnberger Prozess

Günter Guillaume war regelrecht gefangen von Markus Wolfs starker Persönlichkeit. «In den Zusammenkünften mit mir», erinnerte sich der Kanzlerspion, «war Markus Wolf immer zugleich Mischa, der Freund, und ‹Genosse General›, der Chef. Er hatte ein feines Gespür für Sorgen, die man mit sich herumschleppte. Immer wieder erkundigte er sich nach den persönlichen Umständen unseres Lebens fern von den Genossen und ob zu helfen war, wo es Schwierigkeiten gab.» Deutlich habe er Wolfs «natürliche, von Herzen kommende Verbundenheit mit seinen Kundschaftern» gespürt.[1]

Günter Guillaume war der berühmteste jener «Kundschafter», wie man die aus Idealismus für den DDR-Nachrichtendienst Tätigen nannte, im Gegensatz zu den rein materiell orientierten «Spionen». Im Auftrag seines obersten Dienstherrn Markus Wolf (1923–2006), dem Leiter der Hauptverwaltung Aufklärung des Ministeriums für Staatssicherheit, wurde er zum Hauptprotagonisten des bedeutendsten Spionageskandals der Bundesrepublik. Nachdem Guillaume und seine Frau von der Staatssicherheit als Überläuferkandidaten ausgebildet worden waren, wurden sie 1956 beauftragt, sich in Westdeutschland als ostdeutsche Flüchtlinge auszugeben und in der SPD Fuß zu fassen. Nach einer Parteikarriere in der Frankfurter SPD und der erfolgreichen Organisation des Bundeswahlkampfes 1969 für Verkehrsminister Georg Leber gelangte Guillaume, Offizier im besonderen Einsatz des Ministeriums für Staatssicherheit, ins Bundeskanzleramt, wo er das Vertrauen seiner Vorgesetzten gewann. 1972 wurde er persönlicher Referent für Parteiangelegenheiten von Bundeskanzler Willy Brandt (1913–1992).

Die DDR hatte damit einen Maulwurf im Zentrum der Macht – wobei bis heute umstritten ist, welche tatsächliche Brisanz das Material besaß, das durch Guillaumes Hände ging. Dass Guillaume, der nach seiner Ausreise zunächst ein Fotokopiergeschäft in Frankfurt leitete, so weit in den inneren Kreis der Bonner Machtzentrale vordringen würde, war in keiner Weise vorhersehbar gewesen. Sein unentdeckter Aufstieg wurde zu einem Triumph für Markus Wolf. Über Funk und tote Briefkästen informierte Guillaume Ost-Berlin regelmäßig. Schließlich wurde ihm ein dechiffrierter Gratulationsfunkspruch zum Verhängnis.

Auch wenn es seit Mai 1973 Hinweise des Verfassungsschutzes auf eine mögliche Agententätigkeit Guillaumes gab, sah Willy Brandt zunächst keine Veranlassung, sich von seinem Referenten zu trennen. Schockiert vernahm der nicht vorab informierte Kanzler nach einer Nahostreise im April 1974 die Nachricht von der Verhaftung Guillaumes. Die politische Tragweite war ihm zu diesem Zeitpunkt noch nicht bewusst. Von der sozialdemokratischen Galionsfigur Willy Brandt, der seiner Partei bei der Bundestagswahl 1972 mit 45,8 Prozent den größten Erfolg ihrer Geschichte beschert hatte, war damals nicht mehr viel übrig. Brandt hatte wiederkehrende Depressionen und litt unter übermäßigem Alkoholkonsum. Aufgerieben von innenpolitischen Misserfolgen und zerstritten mit Herbert Wehner, dem SPD-Fraktionsvorsitzenden, zog er am 6. Mai 1974 den Schlussstrich. Die Affäre Guillaume war dabei mehr Anlass als Ursache für seinen Rückzug: «Ich übernehme die politische Verantwortung für Fahrlässigkeiten im Zusammenhang mit der Agentenaffäre Guillaume und erkläre meinen Rücktritt vom Amt des Bundeskanzlers.»

So spektakulär der Erfolg für die Staatssicherheit war, die DDR hatte ein «Eigentor» geschossen, wie Markus Wolf später in seinen Erinnerungen schrieb. Denn Guillaumes Enttarnung hatte den Mann zu Fall gebracht, der wie kein anderer für die deutsch-deutsche Annäherung stand. Brandt war es, der durch seine neue Ostpolitik die Hallstein-

Doktrin überwand, jene außenpolitische Doktrin der Bundesrepublik, wonach die völkerrechtliche Anerkennung der DDR und die Aufnahme diplomatischer Beziehungen zu ihr durch einen nicht-östlichen Staat von der Bundesrepublik als feindlicher Akt gewertet werden würde. Der DDR-Führung war Brandt so wichtig, dass sie ihn mithilfe Wolfs 1972 vor dem Sturz bewahrte. Ein von Kanzlerkandidat Rainer Barzel (CDU) initiiertes Misstrauensvotum im Bundestag scheiterte, weil sich mindestens ein Bundestagsabgeordneter der CDU von der Staatssicherheit bestechen ließ. Bei der Abstimmung enthielt er sich der Stimme, Willy Brandt blieb westdeutscher Regierungschef. Umso ärgerlicher war es, dass er zwei Jahre später wegen der Entlarvung eines DDR-Agenten zurücktrat. Wolf notierte am 7. Mai 1974 in sein Tagebuch: «Brandt ist tatsächlich zurückgetreten. Ironie des Schicksals: Jahrelang schmiedeten wir Pläne und Maßnahmen gegen Brandt. Jetzt, wo wir das wirklich nicht wollten und sogar befürchteten, passiert dieser Unfall, betätigen wir den Abzug, liefern das Geschoss.»[2]

Eine besondere Ironie, ja Tragik war auch, dass die politischen Ansichten und beruflichen Lebenswege von Brandt und Wolf anfangs in vielerlei Hinsicht vergleichbar waren. Beide kannten sich seit 29 Jahren. Während des Nürnberger Hauptkriegsverbrecherprozesses hatten sie als Journalisten im Press Camp viele Monate Seite an Seite gelebt.

Willy Brandt war im Herbst 1945 noch ein Unbekannter. Als Linkssozialist und Mitglied der SAP (Sozialistische Arbeiterpartei) war der Lübecker nach dem Verbot der Partei 1933 in den Widerstand und schließlich in die Emigration gegangen. Aus der SPD, deren Aushängeschild er später wurde, war er 1931 ausgetreten, weil sie sich der konservativen Regierung gegenüber zu mutlos verhalten hatte. Von Norwegen aus führte er den Kampf der SAP gegen den Faschismus fort. Herbert Frahm, wie er eigentlich hieß, nannte sich nun Willy Brandt und begann neben seinem politischen Einsatz eine publizistische Karriere. 1937 berichtete er vom Spanischen Bürgerkrieg. Als Norwegen im Zweiten Weltkrieg von den Deutschen besetzt wurde, setzte er seine Tätigkeit in Schweden fort.

Am 8. November 1945, ein halbes Jahr nach der Kapitulation Deutschlands, flog Brandt als Korrespondent der Osloer Zeitung *Arbeiderbladet* sowie anderer Zeitungen der Gewerkschaftspresse nach Deutschland.[3]

INTERNATIONAL MILITARY TRIBUNAL

1957

Pass No. Date Issued

BRANDT, WILLY

Name

Corr. Labor Party Press-Norway Sweden

Other Data

is authorized to enter the Area of the

PALACE OF JUSTICE

SECURITY OFFICER signature of bearer

Presseausweis von Willy Brandt für das International Military Tribunal

Kurz vor Prozessbeginn fuhr er von Bremen über Frankfurt in die Stadt der Meistersinger und kam als mittlerweile norwegischer Staatsbürger im Press Camp unter. Seine Akkreditierung hatte er von der britischen Gesandtschaft in Oslo erhalten. Was sich ihm nach neun Jahren des Exils in der Trümmerwüste Deutschlands darbot, deprimierte Brandt zutiefst. Er verglich es mit einem «gespenstischen Traum» und einer jener «schrecklichen Visionen, die einen manchmal zwischen Schlaf und Wachsein überfallen».[4]

Auch Markus Wolf, zehn Jahre jünger als Willy Brandt, lebte seit 1933 in der Emigration, auch er hatte mit seiner Familie vor den Nationalsozialisten fliehen müssen. Seine familiären Voraussetzungen waren allerdings ungleich besser als die seines späteren Antipoden. Eine Begabung für die Literatur wurde ihm quasi in die Wiege gelegt. Während Brandt, unehelich geboren, in der Arbeiterbewegung groß wurde, seinen Vater nie persönlich kennenlernte und vom Stiefgroßvater aufgezogen wurde, entstammte Wolf dem bürgerlichen Bildungsmilieu. Sein Vater Friedrich Wolf, Arzt, Naturheilkundler und Theaterautor, feierte mit dem Drama *Cyankali* 1929 einen großen Theatererfolg. Das im Berliner Arbeitermilieu spielende Stück attackierte die soziale Ungerechtigkeit des Abtreibungsparagraphen 218, demzufolge Abtreibungen grundsätzlich unter Strafe standen. Der überzeugte Kommunist Friedrich Wolf prangerte darin die Zustände in Deutschland an, die jährlich 800 000 Mütter zu Verbrecherinnen werden ließen. Das Drama war ein Tendenzstück, das die Rezensenten geteilt aufnahmen. Erich Kästner, der Markus Wolf beim Prozessauftakt in Nürnberg begegnete, schrieb damals in seiner Besprechung für die *Neue Leipziger Zeitung*, *Cyankali* sei eine «kunstlose Arbeit». Die Wirkung des Stücks habe nichts mit Ästhetik zu tun, durchschlagend mache sie aber «die Echtheit des sozialen Gefühls und der stofflichen Darstellung».[5]

Friedrich Wolfs kämpferisches Engagement wurde 1928 offensichtlich, als er seine Programmschrift *Kunst ist Waffe* formulierte. Kunst war für ihn nie zweckfrei. Akute Missstände wollte er heilen, sozial, politisch und auf künstlerischem Weg. *Professor Mamlock*, ein 1933 im Exil geschriebenes Stück, wurde eine bittere Anklage gegen den Antisemitismus und machte Wolf über den deutschen Sprachraum hinaus bekannt. Der *Völkische Beobachter* nannte ihn 1931 einen der «gemeingefährlichsten Vertreter des ostjüdischen Bolschewismus». Seit 1934 lebte Friedrich Wolf, der als Kommunist und Jude doppelt angefeindet wurde, in Moskau.

Sein Sohn Markus, noch im schwäbischen Hechingen geboren, wollte ursprünglich Flugzeugbauer werden, ging auf die entsprechende Hochschule in Moskau, wechselte dann aber nach dem Vorrücken der deutschen Wehrmacht 1941 auf die ferngelegene Parteischule des Exekutivkomitees der Komintern. Dort wurden Kader aus verschiedenen Ländern für konspirative Einsätze in Deutschland, aber auch für die Zeit nach dem Krieg ausgebildet. Die Partei schliff kommunistische Funktionäre, unterrichtete sie in Geschichte der kommunistischen Internationalen, in Waffenkunde, im Schießen mit der Pistole sowie in Diskussionsführung und Überzeugungsstrategie. Doch nachdem Wolf das erste Schuljahr absolviert hatte, wurde die Kaderschmiede aufgelöst, wohl als Konzession an die im Kampf gegen Nazi-Deutschland verbündeten Länder.[6]

Über den Einfluss des Vaters begann Wolf in Moskau eine Karriere als Radiojournalist beim Deutschen Volkssender, dem Emigrantensender der KPD, der auch ins Reich sendete. Er wurde Radiosprecher, sprach Frontkommentare und nahm Teil an der psychologischen Kriegsführung. Inzwischen war er auch Mitglied der KPD. Nach Kriegsende wurde er auf Veranlassung von Walter Ulbricht mit sechs Kollegen nach Berlin zum Berliner Rundfunk geschickt – gegen seinen Willen, wie er schrieb –, um einen antifaschistischen deutschen Sender in der Sowjetzone mitzugestalten. So war Markus Wolf mit einem Mal Mitvorgesetzter von 600 Mitarbeitern des ehemaligen Reichsrundfunks. Rasch machte er als Abgesandter des neuen sowjetischen Zeitalters Karriere. Er wurde außenpolitischer Kommentator, sprach unter dem Pseudonym Michael Storm und wurde schließlich zum Kontrolleur der wichtigsten politischen Sendungen.

Im Press Camp

Wie Wolf später einmal bemerkte, war er in beruflichem Kontext immer der Jüngste, etwa als Korrespondent bei den Nürnberger Prozessen mit nur 22 Jahren oder als Chef des DDR-Auslandsnachrichtendienstes mit gerade einmal 29. Protegiert wurde er von seinem Vater, dem «Schlüssel zum Verständnis des Markus Wolf»,[7] der in der DDR als einflussreicher Kulturpolitiker und ab 1949 als Botschafter in Polen tätig war. Mit zwei russischen Offizieren fuhr Markus Wolf im November 1945 als Korrespondent des Berliner Rundfunks und der *Berliner Zeitung* nach Nürnberg zum Prozess. Er hatte sich den Redaktionen selbst als Berichterstatter anempfohlen. Die Eröffnungssitzung verpasste er, weil die Reise wegen der unzureichenden Straßenverhältnisse länger dauerte als geplant. Bei der Anmeldung im Press Camp erlebte Wolf eine böse Überraschung. Als er merkte, dass er als Deutscher keine Aussicht auf Einlass hatte, gab er sich kurzerhand als Russe aus. Tatsächlich besaß er seit seinem 16. Lebensjahr einen Sowjetpass, der aber in der Zwischenzeit abgelaufen war. Die US-Offiziere nahmen es jedoch nicht so genau, auch im Gerichtssaal, und so erhielt Wolf nicht nur Zutritt zum Camp, sondern auch einen Presseausweis auf den amerikanisch klingenden Namen «Mark F. Wolf». Er blieb dann, als einer von wenigen Korrespondenten, bis zum Ende des Prozesses.

Literarischen Niederschlag fand Wolfs Aufenthalt im Press Camp in

INTERNATIONAL MILITARY TRIBUNAL

3657
Pass No.

Date Issued

WOLF MARK F.
Name

SOVIET PRESS Rm 110
Other Data

is authorized to enter the Area of the
PALACE OF JUSTICE

SECURITY OFFICER

signature of bearer

MARK F.
WOLF

Presseausweis von Markus Wolf für das International Military Tribunal

seinem 1995 erschienenen Buch *Geheimnisse der russischen Küche*, einer Kreuzung aus Rezeptbuch und Landeskunde Russlands. Das eher anekdotisch-amüsant gehaltene Kapitel *Nürnberger Sakuska* geht dem Titel entsprechend vor allem auf die Kulinarik in Nürnberg ein. Dabei geht es um die Qualität des Essens, aber auch um das Erstaunen der amerikanischen Küchenchefs im Schloss über die russischen Gäste – Wolf und seine Kollegen waren die ersten Sowjetbürger im Press Camp. «Wir waren die Sensation des Tages! Russen, die wie ganz normale Menschen mit Messer und Gabel essen, nicht einmal schmatzen!» Die Neuankömmlinge zeigten sich wenig angetan vom Standardessen der amerikanischen Küche mit Bacon und Mais aus Konserven. Mit ironischem Unterton erzählt Wolf, wie er den prominenten russischen Schriftsteller Wsewolod Wischnewski eines Abends ins Grand Hotel begleitete – «dort gab es besseres Essen» –, Wischnewski sich aber derart betrank und peinlich auffiel, dass er am nächsten Tag auf Anordnung der russischen Delegation vorzeitig nach Moskau ausgeflogen wurde.

Wolf teilte sich im Russenhaus ein Zimmer mit drei sowjetischen Kollegen. Unter ihnen befand sich Boris Polewoi, der im Press Camp an seinem Roman *Der wahre Mensch* schrieb. Die pathetische Heldengeschichte über einen sowjetischen Jagdflieger, den «wahren Menschen», der nach einem Abschuss seine Beine verliert, um dann – mit Prothesen – noch eifriger die Deutschen aus der Luft zu bekämpfen, strömte im Press Camp nach einer anfänglichen Schreibblockade nur so aus Polewoi heraus. In 19 Tagen vollendete er den Roman. «Der wahre Mensch wurde zur nächtlichen Gegentherapie zum Prozessalltag, wo im nüchternsten Ton die schrecklichsten Verbrechen verhandelt wurden», bemerkte Polewoi. Der Roman verkaufte sich millionenfach, wurde verfilmt und erlangte schließlich auch im Westen Bekanntheit, als ihn Sergei Prokofjew in seiner *Geschichte vom wahren Menschen* zu einer Oper vertonte.

Manchen feuchtfröhlich geselligen Abend hätten sie im Schloss verbracht, schrieb Markus Wolf über das Zusammenleben mit Polewoi und den anderen. «Hin und wieder lasen meine Zimmergenossen Boris Polewoi, Sergej Kruschinski und Juri Korolkow, die sich als Schriftsteller einen Namen machten, aus ihren neuen Manuskripten vor. Manchmal wetteiferten sie im Beisein der reizenden Dolmetscherin Nina untereinander wie die Sänger auf der Wartburg. Irgendetwas, das sich für Sakuska [kleine Häppchen] verwerten ließ, war immer vorrätig: eine Hartwurst, ein Glas mit Gurken oder eingelegten Pilzen, und wenn es auch nur ein Stück Brot und eine Zwiebel waren.»[8]

Verbrecher und andere Deutsche

Wie Wolfs Zimmergenossen verfolgte auch Willy Brandt ein Buchprojekt, allerdings kein belletristisches. Er arbeitete im Schloss an *Forbrytere og andre tyskere* (*Verbrecher und andere Deutsche*), einem Sachbuch für das skandinavische Publikum, das ihm in Deutschland noch viel Ärger bereiten sollte. Brandt stellt darin das Verbrechertum, das im Nürnberger Prozess zur Rechenschaft gezogen wurde, dem *anderen* Deutschland gegenüber. Er wendet sich gegen eine generelle Kriminalisierung der Deutschen, kritisiert scharf den Vansittartismus und legt dar, dass die Wirklichkeit seiner Meinung nach erheblich komplizierter war. Detailliert schildert er die teuflische Planmäßigkeit, mit der die Nationalsozialisten vorgingen, und wie zu viele seiner ehemaligen Mitbürger zu Mittätern wurden. Doch seien die Deutschen nicht «als Verbrecher geboren» worden. Besondere Umstände hätten viele von ihnen zu Werkzeugen und Opfern werden lassen. Brandt bedauert, dass die alliierten Siegermächte keine deutschen Richter beim Nürnberger Tribunal zuließen, um die Angeklagten auch im Namen des deutschen Volkes zur Rechenschaft zu ziehen. Schließlich fordert er soziale und institutionelle Sicherungen gegen nationalistische Rückfälle.

Das Buch erschien 1946 in Norwegen, im selben Jahr wurde es in einer schwedischen Ausgabe veröffentlicht. In deutscher Sprache wurde *Verbrecher und andere Deutsche* zu Brandts Lebzeiten nicht veröffentlicht, lediglich einige kurze Auszüge, was den Verleumdungsabsichten seiner politischen Gegner Vorschub leistete. Bereits 1961 hatte der CSU-Vorsitzende Franz Josef Strauß maliziös geäußert: «Eines wird man aber doch Herrn Brandt fragen dürfen: Was haben Sie zwölf Jahre lang draußen gemacht?» Brandts Widersacher setzten das Gerücht in die Welt, er habe 1946 ein fremdsprachiges Skandalbuch mit dem Titel *Deutsche und andere Verbrecher* geschrieben, in dem er seine wahren Gedanken enthüllt habe. Er sei ein Anhänger der These von einer Kollektivschuld aller Deutschen, womit Brandt zu Diffamierungszwecken das Wort geradezu im Mund umgedreht wurde.[9]

Tatsächlich ist das seit 2007 auch deutschsprachigen Lesern zugängliche Buch unter anderem ein Versuch, dem Antigermanismus in Norwegen entgegenzuwirken. Dort war die deutsche Besatzungspolitik 1946 noch in frischer Erinnerung. Der Vansittartismus hatte auch in Norwegen einflussreiche Unterstützer, etwa die Literaturnobelpreisträgerin Sigrid Undset oder den konservativen Politiker Carl Joachim Hambro.[10] Brandt schrieb sein Buch auch, um deren These zu entkräften, wonach die Deutschen eine «Hordenmentalität» entwickelt hätten, «nämlich die Grausamkeit» (Sigrid Undset).

Freilich stellt Brandt den Deutschen keinen Freibrief aus. Gerade seine Erfahrungen mit den Bewohnern Frankens waren nicht die besten. «In Nürnberg und um Nürnberg herum musste man in jenen Wochen lange suchen, wenn man jemanden finden wollte, der sich dazu bekannte, der Gesinnung, nicht nur der Mitgliedskartei nach Nazi gewesen zu sein.» In norwegischer Uniform und mit dem Abzeichen

«War correspondent» am Ärmel, begleitete Brandt eines Tages einen dänischen Kollegen nach Coburg, wo dieser die Herzogin interviewte. In bewegten Worten, so Brandt, legte die adlige Dame dar, welch haarsträubendem Unrecht ihr Mann ausgesetzt sei. Man habe ihn interniert, obwohl er während des Nazi-Regimes nur Präsident des Deutschen Roten Kreuzes gewesen sei. Er habe alles für Deutschland und den Frieden getan und sei lediglich «über seinen Idealismus» gestolpert.[11] In Wirklichkeit war der damals herrschende Herzog von Sachsen-Coburg ein «Wegbereiter Hitlers»[12] und SA-Obergruppenführer gewesen. Nach dem Krieg wurde er wegen Verbrechen gegen die Menschlichkeit angeklagt.

Brandt differenzierte zwischen Schuld und Verantwortung. Auch jene, die sich von Mitschuld freisprechen konnten, waren für ihn in die Gemeinsamkeit der Verantwortung eingebunden. Die These, wonach es sich bei der nationalsozialistischen Barbarei lediglich um eine Art Naturkatastrophe gehandelt habe, akzeptierte er nicht.

Der spätere Bundeskanzler hielt sich mehrere Monate in Nürnberg auf. 1945 blieb er bis Weihnachten, kam nach Neujahr wieder bis Ende Februar und dann nochmals im Frühjahr und im Spätsommer 1946. In einem Brief vom 27. November 1945 an seinen Journalistenkollegen Olaf Solumsmoen schrieb er: «Es ist rasend interessant hier», allerdings fühle er sich auch sehr isoliert. Er wusste nicht, ob seine Artikel in Oslo ankommen und überhaupt veröffentlicht würden. Die Verbindung war äußerst schlecht: Es gab keine telefonische Direktverbindung, Telegramme mussten über London oder Kopenhagen geschickt werden. Brandts Artikel konnten daher keine rasch zu vermeldenden Nachrichten beinhalten, weil sie erst viele Tage später erschienen. Er musste sich den Umständen anpassen, auch in der Art seiner Berichterstattung. So verwundert es nicht, dass im *Arbeiderbladet* nur sechs Beiträge unter seinem Namen veröffentlicht wurden.[13]

Es handelt sich um Berichte und Protokolle, die das Geschehen ohne vertiefende Reflexion wiedergeben. *Der amerikanische Staatsanwalt hat in Nürnberg gestern neue und unbekannte Dokumente vorgelegt, die Hitlers Pläne enthüllen*, lautet die Überschrift eines Artikels vom 24. November 1945. *Neue wichtige Enthüllungen sind in Nürnberg zu erwarten* war der Text vom 25. November betitelt, *Nürnberger Verbrecher-Revue* der vom

5. Dezember. Wie die letzte Schlagzeile bereits erahnen lässt, nimmt Brandt hier mit voyeuristischer Lust einen Angeklagten nach dem anderen unter die Lupe. «Göring hat stark an Gewicht verloren. Er wirkt gesünder als in den letzten zwölf Jahren. Die äußeren Zeichen von Macht und Größe vergangener Zeit sind verschwunden. [...] Von Ribbentrop ist nicht mehr viel übrig, wenn überhaupt irgendwann mehr an ihm war als die äußere Politur eines Weinhändlers. [...] Sauckel, früher Gauleiter in Thüringen und während des Krieges Leiter von zwölf Millionen Fremdarbeitern, scheint guter Laune zu sein. Er sitzt oft da und grinst. Was sein abscheuliches Äußeres angeht, so kommt er nicht weit hinter Streicher.»[14] Was genau so abscheulich an Sauckels Äußerem war, darauf geht Brandt nicht ein. Überhaupt meidet er jegliche Art von Analyse oder intellektueller Auseinandersetzung. Er bleibt bei der deskriptiven Darstellung.

Wie andere Korrespondenten auch, hatte sich Brandt einen emotionalen Panzer zugelegt, weil die Gräuel, die in Nürnberg offenbar wurden, wohl selbst die stärkste Natur an den Rand des seelischen Zusammenbruchs geführt hätten. Später bemerkte er, mehr als einmal sei er nahe daran gewesen, zu handeln wie jener amerikanische Kollege, der nach Hause telegrafierte: «Ich kann nicht mehr, habe keine Worte mehr.»[15]

Im Gegensatz zu seinen Artikeln, die die emotionale Wucht des Tagesgeschehens über Distanzierung spiegeln, steht Brandts Buch, dem sein schriftstellerisches Hauptaugenmerk in Nürnberg galt. Die Monografie, an der er wie besessen arbeitete, weil er sie schnell veröffentlichen wollte, war sein Medium der intellektuellen Vertiefung.[16] Auf eine ausführliche äußerliche Beschreibung der Angeklagten etwa, wie er sie in seinem Artikel vornimmt, verzichtete Brandt hier bewusst. In *Verbrecher und andere Deutsche* erweist er sich als genauer politischer Beobachter und akribischer Rechercheur.

Sein Buch ist der authentische Versuch, die «Aufräumarbeit zwischen den Ruinen zu schildern», und zwar «die auf den Straßen und in den Hirnen». Brandt mischt Eindrücke vom Prozess mit Reisereportagen, geht der Frage nach, ob es eine deutsche Widerstandsbewegung gegeben habe, durchleuchtet die Politik der Westalliierten und der Sowjets. Basierend auf Gesprächen, die er selbst geführt hat, geht er auf die aktuellen Lebensbedingungen der Deutschen ein – Brandt unternahm während seines Nürnbergaufenthalts mehrere Reisen durch das zerstörte Deutschland –, auch auf die Lage in den verschiedenen Besatzungszonen und beschäftigt sich mit dem zukünftigen Deutschland in Europa. In dem in sieben Hauptkapitel unterteilten Buch handeln lediglich zwei Kapitel vom Nürnberger Prozess. Das zweite Kapitel stellt eine nahezu protokollarische Wiedergabe des Prozessabschnitts dar, in dem die vier Anklagevertreter ihr Beweismaterial vortrugen. Ein Prozessbericht ist *Verbrecher und andere Deutsche* nicht, auch weil das Urteil erst einige Monate nach Brandts Abreise verkündet wurde.

Katyn

Erstaunlich an Brandts Buch ist, dass er, der als Bundeskanzler für Westbindung, Antitotalitarismus und Antikommunismus stand, noch optimistisch davon ausging, es werde zu keinem Bruch zwischen der Sowjetunion und den angelsächsischen Mächten kommen, «weil keine Seite daran interessiert ist». Die Sowjetunion fasste er in den Jahren 1945/46 mit Samthandschuhen an. Im Februar 1945, sechs Jahre nach dem Angriff der Roten Armee auf Finnland, meinte er, «die Erfahrungen auf dem Balkan, in Finnland und Polen» deuteten «nicht darauf hin, daß man von russischer Seite schematische und brutale Eingriffe in die Gestaltung des sozialen Lebens dieser Länder beabsichtigt».[17] Brandt war 1945 noch davon überzeugt, dass die Sowjetunion keine Bedrohung für die Freiheit Polens darstelle, ja, er postulierte eine Sowjetunion der friedlichen Kooperation – und dies, obwohl er bei seinem Aufenthalt in Spanien während des Bürgerkriegs mitbekommen hatte, wie die Kommunisten mithilfe sowjetischer Geheimpolizei Widersacher eliminierten. 1944, im skandinavischen Exil, schrieb er: «Als Sozialisten haben wir ein besonderes Interesse daran, mit der Sowjetunion in engen, freundschaftlichen Beziehungen zu stehen.» Solche Beziehungen seien «eine der entscheidenden Voraussetzungen für die Zukunft des deutschen Volkes und für die Stabilisierung des Friedens in Europa».[18]

Diese Haltung hatte auch Einfluss auf seine Berichterstattung in Nürnberg. In seinen Artikeln wie auch in *Verbrecher und andere Deutsche* erwähnt er das von Stalin angeordnete Massaker von Katyn mit keinem Wort, obwohl es Prozessthema war. Im Frühjahr 1940 waren in einem Wald bei Katyn nahe Smolensk etwa 4400 kriegsgefangene polnische Offiziere getötet worden. Seit 1943 hatte Brandt mehrfach Vertreter der Polnischen Sozialistischen Partei getroffen, auch in den Wochen, als die Auseinandersetzung um Katyn international hohe Wellen schlug. Doch auch in seinen während des Kriegs geschriebenen Publikationen kommt Katyn nicht vor, erst in seinen 1989 erschienenen Memoiren.[19]

Während des Zweiten Weltkriegs wurden auf dem Gebiet der Sowjetunion zwischen 22 000 und 25 000 Polen ermordet. Den Massenerschießungen von Katyn folgten zahlreiche weitere Massenmorde an polnischen Offizieren, Polizisten und Intellektuellen. Im Frühjahr 1943 wurden die Leichname in Katyn von deutschen Truppen exhumiert, die damals das Gebiet besetzt hielten. Das NS-Regime legte diese Morde den sowjetischen Behörden öffentlich zur Last, um einerseits die «Befreiung» der Völker der Sowjetunion vom Joch des Bolschewismus zu zelebrieren und andererseits die Westalliierten auf sowjetische Gräueltaten aufmerksam zu machen. Vor allem ging es Goebbels und seinen Berichterstattern darum, einen Keil in die antinazistische Kriegskoalition zu treiben.

Moskau reagierte darauf, indem es die Deutschen als Schuldige bezeichnete. Stalin fürchtete, die Morde in Katyn könnten die Sowjetunion international diskreditieren – weshalb er sie im Nürnberger Prozess zum Anklagepunkt gegen die Hauptkriegsverbrecher machte. Die Ankläger der anderen Siegermächte legten General Roman Rudenko, dem sowjetischen Hauptankläger, dringend nahe, auf diese Anschuldigung zu verzichten, die der deutschen Verteidigung das Recht einräumen würde, sie zurückzuweisen und eine der mit der Durchführung des Prozesses betrauten Mächte mit einem abscheulichen Verbrechen zu belasten. Doch Rudenko machte das Massaker von Katyn zu einem wichtigen Beispiel für die Verbrechen des Nationalsozialismus. Die Zahl der in Katyn Ermordeten erhöhte er auf 11 000. Als Täter benannte er ein Pionierbataillon unter dem Tarnnamen «Stab 537», das unter Führung des Offiziers «Arnes» gestanden habe.

So berichtete es auch die *Neue Zeitung*, wo der ehemalige Offizier Reinhardt von Eichborn darüber las und Rudenkos Anklagepunkt augenblicklich als Fiktion erkannte: Der Offizier hieß in Wirklichkeit Friedrich Ahrens, und die bewusste Einheit 537, ein Nachrichtenregiment, in dem Eichborn gedient hatte, war von Dezember 1941 bis Januar 1943 in Kasernen untergebracht gewesen, die etliche Kilometer von Katyn entfernt lagen. Eichborn fuhr nach Nürnberg, um auszusagen und den Mordvorwurf gegen sein Regiment auszuräumen. Auch Friedrich Ahrens fand sich am Prozessort ein, wo er am 1. Juli 1946 vor Gericht auftrat. Neben Ahrens und Eichborn kam ein weiterer deutscher Ex-Offizier als Entlastungszeuge zu Wort, drei sowjetische Zeugen beschworen postwendend das Gegenteil.

Friedrich Ahrens, der im Zeugenhaus in der Novalisstraße nächtigte und sich in Nürnberg frei bewegen durfte, wurde eines Abends von einem vermeintlichen sowjetischen Pressevertreter angesprochen. Auf dem Heimweg fühlte er sich verfolgt, war allerdings nicht allein. Als er am nächsten Tag dem Generalsekretariat des Gerichts seine Befürchtung meldete, der sowjetische Geheimdienst trachte ihm nach dem Leben, wurde ihm verboten, das Zeugenhaus zu verlassen.[20] Der Vorgang wurde für das Gericht immer peinlicher und verworrener, denn die Westalliierten ahnten, auch wegen polnischen Beweismaterials, dass die Sowjets für die Verbrechen verantwortlich waren. Richter Lawrence entschied schließlich, den Anklagepunkt fallenzulassen. Erst der sowjetische Präsident Michail Gorbatschow übernahm 1990 die Verantwortung für das Massaker, gestand, dass es ein stalinistisches Verbrechen war, und entschuldigte sich beim polnischen Volk.

Die sowjetischen Prozesskommentatoren in Nürnberg verbreiteten 1946 nicht nur die These von der Schuld der Deutschen am Massaker von Katyn, sondern empörten sich auch über die Aussagen einiger Kriegsverbrecher, die Rudenko widersprachen. Einer der eifrigsten war Markus Wolf, dessen markige Worte seine Vorgesetzten erfreut haben dürften. «Es war und bleibt die beliebteste Methode dieser Schmierfinken [d. h. ex-nazistischer Journalisten], die eigenen Verbrechen den anderen zuzuschieben», schrieb Wolf agitatorisch in seinem Tageskommentar vom 3. Juli 1946 für den Berliner Rundfunk. «Der Zufall hat es gewollt, dass unmittelbar nach Fritzsche Katyn zur Sprache kam, die gemeinste Naziprovokation dieser Art. Ich würde Ihnen raten, werte Hörer, aufmerksam die Nürnberger Berichte über den Katyner Massenmord durchzulesen, um die ganze Abscheulichkeit der Methoden kennenzulernen, mit denen ein Fritzsche arbeitete. Während er über angebliche Verbrechen der anderen vor dem Mikrofon tobte, wusste Fritzsche ganz genau, dass die polnischen Offiziere vom SD [Sicherheitsdienst] in Katyn auf direkten Befehl von oben ermordet worden waren.»[21]

Wolf nutzte das Thema Katyn auch, um seine Hörer vor Fritzsches Helfershelfern aus der «Hugenberg-Schule» zu warnen, die nicht vor Gericht stünden, mit deren revanchistischen Attacken man aber zukünftig rechnen müsse. 60 Jahre nach Prozessbeginn wurde er in einem Interview für den *Tagesspiegel* auf seine Katyn-Berichterstattung angesprochen. «Ich dachte damals auch, dass es ein deutsches Verbrechen war», räumte er entschuldigend ein, «und ich hatte keine Informationen von den sowjetischen Anklägern».[22]

Stalinistische Medienarbeit

In Nürnberg wandte der 22-Jährige das stalinistische Einheitsgebot «Wer nicht mit uns ist, ist gegen uns» an. Wolfs Berichterstattung war eine klassenbezogene. Sie entsprach den vorab festgelegten Richtlinien der Propaganda-Fachleute, wonach in Nürnberg die Aufgabe zu lösen sei, «diesen Prozess in seiner Gesamtheit zu einem Hebel zu machen, um im [deutschen] Volke eine Welle des Hasses und des Abscheus [gegen die Angeklagten] hervorzurufen».[23] Zu Beginn des Tribunals hatte die Zentralverwaltung für Volksbildung in der sowjetischen Besatzungszone Sondersendungen zum Nürnberger Prozess verlangt, deren letzter Satz lauten sollte: «Die Nürnberger Angeklagten sind die schlimmsten Feinde Deutschlands.»[24] Unabdingbar dafür erschien die Typisierung der Beschuldigten. Man schmähte sie nicht persönlich, sondern die Abstraktion, die sie verkörperten. Individuelle Charakterzüge oder Eigenschaften wurden ihnen abgesprochen. Wolf machte seinen Zuhörern klar, dass es nicht darum gehe, welche Bücher die Kriegsverbrecher aus der Gefängnisbibliothek entliehen oder wie eifrig sie den Gottesdienst besuchten, denn das «hieße ihnen eine Ehre erweisen, die sie wirklich nicht wert sind».[25] Immer wieder machte er das kapitalistische System als Ganzes für die Verbrechen der Nationalsozialisten verantwortlich.

Bewusst setzte Wolf einen emotionalisierenden Stil ein. Eindringlich schilderte er in seinen Kommentaren, welche Zerstörung und welch unermessliches Leid die deutschen Truppen in der Sowjetunion hinterlassen hatten. Am 28. Januar 1946 berichtete er in der *Berliner Zeitung* über die Aussage der Auschwitz-Überlebenden Marie-Claude Vaillant-Couturier, von deren innerer Kraft und selbstbewusst nüchternem Auftreten nicht nur er fasziniert war. Für die Angeklagten forderte er die Todesstrafe. «Alle 21 Angeklagten haben durch die Bank den Tod verdient», bemerkte er in seinem Radio-Tagesbericht vom 31. Juli 1946. Dies erwarte «die fortschrittliche Menschheit».

Wolf war ein Bewunderer Stalins, für den er Agitation betrieb und dessen Medienpolitik er umsetzte. Stalins Säuberungen, bei denen Zehntausende ermordet wurden, entgingen ihm nicht, doch konnten sie seinen Glauben an den sowjetischen Diktator nicht erschüttern. Noch viele Jahre später bekannte er: «Er blieb die Verkörperung unserer Sache, einer guten und edlen Sache.»[26] Im Hinblick auf die geforderten Todesstrafen kam es jedoch anders als erhofft. Zwölf Angeklagte wurden zum Tod verurteilt, drei zu lebenslanger Haft, vier zu langjährigen Haftstrafen, und drei Angeklagte sprach das Gericht frei – womit die westlichen Richter Wolfs Forderung nicht entsprachen. In seinem Kommentar zum Gerichtsurteil bezog Wolf dann auch Position für das Minderheitsvotum des russischen Richters, der für alle Angeklagten die Todesstrafe verlangt hatte.

Im Gegensatz zu Willy Brandt, der der Entnazifizierungspraxis der Alliierten skeptisch gegenüberstand und sie einen «bürokratischen Hexenprozess» nannte,[27] sprach sich Wolf für Härte aus. Er war ein Vertreter der Kollektivschuldthese. Deutsche Richter, die Brandt vehement für die Richterbank forderte, zog er nicht in Betracht. In seinem Schlusskommentar *Das Weltgericht hat sein Urteil gefällt* bemerkte Wolf, dass das deutsche Volk nicht die Einsicht und später auch nicht die Kraft hatte, «sich selbst von seinem Übel zu befreien». Deshalb musste ein internationales Gericht urteilen.

Dieser Schlusskommentar, in dem Wolf ein positives Fazit des Prozesses zog und an die Deutschen appellierte, aus ihren Fehlern zu lernen, wurde über den Berliner Rundfunk nicht nur in Deutschland, sondern auch in Österreich gesendet. Wohl kaum aber hätte Wolf damals ahnen können, dass er einmal an seinen eigenen Worten gemessen werden würde. In dem gegen ihn angestrengten Prozess wegen «Landesverrats und geheimdienstlicher Agententätigkeit» im Jahr 1993 wurde er vom Staatsanwalt der Bundesrepublik mit Sätzen aus seinem Nürnberger Schlusskommentar konfrontiert. So fragte Wolf einst rhetorisch: «Wer kann sich nach diesem [Nürnberger] Prozess noch dafür hergeben, die Freiheit anderer Menschen [...] zu rauben?» Seine Kritiker bescheinigten ihm, dass er als einer der Hauptverantwortlichen des DDR-Regimes genau dies getan habe: Menschen die Freiheit entzogen.

Willy Brandt und Markus Wolf liefen sich im Press Camp regelmäßig über den Weg. Doch sie nahmen sich nicht zur Kenntnis. «Von Willy Brandt, der für die Norweger berichtete, hatte ich erst später erfahren. Ihn kannte ja noch keiner», bemerkte Wolf 2005 im *Tagesspiegel*. «Ich hatte einen Arbeitsraum im Justizpalast, wo der Prozess stattfand, und habe als Erstes gelernt, einen Fernschreiber zu bedienen. Dort habe ich täglich zwei viertelstündige Berichte nach Berlin abgesetzt, von der Vormittags- und der Nachmittagsverhandlung. Ab 1946 wurden diese Berichte ‹Vom Sonderkorrespondenten des Berliner Rundfunks› auch in der *Berliner Zeitung* gedruckt. Nur in besonderen Fällen habe ich über Telefonleitungen direkt gesprochen.» Eine Erinnerung an das Press Camp blieb Wolf buchstäblich ein Leben lang: Er hatte eine bleibende Narbe an der Stirn davongetragen, weil ihm an Silvester 1945/46 im Festsaal eine Kristallkugel auf den Kopf fiel. Alkoholisiert-enthemmte Kollegen hatten den Kronleuchter geschüttelt, mit blutigen Konsequenzen. Nach seinem Nürnberg-Intermezzo blieb Wolf bis 1949 beim Berliner Rundfunk, ehe ihn sein kometenhafter politischer Aufstieg über die Botschaft der DDR in Moskau an die Spitze des Auslandsgeheimdiensts führte.

Für Willy Brandt war der Nürnbergaufenthalt eine wichtige Weichenstellung in seinem Leben. 1945 war er sich noch nicht im Klaren, ob er sich für ein Leben in Norwegen oder in Deutschland entscheiden sollte. Er war norwegischer Staatsbürger – die deutsche Staatsbürgerschaft hatte man ihm entzogen, sie wurde ihm erst 1948 wieder zuerkannt –, er war beruflich und gesellschaftlich in Skandinavien verankert. Er hatte eine Frau und ein Kind in Norwegen und mit Rut Bergaust zudem eine Geliebte, die seine zweite Frau werden sollte. Brandt lotete von Schloss Faber-Castell seine Chancen in seinem Geburtsland aus, dem er sich emotional verbunden fühlte. Er schrieb Kurt Schumacher, der mit dem Wiederaufbau der SPD beschäftigt war, und knüpfte auf seinen Reisen durch Deutschland Kontakte zu alten Genossen und Verwandten. Im Mai 1946 hielt er in seiner Geburtsstadt Lübeck die Rede *Deutschland und die Welt*, und tatsächlich bot man ihm im selben Jahr an, Bürgermeister von Lübeck zu werden.

Brandt, den man heute auch den «pragmatischen Visionär» nennt, handelte dann im besten Sinne pragmatisch, als er sich entschied, zunächst als Norweger in Berlin zu arbeiten. Lübeck erschien ihm zu eng. Er wurde Presseattaché an der Norwegischen Militärmission in Berlin und 1949 Bundestagsabgeordneter der SPD, ehe seine beeindruckende Ämterlaufbahn begann. Sein Schlüsselerlebnis mit dem real existierenden Kommunismus hatte Brandt, der bis 1944 der «weithin unorthodox kommunistischen» SAP angehörte,[28] im Frühjahr 1948: Der Februarumsturz, die Machtübernahme der Kommunistischen Partei in der Tschechoslowakei, die faktisch das Ende der Demokratie bedeutete, gab den Ausschlag für Brandts Kursänderung «vom Anhänger einer antifaschistischen Allianz mit den Kommunisten zum sogenannten Kalten Krieger», wie Peter Merseburger schrieb.[29] Ein solcher sollte er bis in die ersten Jahre nach dem Mauerbau bleiben.

Markus Wolf sollte schließlich auf dem Höhepunkt der friedlichen Revolution in der DDR versuchen, sich bei der großen Demonstration gegen das SED-Regime am 4. November 1989 auf dem Berliner Alexanderplatz als Gesicht der Reform zu präsentieren. Damals konnte der ehemalige Leiter der Hauptverwaltung Aufklärung im Ministerium für Staatssicherheit keine politischen Mehrheiten gewinnen. Doch gelang es ihm in den Jahren danach, sich als Gentleman der Ost-Spionage und Intellektueller medienwirksam zu inszenieren. Seit 1986 war Wolf schriftstellerisch tätig. Sein literarisch bedeutsamstes Buch wurde *Die Troika*, die Geschichte der unterschiedlichen Lebenswege seines Bruders Konrad und zweier Freunde. Es erschien im Frühjahr 1989 zeitgleich in West und Ost und erregte durch seine kritischen, autobiografisch gefärbten Reminiszenzen an den stalinistischen Terror im Moskau der 30er-Jahre Aufsehen.

Glaubt man Wolf, hat er in späten Jahren versucht, mit Brandt eine Versöhnung herbeizuführen. Über den Friedensnobelpreisträger schrieb er in seinen Erinnerungen: «Bei Willy Brandt habe ich mich persönlich entschuldigt. Seine menschliche Größe habe ich selbst erfahren, als er sich kurz vor seinem Tod im Jahr 1992 gegen meine strafrechtliche Verfolgung aussprach. Eine Begegnung mit ihm war mir nicht vergönnt; er meinte, dies würde allzuviel Schmerzliches in ihm aufrühren.»[30]

REBECCA WESTS AFFÄRE MIT DEM RICHTER

«Faschismus ist eine kopflose Flucht
in die Phantasie aus der Notwendigkeit
des politischen Denkens.»

Rebecca West

Als sich abzeichnete, dass der Prozess bis in den Spätsommer 1946 dauern würde, herrschte Frustration und Langeweile im Gericht. Nach der Aufregung um Görings Verhör erschien die langwierige Befragung der anderen Beschuldigten und ihrer Zeugen mühsam. Der jüdische Korrespondent Levi Shalitan sprach von einem Kaugummiprozess, nicht nur, weil die Angeklagten und das Sicherheitspersonal gewohnheitsmäßig Kaugummi kauten, sondern auch, weil «Kaugummi selbst den Prozess am besten charakterisiert: Der Geschmack von süßer Bitterkeit des Menthols ist längst verblasst, und alles, was im Mund bleibt, ist ein langweiliges Strecken und Saugen.»[1] Am 23. Mai 1946 schrieb der stellvertretende britische Richter Norman Birkett, überzeugt von der völligen Nutzlosigkeit von Papierbergen und Tausenden von Wörtern, in sein Notizbuch, dass ihm das Leben davonzulaufen drohe. Er verzweifelte schier an der schockierenden Zeitverschwendung.

In anderen deutschen Städten waren Verantwortliche des NS-Regimes in kleineren Prozessen verurteilt worden, die innerhalb weniger Wochen abgeschlossen waren. In Nürnberg verhielt es sich anders. Die justizielle Akribie, unter der die Juristen mit am meisten zu leiden hatten, war nervtötend. Unablässig wurden sie mit eintönigen Details konfrontiert. Dazu kam das Misstrauen unter den alliierten Rechtsvertretern. Die anglo-amerikanischen Richter fanden die sowjetischen

Zeugen unglaubwürdig und die Vorgehensweise der sowjetischen Ankläger inadäquat. Norman Birkett nannte deren Anklagestrategie «ausgesprochen primitiv». Er war in höchstem Maße frustriert und suchte nach Abwechslung, zumal er an den Umständen nichts ändern konnte.

Literarisch interessiert, fand er schließlich Zuflucht im heimlichen Austausch von Gelegenheitsgedichten. Birkett war mit einigen Richterkollegen befreundet. Man spielte abends Poker und besuchte Dinnerpartys, und diese zwanglosen Höhepunkte des Tages waren es auch, die in gebundener Rede herbeigesehnt wurden. So schrieb er dem Amerikaner Francis Biddle während einer Sitzung:

> Birkett to Biddle after one long dreary afternoon
> At half-past four my spirits sink
> My mind a perfect trance is:
> But oh! The joy it is to think
> Of half-past seven with Francis.[2]

Francis Biddle (1886–1968), der angesprochene Hoffnungsträger abendlicher Vergnügung, war der amerikanische Hauptrichter. Vor dem Prozess hatte sich der 60-Jährige Hoffnungen auf den Gerichtsvorsitz gemacht, hatte die Stelle aber aus diplomatischen Gründen dem Briten Sir Geoffrey Lawrence überlassen müssen. Nach der Wahl vertraute er mit ungetrübtem Selbstbewusstsein seinem Tagebuch an, er werde «ohnehin den Laden schmeißen», da der unerfahrene Lawrence vollkommen von ihm abhängig sei. Eifersüchteleien und Machtspiele prägten auch Biddles Verhältnis zu seinem Landsmann Robert H. Jackson. Jahrelang war dieser ihm auf der Karriereleiter einen Schritt voraus gewesen. Als Jackson, der jünger war als Biddle, 1940 zum Justizminister der USA ernannt wurde, war Biddle lediglich Generalstaatsanwalt gewesen. Nun hatte sich das Blatt gewendet: Argumentativ überzeugen musste Jackson, entscheiden durfte Biddle.

Bei Jacksons Mitarbeitern in Nürnberg war Biddle regelrecht verhasst. Thomas J. Dodd, der Jacksons Stab angehörte und nach dessen Rückkehr in die USA Hauptanklagevertreter wurde, äußerte sich in privaten Briefen äußerst negativ über Biddle und dessen juristische Fähigkeiten: «Biddle ist so fies, wie er nur sein kann. Aber jeder hier weiß,

Rebecca West, 1950er-Jahre

dass er ein Blender ist und, schlimmer noch, ein Mann ohne Charakter», schrieb er seiner Frau. «Er wird noch eine Farce aus diesem Prozess machen.» «In welche Hände wurde so viel Verantwortung gelegt!», endete Dodd einen Brief voller Verzweiflung.[3] Umgekehrt war Biddles Reaktion auf das Kreuzverhör, das Jackson mit Göring führte, schadenfroh. Seiner Frau berichtete er triumphierend, wie sein Landsmann nach dem Rededuell im Gerichtssaal saß, «unglücklich und geschlagen, im vollen Bewusstsein seines Scheiterns».[4]

Biddle war der Spross einer alten und angesehenen Familie aus Philadelphia. Seinen Juristenkollegen gegenüber erschien er als feiner Herr, der mitunter herablassend wirken konnte und sein Ego auf Kosten anderer herausstrich. Mit dem Briten Norman Birkett hatte er gemeinsam, dass ihn seine Stellung bei Gericht nicht zufriedenstellte: Biddle war nicht Vorsitzender Richter und Birkett, der ursprünglich Gerichtsvorsitzender hätte werden sollen, kein stimmberechtigtes Mitglied des Gremiums. Biddle ließ es seine Umgebung spüren. Für Telford Taylor, einen Mitarbeiter der US-Anklagevertretung, wäre er schon deshalb ungeeignet gewesen, den Gerichtsvorsitz zu übernehmen. Er «hätte niemals wie Lawrence eine Aura der Fairness ausgestrahlt».[5]

Ein ganz anderes Bild von Biddle hatte Rebecca West (1892–1983), die *grand old lady* des britischen Journalismus. Ihre Ankunft sorgte in Nürnberg für Aufsehen.[6] Sie reiste Ende Juli 1946 in die fränkische Stadt, von wo aus sie anstelle von Janet Flanner für den *New Yorker* und später für den *Daily Telegraph* berichtete. Geboren als Cicily Fairfield, hatte sie sich ihren Künstlernamen «Rebecca West» von einer Frauenfigur aus Henrik Ibsens Drama *Rosmersholm* geliehen. «Leben, arbeiten, handeln. Nicht hier sitzen und grübeln», verlautbart Ibsens Heldin, ein Motto, das Cicily Fairfield für sich übernahm. In London erhielt sie zunächst Schauspielunterricht und beteiligte sich am *women's suffrage movement*, wandte sich aber schon wenig später wieder von der Bühne ab. Sie begann als Rebecca West zu schreiben, wurde Frauenrechtlerin und Literaturkritikerin. Mit 20 Jahren war Rebecca West bereits berühmt für ihre witzig-bissigen Artikel.

Von H. G. Wells, einem der von ihr heftig kritisierten Autoren, wurde sie schwanger, nachdem aus Neugierde eine literarische Freundschaft und schließlich ein enges Verhältnis geworden war. Der Schriftsteller allerdings, der eine offene Ehe führte und für den West nur eine von zahlreichen Beziehungen war, änderte seine Lebensgewohnheiten nicht. Seine Vaterschaft wurde mit dem Einverständnis Wests geheim gehalten. Diese gab ihren Sohn, zu dem sie zeitlebens ein schwieriges Verhältnis hatte, öffentlich als ihren Neffen aus. Später rächte er sich, indem er in einem skandalträchtigen Buch beide Elternteile bekanntgab.

1928 lernte West ihren späteren Ehemann, den Bankier Henry Maxwell Andrews, kennen. Die 1930 geschlossene Ehe gab ihr Halt. West machte Karriere als Journalistin und Buchautorin. Selbstbewusst und unkonventionell, profilierte sie sich als Autorin gesellschaftskritischer Romane. Dem materiellen Wohlstand aber, den sie sich erarbeitete, stand emotionale Verkümmerung gegenüber. Nach sieben Ehejahren entzog sich Andrews ihr. Beide hatten Affären, die aber zumindest West auf Dauer nicht befriedigten. Ihre Reise nach Nürnberg im Sommer 1946 war ihr deshalb eine willkommene Abwechslung. Die «beste Reporterin der Welt», wie sie Präsident Truman später nannte, suchte das Abenteuer.

Was sie allerdings in Nürnberg vorfand, war alles andere als aufregend. West traf auf das, was Birkett und Biddle geradezu demoralisierte. «Das Symbol von Nürnberg war ein Gähnen», bemerkte sie.[7] Die Isolation auf engem Raum verdross die am Prozess Beteiligten. «In Nürnberg zu leben, bedeutete an sich schon physische Gefangenschaft, selbst für die Sieger.» Auch West merkte bald, dass das einzige Vergnügen in abendlichen Zusammenkünften bestand. Sie war erfreut, als sie Francis Biddle wenige Tage nach ihrer Ankunft in Nürnberg bei einem Abendessen traf. Bereits zweimal waren sie sich in den USA begegnet, zuletzt 1935, als West über eine Serie von Wirtschafts- und Sozialreformen infolge der Weltwirtschaftskrise berichtete. Schon damals hatten sie sich gut verstanden und unterschwellig eine erotische Anziehung verspürt.

Als sie ihm nun erzählte, dass sie aus Nürnberg für den *New Yorker* berichtete, meinte Biddle, dass das Magazin eines der wenigen Dinge in Nürnberg sei, die ihn aufrecht hielten. Er hatte ihr Leben aus der Ferne über ihre Bücher verfolgt, war literarisch interessiert und hatte 1927 selbst einen Roman veröffentlicht. Das Gespräch ging schließlich auf den Prozess über. Auf Wests Befürchtung hin, noch zu wenig über die Hintergründe zu wissen, lud Biddle sie in seine Villa ein, dort wollte er ihr mehr erzählen. Die beiden unterhielten sich, kamen sich näher, wiederholten ihr Treffen und durchstreiften am Wochenende nahe Wälder und Dörfer. West war von Biddles Ausstrahlung fasziniert. «Ist es nicht interessant, dass der einzige Aristokrat auf der Richterbank ein Amerikaner ist?», fragte sie einen seiner Kollegen.[8]

Rebecca West und Francis Biddle wurden ein Liebespaar. Trotz aller Versuche, ihre Beziehung geheimzuhalten, munkelte bald die gesamte Prozessgemeinde über das Verhältnis, zog West doch vom Press Camp zeitweise in Biddles Villa. Passenderweise hing dort über dem Schlafzimmerbett das «highly erotic» Gemälde einer Venus mit Amor, wie West bemerkte. Es war wohl auch die «Atmosphäre müßiger Lüsternheit» in Nürnberg (Philipp Fehl), die dazu beitrug, dass sie und Biddle jegliche Hemmungen fallen ließen. «Es gab kaum einen Mann in der Stadt», schrieb West später, «auf den nicht eine Frau in den Vereinigten Staaten wartete […].» Aber «zu dem Wunsch nach Umarmungen kam der Wunsch, getröstet zu werden und zu trösten». Man suchte emotionale Wärme, gab der Begierde bereitwillig nach, Paare bildeten sich, wenn auch häufig nur für kurze Dauer. «Diese vorübergehenden Lieben waren oftmals edel, wenngleich es einige Leute gab, die sie das nicht sein lassen wollten.»[9]

Zu letzteren zählte Wests Kollege Gregor von Rezzori, der seine Promiskuität während des Prozesses weniger idealisierend sah. «Es war eine wüste Zeit, und ihr entsprechend benahm ich mich», vertraute der Lebemann später seiner Autobiografie an. «Als unser jüngster dritter Sohn [1946] geboren wurde, kam in derselben Hamburger Klinik wenige Tage später ein Mädchen zur Welt. Beide Mütter gaben im Dämmerschlaf mich als Erzeuger der neuen Erdenbürger an.»[10]

West war wie Biddle sexuell frustriert. Innerlich hatte sie mit der körperlichen Liebe abgeschlossen. Die 53-Jährige, die seit Jahren keinen Sex mehr mit ihrem Mann hatte, schrieb, wie Biddle ihr erzählt habe, dass ihm seine Frau Katherine seit 18 Monaten den Sex vorenthielt als Strafe für die Schmerzen, die ihr die Geburt ihres zweiten Kindes bereitet hatte.[11] West und Biddle gaben einander das Gefühl, trotz ihres Alters – er war 60 – noch begehrenswert zu sein. Das Paar holte in Nürnberg nach, was ihm in der Heimat verweigert wurde. Die Zweisamkeit wurde kurzzeitig unterbrochen, als West am 6. August für einige Wochen nach England zurückkehrte. Aus dieser Zeit sind Briefe voller Zärtlichkeiten und erotischer Sottisen erhalten. West schickte ihre Berichte für den *New Yorker* teilweise Biddle zur Korrektur, die dieser kommentierte. Als sie an einer Stelle auf das Nürnberger Justizgebäude zu sprechen kam, erwähnte sie eine allegorische Darstellung des Eros im Korridor. Es handelte sich um einen marmornen Hund, der, so West, symbolisch für die Einsamkeit und emotionale Situation in Nürnberg stehe. Denn der Hund «wartet auf seinen Herrn». Biddle drängte sie zur Rückkehr. Er könne es nicht erwarten, wieder ihr britisches «lovely, Francis, lovely» zu hören.

Die körperliche Beziehung, die das Paar nach Wests Rückkehr am 26. September wieder aufnahm, fand auch Niederschlag in Wests Arbeit. Wie die Historikerin Anneke de Rudder zu Recht schreibt, betrieb West in ihren Essays «eine konsequente Sexualisierung des Nürnberger Prozesses».[12] Sei es, dass sie mit ihren Artikeln provozieren wollte, sei es, dass sie schlicht einen ungewöhnlichen Blick auf die Angeklagten

Die Nürnberger Hauptrichter: Henri Donnedieu de Vabres, Francis Biddle, Iona Nikittschenko und Geoffrey Lawrence, 3. November 1945

werfen wollte: Keiner ihrer Kollegen thematisierte Görings sexuelle Ausstrahlung, wie sie es tat. Hans Habe etwa verglich den einstigen Reichsmarschall mit einem «arbeitslosen Chauffeur», William Shirer mit einem «Schiffsfunker», Philipp Fehl mit einem Renaissance-Condottiere in der Art eines Cesare Borgia. Rebecca West hingegen schrieb im *New Yorker*: «Görings Erscheinung suggerierte eine starke, wenn auch schwer definierbare Sexualität. [...] Manchmal, besonders wenn er guter Laune war, erinnerte er an eine Puffmutter. Seinesgleichen kann man spät vormittags in den Hauseingängen entlang der steilen Straßen von Marseille sehen.» In ihrem Bericht vom 7. September für den *New Yorker* verglich West gar den Prozess mit einer historischen Peepshow, in der die Angeklagten die Hosen runterließen. Baldur von Schirach wirkte auf sie «wie eine Frau», womit sie den ehemaligen Reichsjugendführer bewusst feminisierte.[13]

Unzureichende Männlichkeit, Homosexualität, Impotenz oder «weibisches» Verhalten waren beliebte Schmähungen in der Kriegspropaganda gewesen, um den Gegner herabzusetzen. In einem berühmten englischen Soldatenlied auf die Melodie des Colonel-Bogey-Marsches hieß es etwa: «Hitler has only got one ball; Goebbels's got two, but very small; those of Goering are very boring, and poor old Himmler has no balls at all.» Rebecca West, die Frauenrechtlerin, kultivierte diese machistisch-sexistischen Gemeinplätze in ihren Berichten. Für sie war der Krieg der Worte noch nicht vorbei. Sie führte ihn fort, während ihr Geliebter die juristische Auseinandersetzung zwischen Anklage und Verteidigung zu beurteilen hatte.

Gewächshaus mit Alpenveilchen

Inspiration für ihre Artikel zog West oft aus dem Privaten. Wie ein Seismograf reagierte sie auf äußere Reize, die Assoziationsketten in Gang setzten. Während ihrer Beziehung mit Biddle pendelte sie zwischen dessen Nürnberger Heim, der Villa Conradty, und dem Press Camp. Eines Tages weckte das Gewächshaus im Park des Schlosses ihr Interesse und wurde titelgebend für ihren Essay *Gewächshaus mit Alpenveilchen*. West berichtet, wie sie an einem goldenen Herbstabend während eines Spaziergangs im Park die Tür des Gewächshauses offen fand, an der sie bislang achtlos vorübergegangen war. Sie ging hinein und war überaus erstaunt. Innen reihte sich in makelloser Ordnung Blume an Blume, Flachslilien, Becherprimeln und vor allem Alpenveilchen. West war verblüfft und empfand das Gesehene als vollkommen absurd. Im zerstörten Deutschland war der Handel zum Erliegen gekommen; in Nürnberg konnte man nicht einmal lebensnotwendige Dinge wie Schuhe, Wasserkessel oder Decken kaufen. Im Park des Presselagers aber florierte ein Geschäft. Der einbeinige Gärtner, ein Veteran der Ostfront, ging mit Einverständnis der Grafenfamilie seiner Arbeit nach und war sehr erfolgreich darin, einer alliierten Kundschaft Blumen zu verkaufen. Als West mit dem arbeitsamen Floristen ins Gespräch kam, war seine dringlichste Frage, ob dem Prozess, dessen Urteilsspruch unmittelbar bevorstand, noch weitere folgen würden. Denn nur so konnte er am wichtigen Weihnachtsgeschäft teilhaben.

Diese Unterhaltung im Schlosspark nahm West zum Anlass, sich mit Charakter und Mentalität der Deutschen zu befassen. Der Gärtner wurde für sie zu einem Prototypen. «Es lag etwas eigentümlich Deutsches [...] in seiner Selbsthingabe.» Anders als ein englischer oder ein französischer Arbeiter, für die Arbeit eine lebensnotwendige, aber unliebsame Pflicht sei, empfand der deutsche Gärtner seine Arbeit als Zuflucht, die ihn in eine «andere Dimension» versetzte. Die positive Folge dieser Mentalität sei die hochwertige Arbeit, die daraus resultiere. Aber das «beweist nicht unbedingt, dass er einen angenehmen Charakter besaß. In der Tat könnte man ihm vorwerfen, dass er nur deshalb in seiner Arbeit Zuflucht suchen wollte, weil er und seinesgleichen sich außerordentlich unfähig erwiesen hatten, den Rest des Lebens erträglich zu gestalten.» West attestierte dem Gärtner in Folge seines Eigenbrötlertums einen Mangel an Verantwortung und ein Defizit an sozialem und moralischem Bewusstsein.

Wenige Monate zuvor war Thomas Mann zu einer ähnlichen Schlussfolgerung gekommen. Am 29. Mai 1945 hatte er in Washington einen Vortrag gehalten, in dem er zu erklären versuchte, wie es zu der Katastrophe hatte kommen können, die *Deutschland und die Deutschen* in den vergangenen Jahren angerichtet hatten. Seine zentrale These lautete, dass es eine «geheime Verbindung des deutschen Gemütes mit dem Dämonischen» gab, ein Mit- und Gegeneinander von zerstörerischen und schöpferischen Kräften. Einen Schwerpunkt von Thomas Manns Betrachtung bildete die Musik, die höchste Ausformung der deutschen Seele. Diese könne der Tonkunst eine ungeahnte Tiefe geben, werde aber teuer bezahlt «in der Sphäre des menschlichen Zusammenlebens». Innerlichkeit erzeuge zu oft Provinzialismus und Weltscheu bei den Deutschen. Das Verführbare ihres Charakters führe zu Unterwürfigkeit. Kein Faust ohne Mephisto. Das Verhältnis der Deutschen zur Welt sei «abstrakt und mystisch», nicht gesellig verbindend wie bei anderen Völkern.

Was Thomas Mann als «mystisch» bezeichnete, hatte West zufolge seinen Ursprung in der Liebe der Deutschen zu Märchen. Gerade das Faberschloss war für sie nichts anderes als ein «architektonisches Traumgebilde» und ein Stein gewordenes Märchen, somit symbolische Ausformung deutscher Mentalität. Als sie in ihrem Essay auf Repräsentationsbauten der Nationalsozialisten zu sprechen kommt, bemerkt sie:

«Dies waren die seltsamen Ergebnisse einer exzessiven Beschäftigung mit Märchen; denn das war der Traum, der hinter all dieser Villenbauerei stand. Er zeigte sich deutlich in diesem Schloss [Faber-Castell]. Seine Turmfenster waren ziemlich nutzlos, es sei denn, Rapunzel plante, ihr Haar aus ihnen herunterzulassen; seine verschrobenen oberen Räume [...] konnten eigentlich nur von einer Märchengroßmutter mit einem Spinnrad bewohnt werden; die Treppe war für den Auftritt eines Prinzen mit seiner Prinzessin gebaut, die, wenn sie nicht gestorben sind, noch heute leben müssen.»

Klischees

West war offensichtlich eine Kennerin der Märchen der Brüder Grimm. Von Architektur und Dekorationsstil aber schien sie weniger zu verstehen. Denn das Neue Schloss mit seinem Turm, errichtet als Anbau zwischen 1903 und 1906, war alles andere als ein zweites Märchenschloss Neuschwanstein. Es hat zwar in der Tat eine mittelalterliche Anmutung; der Architekt Theodor von Kramer bemerkt in seinen Lebenserinnerungen: «Der ganze Gebäudekomplex trägt, dem besonderen Wunsche des Auftraggebers entsprechend, burgartigen Charakter.»[14] Allerdings waren es weniger Märchen, die den Bauherrn, Alexander Graf von Faber-Castell, dazu inspirierten, vielmehr Anspielungen auf seine geschichtsträchtige Herkunft, die bis ins 11. Jahrhundert zurückreichte. Und so urdeutsch-romantisch, wie West es ihren Lesern vermittelte, war Schloss Faber-Castell beileibe nicht, vor allem nicht die Innenausstattung. Sie ist eine individuelle Schöpfung und verrät künstlerische Aufgeschlossenheit und internationalen Anspruch. Die Musikempore im Ballsaal etwa orientiert sich an Zierelementen der italienischen Renaissance.[15] Ein Louis-seize-Zimmer, das sogenannte Zitronenzimmer der Gräfin, ein Javanisches Zimmer und ein Gobelinsaal zeugen von stilgeschichtlicher Vielfalt. International waren auch die Künstler, die zur Fertigstellung des Neuen Schlosses beitrugen.[16] West aber entwarf für ihre englischsprachigen Leser das Klischee eines typisch deutschen Schlosses. Der Realität entsprach es nicht.

Ihr Bild der Deutschen war nicht nur klischeehaft, es war, wie bei den meisten Korrespondenten im Press Camp, von Aversionen geprägt. Wests Haltung ging über das informelle Mitleidsverbot, das die Besiegten von den Siegern isolierte, weit hinaus. Damit bediente sie einen Diskurs, der in den anglo-amerikanischen Medien vorherrschend war. Dieser basierte auf der Furcht, die Deutschen könnten wieder zu den Waffen greifen. Im März 1946 hieß es in einem Artikel im *Reader's Digest*, zu großes Mitleid führe nur dazu, dass sich ein «besiegtes, erniedrigtes, rachelüsternes Deutschland aus der Asche erhebt und einen dritten Versuch unternimmt, die Welt zu beherrschen».[17]

Äußerte sich West in ihren für die Öffentlichkeit bestimmten Schriften noch relativ moderat über die Deutschen, ließ sie ihren Ressentiments in privaten Stellungnahmen freien Lauf. Dies hatte sie bereits getan, bevor die Nationalsozialisten ihre schlimmsten Verbrechen begangen hatten. Als sie Deutschland in den 1930er-Jahren besuchte, hatte sie ihre Schwester in einem Brief gefragt, warum die Briten nicht jeden Mann, jede Frau und jedes Kind dieser «abscheulichen Nation» nach dem Ersten Weltkrieg über die Klinge hätten springen lassen: «Die wahnsinnige Barmherzigkeit und Nächstenliebe des Vertrags von Versailles bereiten mir Zähneknirschen.»[18]

Mag man derartige Tiraden mit deutschen Untaten entschuldigen, werfen andere Äußerungen ein fragwürdiges Licht auf West. Zwischen 1936 und 1938 hatte sie sich auf dem Balkan aufgehalten, wo sie eine glühende Verfechterin des serbischen Nationalismus wurde. Sie propagierte «slawische Reinheit» und sah in den Kroaten nichts anderes als Verräter, weil sie «vom österreichischen Einfluss wie von einer Krankheit» befallen seien.[19] Diese Formulierungen finden sich in Wests 1941 erschienenem Buch *Schwarzes Lamm und grauer Falke*, einem literarischen Hybrid aus Reisebericht und Epos. Nicht von ungefähr wird West heute in wissenschaftlichen Publikationen als «rassistisch, sogar nazigleich in der Rohheit der rassischen Stereotype und der Akzeptanz von Gewalt» bezeichnet.[20] In diesem Zusammenhang ist auch ihre Beobachtung zu Albert Speer in Nürnberg zu betrachten, den sie, als sie ihn auf der Anklagebank sah, als «schwarz wie ein Affe» bezeichnete.[21]

Die Deutschen jedenfalls fand West «ein vertrotteltes Volk», und sie dachte, dass insbesondere den deutschen Frauen sowohl intellektuelle als auch häusliche Fähigkeiten abgingen.[22] Wie auch anderen fiel ihr auf, dass der Kriegsverbrecherprozess reine Männersache war. In markantem Gegensatz zur Situation vor Gericht stand aber die Anzahl der weiblichen Berichterstatter. Frauen wie West redeten nicht nur mit, sie waren maßgeblich für die journalistische Darstellung des Prozesses verantwortlich. Wieder konnte sich West eine Spitze gegen die Erbauer des Schlosses nicht verkneifen: «Nichts kann den Geist des Schlosses mehr beleidigt haben als diese Korrespondentinnen. Seine Hallen waren für Frauen entworfen worden, die in ihren Korsagen wie in Gefängnistürmen lebten, [...] deren Füße in Schuhe eingesperrt waren, die sie vom schnellen Gang abhielten und verkündeten, daß ihre Trägerinnen sich im Genuß ewiger Muße befanden.»[23]

Von Muße konnte bei den gegenwärtig anwesenden Frauen im Schloss keine Rede sein. Sie hatten ihre Artikel in schnellem Rhythmus abzuliefern. Für West waren ihre arbeitseifrigen Kolleginnen deshalb auch Bildungsarbeiterinnen im Sinne der Emanzipation und der *reeducation*. Insbesondere eine, die französische Jüdin Madeleine Jacob, stach dabei heraus. «Nun hinterließ Madeleine Jacob Brandspuren in der Luft, so schnell hetzte sie die Korridore [des Schlosses] entlang. [...] Ihr wundervolles jüdisches Gesicht war zugleich abgehärmt und leuchtend vor streitsüchtiger intellektueller Fröhlichkeit. Den Erbauern des Schlosses wäre es sehr schwer gefallen, die Situation zu begreifen: zu verstehen, daß diese tintenverschmierten Zigeuner sich das Recht verdient hatten, in ihrer Festung zu kampieren.»[24]

«Du bist ein gutes Kind, aber es ist meine Frau, die ich wirklich liebe»

West durfte zweifellos ein selbstbestimmteres Leben führen als die verblichenen Gräfinnen auf Schloss Faber-Castell, in denen sie Gefangene sah. Dass sich das Frauenbild der dominierenden Männer aber nicht allzu sehr gewandelt hatte, musste sie bald in ihrer Liebesbeziehung mit Francis Biddle erfahren. Dieser dachte nicht daran, West mehr als

Francis Biddle als Familienvater auf dem Fresko seines Bruders George Life of the Law *im amerikanischen Justizministerium, 1937*

den Rang einer Geliebten beizumessen. Am Außenbild einer intakten, monogamen Ehe durfte, zumindest in den USA, nicht gerüttelt werden. Biddle wurde nervös, als sich seine Frau für einen Besuch in Nürnberg ankündigte. Katherine Garrison Chapin war eine anerkannte Lyrikerin, deren Gedichte teils vertont und von renommierten Orchestern wie dem New York Philharmonic Orchestra aufgeführt wurden. Beide waren sie angesehene Persönlichkeiten des öffentlichen Lebens, und Biddle wollte seine Karriere nach dem Nürnberger Prozess in den USA fortsetzen. Die Meriten, die er sich in Franken erworben hatte, durfte er nicht durch eine Scheidung schmälern, geschweige denn seine glänzende juristische Laufbahn durch etwas gefährden, das ein schlechtes

Licht auf ihn werfen konnte. Immerhin hatte er sich von seinem Bruder, dem Maler George Biddle, im amerikanischen Justizministerium auf dem Wandfresko *Life of the Law* als moralisch integrer Familienvater porträtieren lassen.

Seiner Frau hatte er berichtet, dass er in Nürnberg Kontakt mit der berühmten Schriftstellerin Rebecca West habe. Scheinbar liebevoll gab er sich den Anschein, als verkehre er mit der englischen Autorin nur, weil sie ihm in Nürnberg Katherines literarische Welt ersetzen konnte. Als Katherine ihren Besuch wegen der schwierigen Reisebedingungen absagte, war er erleichtert.

West war in der Zwischenzeit in Berlin gewesen, von wo sie für den *New Yorker* berichtete. Biddle, mit Arbeit überhäuft und sich seiner Verantwortung bewusst, hatte die Arbeitstage in den Richtergremien verbracht, wo er nach einem Marathon von 218 Verhandlungstagen das Urteil für die Kriegsverbrecher mit vorbereitete. Es war seinem Gesinnungswandel in diesen Tagen zu verdanken, dass Albert Speer mit dem Leben davonkam. Biddle hatte anfangs zusammen mit dem sowjetischen Richter die Todesstrafe für den ehemaligen Reichsminister für Bewaffnung gefordert. In der Pattsituation, die entstanden war – der französische und der englische Richter votierten für eine Gefängnisstrafe –, änderte er jedoch seine Meinung und sprach sich schließlich für eine 20-jährige Haft aus. In seiner Urteilsbegründung schrieb er: «Als mildernder Umstand muss anerkannt werden, dass [...] er im Endstadium des Krieges einer der wenigen Männer war, welche den Mut hatten, Hitler zu sagen, dass der Krieg verloren sei, und Schritte zu unternehmen, um sowohl in den besetzten Gebieten als in Deutschland die sinnlose Vernichtung von Produktionsstätten zu verhüten.»[25]

Als West aus Berlin nach Nürnberg zurückkehrte, begab sie sich gleich in Biddles Villa. Er fand sie überraschend schüchtern und zurückhaltend, ganz anders als in ihren leidenschaftlichen Briefen. West entschuldigte sich mit Müdigkeit, doch letztlich ahnte sie bereits, dass sich ihre Beziehung dem Ende zu neigte. Ihrer Freundin Emanie Arling hatte sie im August geschrieben, dass sie wohl keine Chance bei Biddle gehabt hätte, wäre seine Frau bei ihm gewesen. Nun waren beide auch in Anbetracht des nahenden Urteils angespannt. Ihre Gefühlswelt durfte jetzt keine Rolle spielen. Es war ein historisches Ereignis, das die ganze Welt herbeisehnte und wahrnehmen würde. Biddle musste dafür buchstäblich Verantwortung übernehmen, West hingegen Worte finden, die angemessen waren.

Während der Urteilsrede am 1. Oktober war West im Gericht anwesend und bescheinigte den Todeskandidaten Fassung, während diese ihr Urteil vernahmen. Nach dem Urteilsspruch schrieb sie: «Wir hatten in Erfahrung gebracht, was sie getan hatten, jenseits aller Zweifel, und das ist das große Verdienst des Nürnberger Prozesses. Kein des Lesens und Schreibens kundiger Mensch kann nun noch behaupten, diese Männer seien etwas anderes gewesen als Auswüchse an Grausamkeit.»[26] Lediglich mit einem Urteilsspruch war sie nicht einverstanden: Dass Hans Fritzsche, der Radiochef in Goebbels Propagandaministerium, freigesprochen wurde, empfand sie als eine «bedauerliche Sache».

Nach der Urteilsverkündung reisten Biddle und West nach Prag, die schönste Stadt, die sie je gesehen hatte. Das Beisammensein war von Melancholie geprägt und stand bereits im Zeichen des nahenden Abschieds. Ein Kinofilm, den sie dort sahen, erschien wie ein Omen: David Leans Melodram *Brief Encounter* handelt von einer großen Liebe ohne Zukunft. Eine verheiratete Frau und ein verheirateter Mann verlieben sich ineinander, wissen aber um die Unmöglichkeit einer Beziehung. Die Fiktion des Films kam der Realität der beiden Zuschauer allzu nah.

Bevor Biddle endgültig in die USA zurückkehrte, begleitete er West in ihre englische Heimat. Der Abschied erfolgte in Ibstone. West schien die Trennung deutlich mehr zu treffen. Die Ehe mit ihrem Mann bestand ohnehin nur noch auf dem Papier. Nachdem im August H. G. Wells gestorben war, zu dem sie immer ein enges Verhältnis gehabt hatte, entzog sich ihr nun auch Biddle für immer. «Katherine has got him», vertraute sie ihrem Tagebuch resigniert an. Damit hatte eine Frau gewonnen, die West für manipulativ und «einem Alligator gleich» hielt. Auf den Verlust hin wurde sie krank. Schon 1941 hatte sie während einer Krankheit geschrieben, dass der um Hilfe rufende Körper «den Appell so stark wie möglich macht».[27] Während ihrer Beziehung mit H. G. Wells hatte sie auf emotionale Krisen mit gefährlichen Erkrankungen reagiert, die denen von Wells entsprachen; einen Monat lang war sie völlig taub gewesen. Nun erkrankte sie an Symptomen, die sie in ihrem

Tagebuch als Infektion des Zahnfleisches, toxische Nervenentzündung im linken Arm und der Schulter und hohes Fieber beschrieb.

Als West wenig später ihren Essay *Gewächshaus mit Alpenveilchen* zu schreiben begann, notierte sie, dass die vielen Liebenden in Nürnberg dieselbe Hoffnung hatten wie die Angeklagten: dass der Prozess niemals enden möge.[28] Auf traurige Weise mussten sie sich eingestehen, dass mit dem Urteilsspruch auch ihre Beziehungen dem Tod geweiht waren. Doch West ließ Biddle nicht mit dieser Synchronisation der Ereignisse davonkommen. Sie war sauer, dass sie ihm lediglich Gefährtin in Mußestunden, Trösterin und Bettpartnerin gewesen war – und damit letztlich, wie viele andere Frauen in Nürnberg, nichts anderes als ein Zeitvertreib und Lustobjekt. An ihre Freundin Dorothy Thompson hatte sie im August geschrieben, dass sie davon träume, sich von ihrem Ehemann zu trennen und in die USA zu ziehen.[29] Doch Biddle hatte ihr ein klassisches Rollenbild zugewiesen: das der außerehelichen Affäre. Gefühle, gar Liebe, spielten für ihn keine Rolle. So war es besser für West, dass sie seine wahren Gedanken nicht kannte. Unter dem Datum des 21. Juli 1946 hatte Biddle kühl-herablassend in seinem Tagebuch bemerkt: «Morgen Abendessen, werde Rebecca West sehen und mit der Engländerin schlafen, wenn sie nicht zu dick geworden ist.»[30]

In ihrem Essay lässt West einen jener anonymen Liebhaber zu seiner Geliebten sagen, als er die Beziehung in Nürnberg beendet: «Du bist ein gutes Kind, aber es ist meine Frau, die ich wirklich liebe.»[31] Dies waren allem Anschein nach Biddles Worte. Mehr aber als diese verhüllte Anklage gestand sie ihm in ihren Schriften nicht mehr zu.

MARTHA GELLHORN, HEMINGWAYS SCHATTEN UND DER SCHOCK VON DACHAU

«Du bist mutig. Den Mutigen passiert nichts.»

Martha Gellhorn

Im Juni 1946, wenige Monate bevor sie Nürnberg erreichte, feierte Martha Gellhorn (1908–1998) in London einen Theatererfolg. Gerechnet hatte sie damit nicht, war die Idee, ein Theaterstück zu schreiben, doch eher eine Schnapsidee gewesen. Man hatte sie dazu überredet. Die 38-Jährige hatte bis dahin weder Erfahrung im Stückeschreiben noch wollte sie je als Dramatikerin reüssieren. Martha Gellhorn hatte Romane und Erzählungen veröffentlicht, war aber vor allem Journalistin, und dies aus Überzeugung. Sie liebte den Journalismus, weil er immer eine Chance bot, «etwas Neues zu sehen und zu lernen».[1] Hinzu kam ihr brennendes Verlangen, Bericht über Unrecht zu erstatten.

1941, mitten im Krieg, war sie verärgert über ihren Kollegen John Dos Passos gewesen, weil er anlässlich des PEN-Kongresses in London gesagt hatte, dass Schriftsteller jetzt nicht schreiben sollten. «Wenn ein Schriftsteller Mut hat», entgegnete Gellhorn, «sollte er die ganze Zeit schreiben, und je mieser die Welt ist, desto härter sollte ein Schriftsteller arbeiten. Denn wenn er nichts Positives tun kann, um die Welt lebenswerter, weniger grausam oder dumm zu machen, kann er zumindest aufzeichnen. Denn das wird niemand tun, und es ist eine Aufgabe, die erledigt werden muss. Es ist die einzige Rache, die alle Opfer jemals bekommen werden: dass jemand klar aufschreibt, was mit ihnen passiert ist.»[2] Gellhorn vertrat in ihren Schriften eine Meinung, ein Anliegen und ergriff Partei. Nie war sie das, was man eine objektive Berichterstatterin nennt. Ihre Reportagen waren zugleich einfühlsame Schilderungen menschlicher Not und zorniges *J'accuse.* Journalismus war für sie auch ein Mittel zur Erziehung der Mächtigen.

Wütend über das Leid der Menschen und die machtbesessene Politik der Herrschenden, fand Gellhorn in einem vom Krieg geprägten Jahrhundert ihre Berufung in der Kriegsberichterstattung. «Ich habe nie wirklich meinen eigenen Platz auf der Welt gefunden, außer im allgemeinen Chaos des Krieges», schrieb sie später. Als Journalistin reiste sie *embedded,* wie man heute sagen würde, berichtete über Schlachten vom Spanischen Bürgerkrieg über Vietnam bis zur US-amerikanischen Invasion in Panama 1989. Der Zweite Weltkrieg aber blieb für sie immer der zentrale Konflikt. Gellhorn wurde eine der großen Chronistinnen dieses Krieges, und es war ihre Pionierrolle als Frontberichterstatterin in einem fast ausschließlich von Männern besetzten Terrain, die sie zu einer Ausnahmeerscheinung werden ließ. Ihr beruflicher Erfolg lag neben ihren schriftstellerischen Fähigkeiten in ihrer unstillbaren Neugier, ihrem Mut und ihren sozialen Fähigkeiten begründet. Sie war eine gute Zuhörerin und freute sich, wenn sie in einem ausgebombten Keller oder auf einem schlammigen Feld billigen Whisky trinken und mit Soldaten aus einem halben Dutzend Ländern auf Englisch, Deutsch oder Französisch sprechen konnte.

Neugier war es auch, die sie an Weihnachten 1936 mit Ernest Hemingway zusammenbrachte. Gellhorn traf ihn zufällig in einer Bar in Key West, als sie und ihre Mutter dort Urlaub machten. Ein «großer, schmutziger Mann in unordentlichen, etwas verschmutzten weißen Shorts und Hemd» saß eines Nachmittags vor ihr. Kurzentschlossen sprach sie den von ihr bewunderten Schriftsteller an. Die unangenehme Erscheinung und die Tatsache, dass Hemingway mit seiner zweiten Frau verheiratet war, reichten nicht aus, um einen Flirt zu verhindern. Bald wurde mehr daraus. 1940 heirateten sie, nachdem sich Hemingway hatte scheiden lassen.

Martha Gellhorn, in St. Louis geboren, hatte deutsche Vorfahren. Ihr in Deutschland geborener Vater, ein Halbjude, der vor dem Antisemitismus geflohen war, war Gynäkologe, ihre Mutter, eine Freundin der Präsidentengattin Eleanor Roosevelt, eine bekannte Frauenrechtlerin und Dame der Gesellschaft. Immer wieder hob Gellhorn später hervor, dass ihre Eltern eine gleichberechtigte Ehe führten, eine Erfahrung, die auch zum Scheitern ihrer Ehe mit Hemingway beitrug. Ihre Kindheit war privilegiert, mit Reisen nach Europa und einer Ausbildung an einer Privatschule. Später schrieb sie sich in einem College ein, fand es dort aber bald so erdrückend wie in ihrer Heimat im Mittleren Westen – ein Leben lang fürchtete sie sich vor nichts so sehr wie vor Langeweile.

Gellhorn brach ihr Studium ab, um Jungreporterin zu werden. Nach verschiedenen Stationen bei Zeitungen und einem Aufenthalt in Paris war die Lebenshungrige, als sie Hemingway begegnete, die Literatin der Stunde. Ihre Kurzgeschichtensammlung *The Trouble I've Seen* (1936) war ein großer Erfolg. Der Erzählzyklus enthielt eine zusammenhängende Reihe fiktionaler Porträts von Opfern der Großen Depression, etwa die Beschreibung einer jungen Prostituierten oder einer auf Sozialhilfe angewiesenen alten Dame. Graham Greene hatte das Buch wohlwollend rezensiert und Gellhorn einen «erstaunlich unweiblichen Stil» attestiert. Ihr Schreibstil war in der Presse auch mit demjenigen Hemingways verglichen worden. Und so schmeichelte es diesem, als ihn die selbstbewusste und anziehende Martha Gellhorn ansprach, nicht zuletzt deshalb, weil sie in ihm den Meister sah. Bereits 1931 hatte sie geschrieben, dass ihr Lebensmotto einem Satz aus Hemingways Roman *A Farewell to Arms* entstamme: «Du bist mutig. Den Mutigen passiert nichts.»

Wenig später beschloss das Paar, gemeinsam nach Spanien zu reisen, um über den Bürgerkrieg zu berichten. Bald erschienen Gellhorns Depeschen in *Collier's Weekly* und erregten Bewunderung. Denn ihre Perspektive war neu. Voller Sendungsbewusstsein und kämpferischem Temperament setzte Gellhorn auf unmittelbare Anschaulichkeit und den Live-Eindruck. «Du schreibst, was Du siehst», nannte sie diese Art der Berichterstattung. Später bezeichnete sie sie als «mobiles Tonbandgerät mit Augen». Dahinter stand die Idee einer mechanischen und unmittelbaren Wahrnehmung, die zu Papier gebracht werden musste.[3]

In den kommenden Jahren berichtete Gellhorn aus Deutschland über den Aufstieg Adolf Hitlers. Im Frühjahr 1938, wenige Monate vor dem Münchner Abkommen, war sie in der Tschechoslowakei. Nach dem Ausbruch des Zweiten Weltkriegs beschrieb sie diese Ereignisse in ihrem Roman *A Stricken Field* (1940). Über den Krieg berichtete sie für *Collier's Weekly* aus Finnland, Hongkong, Burma, Singapur, Java, der Karibik und England. Da sie keinen offiziellen Presseausweis hatte, um Zeugin der Landung in der Normandie zu werden, versteckte sie sich in einem Lazarettschiff und gab sich bei der Landung als Trägerin einer Trage aus. Sie war die einzige Journalistin, die am 6. Juni 1944, am D-Day, in der Normandie landete.

Hemingways Schatten

Gellhorn und Hemingway lebten vier Jahre zusammen, unter anderem auf Kuba, bevor sie im Dezember 1940 heirateten. Doch Hemingway ärgerte sich zunehmend über Gellhorns lange Abwesenheiten und schrieb ihr, als sie 1943 das Anwesen nahe Havanna verließ, um von der italienischen Front zu berichten: «Bist Du eine Kriegskorrespondentin oder eine Frau in meinem Bett?» Allerdings ging er kurz vor der Landung in der Normandie selbst an die europäische Front. Die Reise Gellhorns hingegen, die sich ebenfalls auf eine Mission begab, versuchte er zu torpedieren. Besonders perfide für sie war, dass er sich im Frühjahr 1944 *Collier's Weekly* als Kriegsberichterstatter anempfohlen hatte, jenem Magazin, für das sie selbst arbeitete. Die Herausgeber wollten nur einen Korrespondenten an der europäischen Front beschäftigen, und Hemingway, berühmter als Gellhorn, bekam den Job. Schon lange nahm er ihr ihre Unabhängigkeit und das, was er als Konkurrenzverhalten empfand, übel. Der Verrat schmerzte sie. Gellhorn jedoch reagierte auf ihre Weise: Am D-Day begab sie sich auch deshalb als blinde Passagierin auf das Lazarettschiff, um authentischer über das Geschehen berichten zu können als Hemingway.

Ihre Auseinandersetzung fand selbst auf inhaltlicher Ebene eine Fortsetzung. Während Hemingway in seinen Reportagen gerne die heroische Seite des Krieges hervorkehrte, reduzierte Gellhorn das Kampfgeschehen auf dessen Essenz, als ob sie ihrem Mann widersprechen wollte: «Ein Gefecht ist ein Verwirrspiel von kämpfenden Männern, be-

Martha Gellhorn und Ernest Hemingway, 1940

stürzten, verängstigten Zivilisten, Lärm, Gerüchen, Witzen, Schmerz, Furcht, abgerissenen Gesprächen und Sprengbomben.»[4]

An Heiligabend 1944 trafen sich Gellhorn und Hemingway bei einem Weihnachtsessen im luxemburgischen Rodenbourg wieder, das ein amerikanischer Oberst in bester Absicht organisiert hatte. Der Abend endete in einem Desaster. Hemingway und Gellhorn gifteten sich an, er beleidigte sie vor allen Gästen und sprach ihr jedes schriftstellerische Talent ab. Als sie schließlich nach einer gefährlichen Seereise das kriegsgeschüttelte London erreichte, teilte sie ihm mit, sie habe genug. Für die Rolle der Genie-Gattin war sie nicht geeignet; zeitlebens schreckte sie vor männlichen Egos nicht zurück. Sie reichte die Scheidung ein, nachdem sich die Ehe in einem Meer von Gehässigkeiten zersetzt hatte.

Hemingway hatte versucht, Gellhorn zu dominieren und ihre beruflichen Ambitionen zu zügeln. Laut Gellhorn wollte er sogar, dass sie sich Martha Hemingway nannte, damit ihre Texte auch mit ihm in Verbindung gebracht werden konnten. Selbst ihre Abstammung von einem deutschen Elternteil wurde für Hemingway zur Angriffsfläche: Als sie ihren eigenen Weg ging und ihren deutschen Nachnamen behielt, hielt er ihr «preussisches Blut» und «krautism» vor.[5] Gellhorn äußerte sich nach der Scheidung nur noch abfällig über ihn. Dass sie sich in ihren

Stellungnahmen allerdings zu einseitig als Opfer stilisierte, obwohl sie auch selbst auszuteilen verstand, steht auf einem anderen Blatt. Vielen galt sie als dogmatisch, rücksichtslos und unsensibel. Selbst nächste Angehörige hatten unter ihrer Dominanz und ihrem eisernen Willen zu leiden. 1969 schrieb sie ihrem Adoptivsohn Sandy geharnischte Briefe: «Motivation kommt von Mumm, Fantasie und Willenskraft, von innen. Du hast keine», ließ sie ihn wissen. «In meinen Augen bist Du ein armes, dummes Würstchen, ich würde mich so schämen, Du zu sein, dass ich mich von der Klippe stürzen würde.»[6] Empathie und Mitgefühl, die ihre Reportagen auszeichnen, ließ Gellhorn hauptsächlich Kriegsopfern zuteil werden. Ihr Adoptivsohn wuchs in Internaten auf, wurde drogensüchtig und straffällig.

Bereits Monate bevor sie sich von Hemingway scheiden ließ, hatte Gellhorn eine Affäre mit General James Gavin, dem Kommandeur der 82. Luftlandedivision und Nachkriegskommandeur der US-Streitkräfte in Berlin. Er wurde auch deshalb wichtig für sie, weil sie über den Frontkämpfer unmittelbare Einblicke in das Kampfgeschehen erhielt. Die Umstände, unter denen sich die beiden kennenlernten, waren filmreif: Während der Schlacht in den Ardennen erwischten Soldaten der 82. Luftlandedivision Gellhorn, die ohne Akkreditierung oder Uniform durch den Schnee lief, und brachten sie in ihrem Hauptquartier zu Gavin. Gellhorn und Gavin, der jüngste Divisionskommandeur der US-Armee, verliebten sich. Die Romanze loderte im befreiten Paris, dann in den Ruinen Berlins auf, bis Marlene Dietrich, wütend vor Eifersucht, Gerüchte über Gellhorn verbreitete und selbst eine Affäre mit Gavin begann. Der verheiratete Familienvater wollte Gellhorn ursprünglich heiraten, doch sie konnte sich das Leben als Armeefrau nicht vorstellen und nutzte seine Affäre mit Dietrich, um die Beziehung 1946 zu beenden.

Love Goes to Press

Auch wenn Gellhorn zahlreiche Liebschaften hatte, wieder heiratete und sich scheiden ließ, blieb der wichtigste Mann in den Augen ihrer Mitmenschen stets Hemingway. Sein Schatten verfolgte sie ein Leben lang. Zu ihrem Leidwesen wurde sie oft auf Hemingways Frau reduziert und immer wieder auf ihn angesprochen. Gellhorn hatte mit Hemingway zeitweise das Leben eines Kriegsreporter-Ehepaars geführt. Die Probleme, die ein solches Leben mit sich brachten, von Konkurrenzdenken und langen Phasen der Trennung bis zu stereotyp verstandenen Geschlechterrollen, thematisiert Gellhorns einziges Theaterstück *Love Goes to Press*, das im Juni 1946 im Londoner Embassy Theatre aufgeführt wurde. Es war auch eine verhüllte Abrechnung mit ihrem Ex-Mann.

Die beiden Hauptprotagonistinnen der Komödie, Annabelle und Jane, sind zwei berühmte amerikanische Kriegsberichterstatterinnen, die in der Liebe unglücklich, aber im Krieg glücklich sind. Sie befinden sich in einem Press Camp an der Front in Süditalien inmitten von männlichen Kollegen. Annabelle denkt darüber nach, die Dinge mit ihrem Mann wieder in Ordnung zu bringen, ebenfalls ein Kriegsberichterstatter, der ihr das Leben schwer macht, indem er ihre besten *stories* stiehlt und sie als selbsterlebt veröffentlicht. Die Frontberichterstattung sei für eine Frau ohnehin zu gefährlich, meint er. Jane hingegen verliebt sich in einen PR-Offizier. Als er ihr aber von einem Leben nach dem Krieg auf einem Landgut vorschwärmt, das an Langeweile kaum zu überbieten ist, nimmt die Adrenalin-Süchtige Reißaus.

Love Goes to Press schrieb Gellhorn gemeinsam mit ihrer Kollegin Virginia Cowles im Frühsommer 1945 in London. Die Idee zu dem Stück stammte von Cowles. Es sei als Witz gedacht, bemerkt Gellhorn im Vorwort, verfasst, um den Zuschauern ein Lächeln abzugewinnen und um Geld zu verdienen. Die Hintergrundfolie bieten Gellhorns und Cowles reale Erlebnisse im Press Camp Sessa Arrunca in Süditalien während der alliierten Rückeroberung Italiens. Unverkennbar werden die beiden Reporterinnen in den Figuren Annabelle und Jane porträtiert. Und auch wenn Gellhorn im Vorwort schreibt, dass die männlichen Figuren des Stückes niemanden karikierten und reine Imagination seien, ist doch allzu deutlich, dass sich hinter Joe Rogers, Annabelles Mann, Hemingway verbirgt. Joe ist ein bekannter Schriftsteller und Alkoholiker («drunk all the time»), hat ein Problem mit dem Erfolg seiner Frau und plagiiert sie. «It turned out he married me to silence the opposition», so Annabelle.[7] Überliefert ist der Bericht eines Dritten, wonach Gellhorn und Hemingway einmal zufällig den Flug einer deutschen V2-Rakete beobachteten. Sofort notierte sich Gellhorn Zeit und Ort und soll Hemingway gesagt haben, die *story* gehöre ihr – derart besorgt war sie, dass er ihr zuvorkommen könne.[8]

Hemingway hatte während seines Aufenthalts in London 1944 Sketche über zwei Kriegskorrespondentinnen geschrieben, in denen er über deren lockere Moral und unethisches Verhalten herzieht. Gut vorstellbar, dass er bei seiner Charakterisierung von Janet Rolfe, einer eleganten und ehrgeizigen Blondine, Martha Gellhorn, seine «geliebte Heuchlerin», im Sinn hatte. Tatsächlich hatte Gellhorn, die im Alter nicht mehr auf ihre Ehe mit Hemingway angesprochen werden wollte, dessen Ruhm anfangs durchaus für ihre Karriere genutzt. Auf dem Schutzumschlag von *A Stricken Field* firmierte sie in ihrer Kurzbiografie stolz als «Martha Gellhorn (Mrs. Ernest Hemingway)».[9] *Love Goes to Press* war in gewisser Weise eine Replik auf Hemingways Sketche.

Heute ist die Komödie vor allem aus feministischer Sicht interessant. Die amerikanische Literatur der Zeit war geprägt von Geschichten über Männer ohne Frauen. In *Love Goes to Press* drehten Gellhorn und Cowles den Spieß um und schufen eine Welt von «Frauen ohne Männer», deren Sichtweise sie, ironisch gebrochen, schildern. Im Zentrum steht die Abrechnung mit männlichen Klischees und Rollenmustern.

Kriegsberichterstatterin in einer Männerwelt

Auch wenn *Love Goes to Press* noch vor Gellhorns Aufenthalt im Steiner Press Camp geschrieben wurde, wird die Situation der weiblichen Korrespondenten in Stein mit der im Stück geschilderten in vielerlei Hinsicht vergleichbar gewesen sein. Neuere Arbeiten über Leben und Wirken der 140 Korrespondentinnen der US Army während des Zweiten Weltkriegs zeigen, mit welchen Vorurteilen ihnen begegnet wurde. Lange wurde ihre Arbeit von Männern nicht ernst genommen.[10] Das SHAEF, das Oberste Hauptquartier der Alliierten Expeditionsstreitkräfte, hatte bestimmt, dass die Präsenz von Journalistinnen während einer Schlacht der von Krankenschwestern hinter den Linien entsprechen müsse. Die Frauen durften nicht alleine reisen, Fahrer und Jeeps

Martha Gellhorn als «girl correspondent», Illustration in Collier's Weekly, *20. 1. 1940*

wurden ihnen nicht zugestanden. Auch an ihrem Arbeitsethos wurde gezweifelt. Von Presseoffizier Charles Madary, dem späteren Leiter des Steiner Press Camp, ist überliefert, wie er einem Interviewpartner in Luxemburg zwar versicherte, dass die Korrespondentinnen hart arbeiten und ihm nicht «much trouble» verursachen würden. Dennoch gab er Anekdoten preis, die die Frauen über deren scheinbar skurrile Arbeitsmoral lächerlich machten. In Paris etwa hätten sie ihre Arbeit vernachlässigt, weil sie lieber Modeshows besucht hätten.[11]

Mit derartigen Vorurteilen und Geschlechterstereotypen wurde auch Martha Gellhorn konfrontiert. Sie kannte sie zur Genüge, nicht nur von Hemingway, auch von ihren Chefredakteuren. In den Anrisstexten für ihre Artikel in *Collier's Weekly* wurde sie als «girl correspondent» vorgestellt. Teilweise wurden ihre Beiträge von einem Zeichner illustriert, und zwar oft auf eine Weise, die man heute als sexistisch bezeichnen würde. Eine Illustration zu einem am 20. Januar 1940 veröffentlichten Artikel zeigt Gellhorn als glamouröse Korrespondentin mit blonder Mähne, Lippenstift und enganliegendem, figurbetontem Kleid – eine Art Rita Hayworth der Journalistenzunft.[12] Tatsächlich ist sie auf überlieferten Fotografien von ihren Einsätzen stets schlicht und funktional gekleidet.

Auch unter Gellhorns Kollegen im Steiner Press Camp wurden Korrespondentinnen mit Klischees bedacht und auf Äußerlichkeiten reduziert. Ernest Cecil Deane monierte, das Anspruchsdenken der Bewohnerinnen des Frauenhauses sei enorm, Korrespondentinnen «im Allgemeinen ein Problem», insbesondere ihre Eitelkeit. Gellhorns Kollege vom *Time Magazine* schrieb klatschhaft über die ansässigen Berichterstatterinnen im Presselager: «In der benachbarten Frauenvilla beschuldigten die amerikanischen Pressehühner die französischen und russischen Ladies (die sie zahlenmäßig weit übertrafen), die Badezimmer unter Kontrolle gebracht zu haben und alle außer ihren Landsleuten auszuschließen.»[13]

Der Schock von Dachau

Zu den Ausgeschlossenen zählte – sollte es sich tatsächlich so zugetragen haben – auch die Engländerin Rebecca West. Wenngleich von beiden Frauen keine Äußerungen aus diesen Tagen überliefert sind, sind sich Gellhorn und West in Nürnberg begegnet. Gellhorn erreichte die Stadt Ende September 1946, beide waren bei der Verkündung der Urteile anwesend, und ohnehin kannten sie sich bereits von früher. Für Gellhorn aber war das Wiedersehen pikant, denn H. G. Wells, der Vater von Wests Sohn, hatte sie 1935 gebeten, ihn zu heiraten.[14] Gerüchten zufolge hatte Gellhorn ein Verhältnis mit ihm gehabt, was West nicht wusste. Gellhorn bewunderte Wests schriftstellerische Begabung, hielt aber Abstand zu ihr. Emotional fand sie keinen Zugang zu der Älteren, die sie bei allem Respekt für neurotisch erachtete, was allerdings «noch zu milde» formuliert sei. 1987, drei Jahre nach Wests Tod, schrieb Gellhorn deren Biografin Victoria Glendinning einen Brief, in dem sie Bewunderung über Wests Arbeit äußerte, aber auch ihre Schwierigkeiten mit ihr offenbarte: «Wie fandest Du ihre Klatschsucht? […] Ich bin nicht gut darin zu klatschen und empfinde einen großen Unterschied zwischen Bosheit und Hass, wobei letzterer respektabel ist.»

Was Gellhorn mit West aber durchaus verband, war eben die Fähigkeit zu hassen – insbesondere die Deutschen. «Was für eine Rasse ist das, diese Deutschen: Wenn man bedenkt, dass wir versucht haben, die Malaria auszurotten, könnten wir uns doch allemal ein wenig Zeit nehmen, die Deutschen auszurotten, die noch sichereren und hässlicheren Tod bringen», schrieb Gellhorn im August 1944 ihrer Freundin Hortense Flexner, nachdem sie in Italien das Schlimmste gesehen hatte, «was ich in meinem Leben gesehen habe».[15] Es war ein Massengrab mit 320 von Deutschen erschossenen Geiseln. Damals wusste Gellhorn noch nicht, dass es noch viel schlimmer kommen würde.

Als die Alliierten am 29. April 1945 das Konzentrationslager Dachau befreiten, war Gellhorn wenige Tage später vor Ort, um zu berichten. Es war der 7. Mai, der Tag der deutschen Kapitulation. In keinem Krieg wurde sie verletzt, nie bekam sie auch nur eine Schramme ab, die Erlebnisse in Dachau aber trafen sie ins Mark. Sie habe sich gefühlt, als sei sie von einer Klippe gestürzt, sagte sie später. Gellhorn hatte über den halben Erdball die Toten wie Bündel auf allen Straßen liegen sehen. «Aber nirgendwo hat es etwas gegeben wie dies hier. Nichts am Krieg war jemals so wahnsinnig brutal wie diese verhungerten und mißhandelten, nackten, namenlosen Toten.»[16] Die Überlebenden, so Gellhorn, sahen alle gleich aus, alterslos und ohne Merkmale. In Dachau war es schwer, eine unterscheidbare Physiognomie in den zusammengefallenen Gesichtern zu erkennen. Einige der Lagerinsassen waren Versuchspersonen gewesen: Man hatte sie Sauerstoffmangel ausgesetzt, um zu messen, wie lange Piloten in großen Höhen überleben konnten, in gefrorenes Wasser getaucht, um die Auswirkungen der extremen Temperaturen zu untersuchen, hatte ihnen Malaria injiziert, um festzustellen, ob ein Impfstoff für deutsche Soldaten entwickelt werden konnte. Andere waren kastriert oder sterilisiert worden.

Gellhorn beschreibt diese Gräueltaten detailliert und zitiert in ihrer Reportage für *Collier's Weekly* einen polnischen Lagerarzt, selbst ein ehemaliger Häftling, den sie interviewte. Er war wütend, aber auch beschämt, dass Menschen zu solchen Taten fähig sein konnten. Gellhorn fand bei ihrem Rundgang in Dachau keine Erholung von den Schrecken.

Als sie die Erzählungen des Arztes nicht mehr ertragen konnte, zog sie weiter, um andere Orte im Lager zu besichtigen: Folterkammern, die nicht größer waren als Telefonzellen, Gaskammern, in denen ihr geraten wurde, ihre Nase wegen der gestapelten Leichen, die die SS-Mannschaft nicht mehr hatte verbrennen können, mit einem Taschentuch zu bedecken. Gellhorn traf in Dachau auch einen Überlebenden des Todeszuges aus Buchenwald: «Vielleicht wird sein Körper leben und wieder Kraft erlangen, aber man kann nicht glauben, dass seine Augen jemals wieder den Augen anderer Menschen ähneln werden.» Einige Insassen waren vor schierer Erleichterung gestorben, als sie befreit wurden; andere hatten sich an dem Essen überessen, das ihnen endlich zur Verfügung gestellt wurde. Ihre Körper vertrugen es nicht. Einige waren am elektrischen Zaun ums Leben gekommen, als sie vor Freude zu ihren Befreiern eilten. Die Nachricht vom Sieg in Europa gerade in Dachau zu hören, machte den Ort für Gellhorn zu einem Symbol. Letztendlich ging es im Krieg in ihren Augen um solche Orte. Der Sieg musste die endgültige Abschaffung aller Dachaus bewirken.

Über den Tod der exekutierten deutschen Wachsoldaten – mindestens 39 wurden von den Amerikanern sofort erschossen, obwohl sie sich ergeben hatten – verspürte Gellhorn Freude. «Hinter einem Haufen solcher Toter lagen die bekleideten, gesunden Körper der deutschen Soldaten, die man in diesem Lager angetroffen hatte. Sie wurden auf der Stelle erschossen, als die amerikanische Armee einzog. Und zum ersten Mal konnte man einen toten Menschen anschauen und sich freuen.» Dass es sich bei den Toten aber um eine kurz zuvor rekrutierte Ersatzmannschaft handelte, die teils aus Halbwüchsigen zusammengesetzt war – die Verantwortlichen der SS-Totenkopfverbände waren bereits geflohen –, lässt Gellhorn unerwähnt. Vielleicht wusste sie es nicht. Der Gedanke an Rache aber war ihr vertraut. Er erscheint leitmotivartig in ihren Schriften.

Eine regelrechte Rachefantasie, basierend auf ihren Erlebnissen in Dachau, stellt schließlich Gellhorns Roman *Point of No Return* dar. 1948 erschienen, folgt er einem Infanteriebataillon der US-Armee in Europa in den letzten Monaten des Zweiten Weltkriegs durch die Ardennenoffensive und die Entdeckung der Todeslager. Jacob Levy, ein junger Soldat aus St. Louis, hat nie viel über Politik, das Weltgeschehen oder sein jüdisches Erbe nachgedacht. Doch als er Zeuge der Befreiung des KZ Dachau wird – im Lager nimmt er fast die gleiche Route wie Gellhorn –, sieht er sich mit einer Grausamkeit konfrontiert, die über seine Vorstellungskraft hinausgeht. Heinrich, seit zwölf Jahren Gefangener, erzählt ihm sachlich von Folter und Massenvernichtung. Für Heinrich sind diese zur alltäglichen Realität geworden, für Levy ist der Bericht die Anerkennung eines Schicksals, das sein eigenes hätte sein können. Obwohl er sich der Vernichtung der Juden zuvor vage bewusst war, wusste er bislang nicht, wie weit sie ging. Sein ganzes Leben war auf der Illusion aufgebaut, dass er überleben und Erfolg haben würde, wenn er sich nur wie alle anderen benehmen würde. Aber was geschah mit all diesen Juden, die ebenfalls ein normales Leben führen wollten?

Der Schock verwandelt Levy auf eine Weise, die er nie für möglich gehalten hätte. Zurück in seinem Jeep, sieht er eine Gruppe lachender deutscher Frauen mitten auf der Straße, die beim Ertönen seiner Hupe nicht Platz machen. Der Hass überwältigt ihn, die Impulskontrolle versagt. Er hält auf die Frauen zu, gibt Gas, überfährt sie und kracht schließlich gegen einen Baum. Im Krankenhaus erkennt er seine Handlung als Mord an, sieht sie aber auch als symbolischen Akt. Er hat endlich seine jüdische Abstammung akzeptiert und glaubt, sein eigenes Glück opfern zu müssen, um die Welt mit ihrer Schuld am Holocaust zu konfrontieren. Der Roman endet mit dem Hinweis, dass Levy wegen unbeabsichtigten Totschlags einer Haftstrafe entgeht.

Gellhorn bemerkt im Nachwort, sie habe den Roman geschrieben, um einen Exorzismus an den Bildern zu vollziehen, mit denen sie nicht leben konnte. Wie Levy hatte auch sie es während des Krieges versäumt, auf die Konzentrationslager aufmerksam zu werden und zu protestieren. Wie Levy hatte auch sie versagt. Denn mit Derartigem hatte sie nicht gerechnet. Doch auch wenn Gellhorn Argumente sucht, um den fiktiven vorsätzlichen Mord an den Frauen zu rechtfertigen, bleibt die im Roman geschilderte Tat ein Racheakt. Es war ein Charakteristikum von Gellhorns gerechtem Zorn, dass er gelegentlich nur mit einem Auge sah. *Point of No Return* wurde im Gegensatz zu den meisten Werken Gellhorns nie ins Deutsche übersetzt.

In Nürnberg

In der fränkischen Stadt traf Gellhorn Ende September 1946 ein, über ein Jahr nach ihrem Besuch in Dachau. Am 30. September wohnte sie zum ersten Mal einer Sitzung im Gericht bei. «Göring hat die hässlichsten Daumen, die ich je gesehen habe – möglicherweise auch den hässlichsten Mund», schrieb sie in ihr Notizbuch.[17] Sein Lächeln erschien ihr vom Rest des Gesichts abgekoppelt als eine Art Gewohnheit. Die Klimaanlage lief auf Hochtouren, es war kalt, was dem Ton der Richter zu entsprechen schien. Mitleid war nicht möglich. Die Mitleidlosigkeit der Nazis konnte nur durch Kälte beantwortet werden, wie Gellhorn bemerkte.

In den ersten Absätzen ihres offiziellen Berichts für *Collier's Weekly*, den sie kurz nach dem Ende des Tribunals zu Papier brachte, skizziert Gellhorn das Aussehen der Angeklagten, Görings gezwungenes Lächeln, Ribbentrops starre Haltung, Keitels steinige Fassade. Das «Böse» erhält hier ein vertrautes Gesicht: «Alles in allem waren es einfache Männer.» Gellhorn wollte, dass ihre Leserinnen und Leser diese Männer als unbedeutende Individuen sahen und den Schrecken des Nationalsozialismus nicht als Abstraktion abtaten. Sie war beeindruckt von der Würde der Richter, insbesondere von Richter Lawrence, dessen Stimme ein «Symbol» der Gerechtigkeit zu sein schien, wie sie kontrastierend im zweiten Teil der Reportage schreibt. Sie fühlte, dass Lawrence' Stimme die Stimme der Geschichte war und das Prinzip begründete, dass Individuen für Verbrechen gegen die Menschlichkeit verantwortlich gemacht werden konnten.

Während der zweistündigen Mittagspause wanderte Gellhorn durch die Ruinen Nürnbergs. Wieder einmal war sie schockiert über das Ausmaß der Zerstörung. *In Point of No Return* bezeichnet sie die bombardierte Altstadt als «riesigen Müllhaufen», überlässt die Schilderung aber der unbeschwerten Perspektive des erfahrenen US-Soldaten: «Die Bomben, die wir benutzten, waren nicht klein und klirrend. Die Air Force fuhr regelmäßig mit dem Bus über Nürnberg», verkündet er in lapidarem Soldatenjargon.

Zusammen mit anderen Korrespondenten des Press Camp unternahm Gellhorn am Abend des 30. September einen Ausflug nach Ansbach. Dort unterhielten sie sich mit einem jungen deutschen Soldaten, einem Unverbesserlichen, der nur patriotisch denken konnte. Deutschland sei in den Krieg gezogen, weil England sich auf einen Angriff vorbereitet habe. Warum die Deutschen dann zuerst polnische und nicht englische Städte angegriffen hätten? Er hatte keine Antwort, war sich aber sicher, dass seine Regierung gute Gründe gehabt hatte. Die Opferzahlen in den Konzentrationslagern hielt er für übertrieben, in Wahrheit seien die Juden zu ihrer eigenen Sicherheit in die Lager gebracht worden. Es sei ein Fehler gewesen, Juden zu töten, aber schließlich hätten sie noch nie richtige Arbeit geleistet, er habe beobachtet, wie verschlagen sie mit Geld umgingen. Er hatte immer noch gute Erinnerungen an die Hitlerjugend und schien verwirrt, als seine Worte seine Zuhörer nicht beeindruckten.

Am nächsten Tag, dem 1. Oktober, wurden die Urteile gegen die Kriegsverbrecher verkündet. Die Nachmittagssitzung dauerte 47 Minuten. Was im Gerichtssaal folgte, beschrieb Gellhorn als ein Gefühl der Leere. Für sie konnte ohnehin keine Strafe ausreichend sein, um dem Ausmaß der Verbrechen gerecht zu werden. Der Nürnberger Prozess, so implizierte sie, war das Geringste, was getan werden konnte, um die grundlegenden Menschenrechte zu bekräftigen. Er war ein Zeichen der Hoffnung, doch machte sie sich keine Illusionen. Der Prozess garantiere nichts für die Zukunft und drücke lediglich die Hoffnung aus, «dass dieses Gesetzeswerk als Barriere gegen die kollektive Niedertracht, gegen Machtgier und den Wahnsinn jeder Nation dienen werde».

Gellhorns Bericht über den Nürnberger Prozess ist konventionell. Er wirkt im Vergleich zu anderen Reportagen aus ihrer Feder wie eine Pflichtübung, enthält weder überraschende Einblicke, Wertungen noch Erkenntnisse. «Sie ist in Bestform, wenn sie wütend ist oder Mitleid hat», schrieb Hemingway im Oktober 1947 an Charles Scribner.[18] Wut und Mitleid aber waren nicht die Gefühle, die Gellhorn mit dem Nürnberger Hauptkriegsverbrecherprozess verband.

Im Steiner Press Camp war sie nur wenige Tage. Dass sie sich in ihren hinterlassenen Schriften nie darüber äußert, mag daran liegen, dass sie es nicht für erwähnenswert hielt. Als Kriegskorrespondentin war sie viel schlimmere Unterkünfte gewohnt. Mit Hemingway und anderen Kollegen hatte sie während des Spanischen Bürgerkriegs das Hotel Florida in Madrid bewohnt, ein beständiges Ziel von Artilleriefeuer, dessen Räume teilweise zerstört waren, dessen Fahrstuhl meist nicht funktionierte und in dem warmes Wasser Mangelware war. Sie hatte an der Front in Provisorien übernachtet und Büchsenkost gegessen. Wie konnten sie da, im Gegensatz zu William Shirer etwa, der nie Kriegskorrespondent gewesen war, die relativ komfortablen Umstände auf Schloss Faber-Castell schrecken? Gellhorn, die mit ihrem Schreiben stets ein Anliegen verband, berichtete lieber über das Grauen im Konzentrationslager Dachau und den Jahrhundertprozess. Doch Nürnberg war nur eine Übergangsstation. Sie befand sich bereits auf dem Sprung nach Paris, wo sie im Dezember der Außenministerkonferenz beiwohnte.

Why I shall never return

Was von ihren Aufenthalten in Deutschland blieb, war ihre lebenslange Abscheu vor allem Deutschen. Gellhorn hatte sich 16 Jahre von Deutschland ferngehalten, als sie 1962, ein halbes Jahr nach ihrem Besuch des Eichmann-Prozesses in Jerusalem, im Auftrag von *Atlantic Monthly* erneut «einen kurzen Ausflug in die Hölle» unternahm, um über die neue Generation von Deutschen zu berichten. Sie blieb drei Wochen und besuchte Universitäten von Hamburg bis München, wo sie mit Studenten sprach. Doch wie Rebecca West vor ihr hielt auch sie die Deutschen für «unheilbar». Bereits 1943 hatte sie Hemingway geschrieben, dass sie nach der Lektüre von Lord Vansittarts Buch dessen Deutschlandthesen für richtig halte.[19] Nun schienen die Deutschen «ruhende Schafe und Tiger» zu sein, aber nur, weil sie mit Butter und Sahne übergewichtig geworden waren und durch Konsum ruhig gehalten wurden. «Entfernen Sie das und sie werden zu wahnsinnigen blutliebenden Schafen und menschenfressenden Tigern», bemerkte sie einem Bekannten gegenüber.[20] Insbesondere die Studentinnen schockierten sie. Sie seien angepasst, humorlos, langweilig und in ihrer Obrigkeitshörigkeit die «arabischen Frauen des Westens».

Gellhorn ließ danach 28 Jahre verstreichen, ehe sie anlässlich der deutschen Wiedervereinigung 1990 ihre Universitätstour durch Deutschland wiederholte. Sie wollte wissen, ob es nun eine andere Generation Deutscher gab. Zunächst fand sie sich in ihrer Hoffnung bestätigt, schreibt sie in ihrem Artikel *Ohne Mich. Why I shall never return to Germany.*[21] Sie konstatierte einen Mentalitätswandel, die 68er-Bewegung hatte tatsächlich auch in Deutschland etwas bewirkt. «Ihre Bildung hatte sich komplett geändert und nun waren sie in der Lage, selbst zu denken und ihre eigenen Ideen zu äußern.» Doch dann kam es zu den rassistischen Ausschreitungen in Hoyerswerda, den neonazistischen Angriffen auf Ausländer in Rostock und zu Neonazi-Aufmärschen in Ostdeutschland. Die deutsche Regierung tat Gellhorn zufolge viel zu wenig, um diesen Umtrieben Einhalt zu gebieten, und nicht nur die Regierung: Wo waren die neuen Studenten? «Wo waren diese guten Kinder?» Warum gab es an den Universitäten keinen Aufstand gegen die Regierung und die neonazistischen Machenschaften? Gellhorn war zutiefst demoralisiert. Sie ging in ihrer Frustration so weit, die Gene der Deutschen für ihr Verhalten verantwortlich zu machen, und bediente damit ein biologistisches, letztlich diskriminierendes Erklärungsmodell. «Ich denke, sie haben ein Gen locker, auch wenn ich nicht weiß, was für ein Gen das ist.»[22] Sie selbst werde nun definitiv nie wieder nach Deutschland zurückkehren. Martha Gellhorn hielt Wort. Sie starb 1998 in London.

MALEN, UM DEM GRAUEN ZU ENTFLIEHEN: WOLFGANG HILDESHEIMER BEIM EINSATZGRUPPENPROZESS

«Deutsch ist schon deshalb eine gute Sprache,
weil in ihr Mensch und Mann nicht dasselbe sind.»

Wolfgang Hildesheimer

Der Hauptkriegsverbrecherprozess wurde nach Vollstreckung der Urteile rasch historisch. Als Ereignis von weltpolitischer Bedeutung wurde er nicht nur in Printmedien und Rundfunksendungen gepriesen, sondern 1946 auch filmisch für ein breites Publikum in Ost und West in Szene gesetzt. Sowjets wie Amerikaner produzierten Dokumentarfilme, wobei sie sich des vorhandenen Filmmaterials bedienten. Ende des Jahres wurde Produzent Stuart Schulberg vom US Office of Military Government for Germany beauftragt, den offiziellen Dokumentarfilm zum Prozess zu drehen, *Nuremberg: Its Lesson for Today* (*Nürnberg und seine Lehre*). Dem Titel gemäß ging es darum, den Prozess im Sinne der Amerikaner als Lehrprozess darzustellen.

Geschult an der Dramaturgie des Spielfilms, personalisierte Schulberg und machte US-Hauptankläger Jackson zum Helden. Immer wieder erscheint er in der Dokumentation, nachdem zu Beginn mehrere Minuten lang seine Eröffnungsrede gezeigt wurde. Auch Carl Zuckmayer ließ sich für das Projekt einspannen und arbeitete als ziviler Kulturbeauftragter des amerikanischen Kriegsministeriums am Drehbuch mit. *Nuremberg: Its Lesson for Today* folgt – nach einem historischen Exkurs über den Aufstieg der NS-Bewegung – der Struktur des Prozesses und verwendet die vier Anklagepunkte als Organisationsprinzip. Während ein Großteil des Films auf Filmmaterial aus dem Gerichtssaal basiert, widerlegt er die Behauptungen der Angeklagten, indem er sich auf andere Aufnahmen stützt, die als Beweismaterial dienten. Die ruhige, sachliche Sprecherstimme kontrastiert mit den teils aufwühlenden Bildern, gleichsam als Stimme der (amerikanischen) Vernunft. Der Film wurde 1948 in Süddeutschland und 1949 in West-Berlin gezeigt.

Sein sowjetisches Pendant war *Das Gericht der Völker*. Diese Dokumentation wurde von einem zeitweiligen Bewohner des Press Camp produziert, dem ehemaligen Frontberichterstatter Roman Karmen, der auf Schloss Stein nächtigte, während er tagsüber im Gerichtssaal filmte.[1] Karmen, ein Liebling Stalins, war eine Berühmtheit in der Sowjetunion. Er hatte die Kapitulation der Sechsten Armee in Stalingrad und die Eroberung Berlins filmisch begleitet. Sein 1937 im Spanischen Bürgerkrieg gedrehter Film *Madrid in Flammen* hatte ihm internationales Renommee verschafft. Karmens Prozessdokumentation, die während des Tribunals gefilmtes Material neben eingeblendeten Bildfolgen aus deutschen Wochenschauen sowie vom Vormarsch der russischen Armee oder der Befreiung der Konzentrationslager verwendet, entbehrt nicht einer gewissen pathetischen Dialektik. Heute würde man Karmen als einen frühen Exponenten des visuellen «Framings» bezeichnen, weil er nicht nur auf Emotionen setzte, sondern Schlüsselaufnahmen wiederholte, um gezielt Botschaften zu platzieren. In den Kinos der sowjetischen Besatzungszone fand seine Dokumentation große Beachtung.

Mit der Urteilsverkündung im Prozess gegen die Hauptkriegsverbrecher und der Historisierung der Geschehnisse hörte die rechtliche Verfolgung von NS-Verbrechen in Deutschland nicht auf. Bereits im Dezember 1945 hatten die Alliierten mit dem Kontrollratsgesetz Nr. 10 eine einheitliche Rechtsgrundlage für die Verfolgung von Kriegsverbrechen in den jeweiligen Besatzungszonen geschaffen, die auch die Basis für die nachfolgenden Nürnberger Prozesse bildete. Im Gegensatz zum Hauptkriegsverbrecherprozess, der von einem internationalen Militärtribunal durchgeführt wurde, lagen diese Prozesse ausschließlich im Verantwortungsbereich von US-Militärgerichten. Nachdem Hauptankläger Jackson sein Amt mit Ende des Hauptkriegsverbrecherprozesses niedergelegt hatte, wurde Telford Taylor zu seinem Nachfolger ernannt, der sich bereits im Hauptprozess bewährt hatte. Die zwölf Nachfolgeprozesse in Nürnberg wurden zwischen 1946 und 1949 gegen 177 hochrangige Ärzte, Richter, Industrielle, SS-Kommandeure und Polizeikommandanten, Militärangehörige, Beamte und Diplomaten durchgeführt. Sie zeigten, in welchem Ausmaß die deutsche Führungsklasse das Machtsystem der NS-Diktatur unterstützt hatte.

International bekannte Namen waren unter den Angeklagten nicht zu finden, sie waren allesamt «zweitrangige» Kriegsverbrecher. Dies hatte zur Folge, dass das Interesse der ausländischen Medien schwand. Analog zum Bekanntheitsgrad der Angeklagten verhielt es sich mit den Berichterstattern. Berühmte Schriftsteller oder Journalisten waren bei den Nachfolgeprozessen nicht mehr anzutreffen. Sie hatten Nürnberg verlassen. Die zweite Reihe übernahm, auch wenn aus einigen dieser Prozessbeobachter später selbst herausragende Schriftsteller wurden.[2] Das Press Camp, beim Urteilsspruch im Hauptkriegsverbrecherprozess noch überfüllt, leerte sich. Ein im Auftrag des Chief of Counsel for War Crimes verfasstes Telefonbuch vom Januar 1948, das das gesamte Prozesspersonal in Nürnberg auflistet, zählt nur noch knapp 70 Gäste auf Schloss Faber-Castell.[3]

Unter den Schlossbewohnern war jedoch ab Januar 1947 ein damals noch junger und in der Literaturszene völlig unbekannter Mann, der in der deutschen Nachkriegsliteratur als moralisches Gewissen und unabhängiger Geist eine wichtige Rolle spielen sollte: Wolfgang Hildesheimer (1916–1991). Hildesheimer konnte damals nicht ahnen, dass ihm einmal der Georg-Büchner-Preis zuerkannt würde und er mit *Mozart* (1977) einen in alle Weltsprachen übersetzten Bestseller schreiben sollte, der das Bild der Gattung Biografie dauerhaft veränderte. Während seines Aufenthalts in Nürnberg hatte er keinerlei Ehrgeiz als Schriftsteller. Weder veröffentlichte noch schrieb er in dieser Zeit belletristische Texte. Er hatte bereits in englischer Sprache journalistische Beiträge, Gedichte und Rezensionen publiziert, kleinen «Mist», über den er sich 1946 wunderte, «wie schlecht» er sei. Erst im Jahr 1950 begann er mit seiner literarischen Arbeit in deutscher Sprache.[4] Als er den Nachfolgeprozessen beiwohnte, galt sein künstlerisches Augenmerk noch ganz der bildenden Kunst. Doch der Aufenthalt in Nürnberg wurde auch für

Wolfgang Hildesheimer, 1948

den späteren Literaten zu einem einschneidenden Erlebnis. Zu den Prozessen verschlug es Hildesheimer aus Interesse und Zufall.

Großväterlicherseits aus einer Rabbinerfamilie stammend, zog der in Hamburg geborene Hildesheimer 1933 im Alter von 17 Jahren mit seiner Familie in das damals noch britische Mandatsgebiet Palästina. Dort machte er eine Tischlerlehre, fühlte sich aber bald zur bildenden Kunst hingezogen. In London studierte er Malerei und Bühnenbildnerei, kehrte nach Aufenthalten in Frankreich und der Schweiz nach Palästina zurück, wo er während des Zweiten Weltkriegs Informationsoffizier beim Public Information Office der britischen Regierung in Jerusalem wurde. Zurück in London, versuchte er sich als Maler, Grafiker und Bühnenbildner, führte das Leben eines Dandys, lebte aber größtenteils prekär.

«Aus Interesse an dem mir damals völlig unverständlichen Simultandolmetschersystem machte ich eines Tages in der amerikanischen Botschaft [in London] eine Dolmetscherprüfung und wurde als Dolmetscher zu den Nürnberger Gerichten engagiert», schrieb er 1953 an Heinrich Böll.[5] Hildesheimer hatte bei der Prüfung eine Rede Hitlers ins Englische übersetzen müssen. Es gelang, man machte ihm ein lukratives Angebot über 850 Pfund Jahresgehalt. «Ich nahm dieses Angebot an, da ich mich von der damals vielzitierten Kollektivschuld überzeugen wollte, nicht aber, um endgültig nach Deutschland zurückzukehren.» Ob Hildesheimer seine Künstlerlaufbahn tatsächlich aus Neugierde an der Kollektivschuld unterbrach oder nicht vielmehr wirtschaftliche Aspekte für seinen Umzug verantwortlich waren, sei dahingestellt. Seine vorgebliche Neugier entsprach jedenfalls der Haltung vieler.

Die Schulddebatte der Nachkriegszeit

Auch wenn es kaum direkte öffentliche Kollektivanschuldigungen durch die Alliierten gab, dominierte die Schuldfrage die öffentliche Debatte der unmittelbaren Nachkriegszeit. Die deutsche Bevölkerung wurde mit alliierten Plakaten konfrontiert, die Abbildungen aus befreiten Konzentrationslagern zeigten. Darauf war zu lesen: «Diese Schandtaten: Eure Schuld». Das war ein eindeutiger Verweis auf eine Mitschuld, und es war auch die Erfahrung des totalen Zusammenbruchs, die viele Deutsche darauf sensibel reagieren ließ. Die Gemüter waren erhitzt. Adolf Grimme, damals Beauftragter für das Erziehungswesen in Niedersachsen, schrieb am 21. Mai 1946 in der *Welt*: «Das politische Leben in Deutschland ist noch kaum erwacht. Die meisten Deutschen stehen noch abseits. Sie haben von dem, was man so Politik nennt, genug. Nur zwei Begriffe sind es, die auch den Stumpfesten bereits beschäftigen: Mitschuld und Demokratisierung. Es sind zwei Begriffe, in denen sich Vergangenheit und Zukunft wie in einem Brennpunkt auffangen.»

Bei einer Umfrage der amerikanischen Militärregierung im Winter 1946 lehnten 92 Prozent der Befragten den Gedanken einer Kollektivschuld ab.[6] Eine vertiefende Debatte um die deutsche Schuld wurde in kulturpolitischen Zeitschriften wie *Der Ruf* und *Die Wandlung* geführt, oft angestoßen von Emigranten wie Thomas Mann, Franz Werfel oder Hannah Arendt. Bezug auf die Plakate der Alliierten nahm indessen der Philosoph Karl Jaspers. In einer Vorlesungsreihe an der Universität Heidelberg, die 1946 auf Grundlage der Skripte unter dem Titel *Die Schuldfrage* veröffentlicht wurde, distanzierte er sich von der von ihm empfundenen Flachheit des öffentlichen Schuldgeredes und differen zierte. Jaspers wandte sich entschieden gegen eine pauschal diskreditierende Kollektivschuldthese, durch die «alles stufenlos auf eine einzige Ebene gezogen wird, um es im großen Zufassen in der Weise eines schlechten Richters zu beurteilen».[7] Er stellte Überlegungen zu Abstufungen an und benannte vier Schuldbegriffe: die kriminelle Schuld, die politische Schuld, die moralische Schuld und die metaphysische Schuld, deren Grade von entsprechenden Instanzen zu klären seien: Gericht, Gewalt und Wille des Siegers, dem eigenen Gewissen, Gott.

Jaspers' Schuldbegriff war jedoch auch unter Philosophen nicht unumstritten. Seine Schülerin Hannah Arendt, mit der er wegen ihres Essays *Organisierte Schuld* in brieflichem Austausch stand, sah seine Überlegungen skeptisch. Sie beschwerte sich im August 1946 bei ihm, dass seine Definition der NS-Politik als Verbrechen (kriminelle Schuld) unzureichend sei. Die nationalsozialistischen Verbrechen, so schien es ihr, sprengten die Grenzen des Gesetzes, und genau das mache ihre Ungeheuerlichkeit aus. Für diese Verbrechen sei keine Bestrafung streng genug. Folgerichtig kritisierte Arendt auch das Vorhaben und die Rechtsprechung des Nürnberger Gerichts. Es wäre völlig unzureichend, wenn die Alliierten Göring aufhängen würden, schrieb sie an Jaspers. Die Schuld der Nazi-Führer überschreite und zerstöre alle Rechtssysteme, sie sei innerhalb eines Rechtssystems adäquat nicht mehr zu bestrafen. Jaspers aber sah die Gefahr, dass Arendt, indem sie die Schuld der Nazis über das Kriminelle hinaus erhöhe, sie mit Größe ausstatte und die Banalität der Angeklagten aus den Augen verliere. «Bakterien können völkervernichtende Seuchen machen und bleiben doch nur Bakterien», erwiderte Jaspers am 23. Oktober 1946.[8]

Derartige Differenzierungen machte sich Hildesheimer während seines Aufenthalts in Nürnberg nicht zu eigen. Die Wirkungsmächtigkeit der Prozesse stand für ihn nie zur Debatte. Wie seine Eltern in Palästina sah auch er die Deutschen in ihrer Gesamtheit kritisch. «Ich habe mit den Deutschen nicht mehr viel im Sinne und kann auch nicht verstehen, wie jemand anders es hat», schrieb er den Eltern am 10. April 1947 vom Press Camp aus. «[Die] Deutschen, abgesehen davon, dass sie schmutzig sind, sind mir physisch unsympathisch», heißt es in einem anderen Brief. Schlimmer noch, das einzige Gefühl, zu dem die Massen noch fähig seien, sei Selbstmitleid, «und das geht vollkommen auf Kosten ihrer Schuldgefühle».[9]

Doch im Lauf der Nürnberger Jahre änderte Hildesheimer seine Meinung. Persönliche Kontakte zu Deutschen, insbesondere zu bildenden Künstlern und Museumsmitarbeitern, hatten sich zu Freundschaften entwickelt. Offen sprach er von seiner «Familie». Hildesheimer stand emotional unter Druck, denn seine Eltern wollten, dass er nach seiner Dolmetschertätigkeit wieder nach Palästina zurückkehrte. Behutsam bereitete er sie in seinen Briefen darauf vor, dass er in seinem Geburtsland bleiben und sich als Künstler etablieren wolle. Dazu bedurfte es auch einer freundlicheren Einschätzung seiner Mitmenschen. Die Deutschen seien, «wenn auch vielleicht nicht zum größten, aber doch zum großen Teil schuldlos», erklärte er am 15. September 1949.[10]

Hildesheimers Wandel in seiner Haltung den Deutschen gegenüber entsprach der Politik der Anglo-Amerikaner, die zunehmend von Stigmatisierung absahen. Man benötigte die ehemaligen Feinde als Bündnispartner. Am 18. Mai 1947 hatte der britische Militärgouverneur in Deutschland Brian Robertson der Kontrollkommission in seiner Besatzungszone eine neue Anweisung erteilt, wonach sich die Mitarbeiter gegenüber den Deutschen verhalten sollten «wie die Menschen einer christlichen und zivilisierten Rasse gegenüber einer anderen, deren Interessen in vielerlei Hinsicht mit unseren übereinstimmen. Wir haben keinen bösen Willen mehr.» Seine Mitarbeiter nannten dies den *Be-kind-to-the-Germans*-Befehl.[11] Derweil verabschiedeten die Amerikaner eine neue Richtlinie, um die Strafdirektive JCS 1067, die das Fraternisierungsverbot enthielt, zu ersetzen. Im Juli 1947 trat die Direktive JCS 1779 in Kraft, die die Schaffung eines «stabilen und produktiven Deutschlands» befürwortete. Auf Plakaten dargebotene Fotocollagen mit Bildern von KZ-Opfern und der Warnung vor der Verbrüderung mit dem Feind – «Remember this! Don't fraternize!» – verschwanden. Angesagt war vielmehr, dem deutschen Nachfolgestaat zu internationaler Anerkennung und den Bürgern zu einer Stabilisierung des Nationalbewusstseins zu verhelfen.

Die Schulddebatte, die die deutsche Nachkriegsgesellschaft prägte, hatte Hildesheimer für sich beantwortet, indem er nach seiner Dolmetschertätigkeit in Deutschland blieb. Jahrzehnte später holte sie ihn jedoch wieder ein. Anlass war ein kritischer Artikel von Fritz J. Raddatz 1979 in der *Zeit* über den Beginn der deutschen Nachkriegsliteratur. Raddatz stellte dem Dossier einige provokante Fragen voran: «War Günter Eich Mitglied der NSDAP? Blieb Peter Huchel Mitglied der Reichsschrifttumskammer? Schrieb Erich Kästner Nazi-Filme? Verlegte Wolfgang Koeppen im Dritten Reich? Hat Peter Suhrkamp Nazi-Oden gedruckt?» Der Artikel, der sich gegen die These von einem Kahlschlag und einem Neuanfang der deutschen Literatur nach Kriegsende wandte, provozierte eine Feuilleton-Debatte über das vermeintliche Mitläufertum bekannter Schriftsteller. Marcel Reich-Ranicki intervenierte in der FAZ, zahlreiche Autoren wurden um Stellungnahmen gebeten – darunter auch Wolfgang Hildesheimer.

Seit 1951 war Hildesheimer Mitglied der Gruppe 47, jener von Hans Werner Richter 1947 ins Leben gerufenen informellen Plattform zur Erneuerung der deutschen Literatur. Er kannte mehrere der von Raddatz angegriffenen Autoren, unter anderem Günter Eich. Seine Intervention hatte Gewicht, denn in der Gruppe 47 hatte er die Rolle des Außenseiters und des im positiven Sinne «Undeutschen» inne. Der *Spiegel* sollte dem «Sonntagskind» in einem Nachruf bescheinigen, frei von der «sehr deutschen Bedrückung, Zerknirschtheit und Provinzialität» gewesen zu sein, «die im Freundeskreis der Gruppe 47» vorherrschte, weltläufig zwischen den Künsten stehend, mit ganz eigener Fantasie und politischen Ansichten.

Die Antwort des Solitärs auf die Umfrage erschien am 9. November 1979 in der *Zeit* unter dem Titel *Waren meine Freunde Nazis?*. Darin gestand Hildesheimer seinen Freunden Irrtümer zu, entschuldigte aber nichts. Moralische Wertungen vermied er. «Verbrechen prägen den Verbrecher, aber Irrtümer nicht den Irrenden. Wir sind nicht mehr die, die wir vor zwanzig, dreißig oder vierzig Jahren waren, und bei der Prüfung meiner eigenen Irrtümer kann ich nur sagen: Gottseidank. Die Vergangenheit der mir Nahestehenden vor der Zeit, da sie mir nahestanden, ist für mich irrelevant, was nicht bedeutet, dass sie nicht im relevanten Kontext erwähnt werden darf. Waren meine Freunde also Nazis? Die Frage impliziert Plusquamperfekt, das sich jeglicher Wertung entzieht, nicht nur der meinen. Sie muss lauten: Waren Nazis meine Freunde? Die Antwort ist kategorisch und eindeutig: nein.»[12]

Hildesheimer war ein Außenseiter in der deutschen Nachkriegsliteratur, weil er nicht aus der Kriegsgefangenschaft oder dem Exil nach Deutschland zurückgekehrt war. Schon gar nicht war er ein Schriftsteller der inneren Emigration gewesen. Seine Sonderrolle und seinen Status als «graue Eminenz» hatte er auch, weil er Jude war, und er wusste es. Sein Judentum aber sah er ambivalent. Hildesheimer gestand in einem Essay, dass er, obwohl er sich als Jude fühle, nicht im Judentum verwurzelt sei und es als «unschuldig» zugewiesenes Schicksal betrachte.[13] Die Zugehörigkeit war für ihn nur insofern von Bedeutung, als sie von anderen erkannt und mit Antisemitismus beantwortet wurde. Sein Schlüsselerlebnis wurden die Nürnberger Prozesse: «Mit Judentum in seiner grausamsten Bedeutung, mit Rassenzugehörigkeit, Artfremdheit und all den Worten dieses Vokabulars, wurde ich erst konfrontiert, als ich Simultandolmetscher bei den Nürnberger Prozessen wurde; als sich hier, systematisch und schematisch, eine Geschichte aufrollte, die ich in den Jahren ihres Geschehens nur aus Berichten und Gerüchten gekannt hatte.»[14]

Tatsächlich war die Übersiedlung der Hildesheimers 1933 nach Palästina keine Flucht vor den Nazis gewesen, obwohl die Familie, wie alle Juden, antisemitischen Anfeindungen ausgesetzt war. Sie war primär zionistisch motiviert, da die Eltern schon lange planten, nach Palästina zu gehen. Unmittelbar und in emotionaler Wucht wurde Hildesheimer mit den nazistischen Gräueln erst während der Nürnberger Nachfolgeprozesse konfrontiert, insbesondere im Einsatzgruppenprozess, dem neunten der zwölf Nachfolgeprozesse. Dort, im «größten Mordprozess der Geschichte», wie ihn amerikanische Zeitungen nannten, dolmetschte Hildesheimer für Otto Ohlendorf, einen Mann, der heute als Inbild des intelligenten und technokratischen Massenmörders gilt.

Beim Einsatzgruppenprozess

Otto Ohlendorf, SS-Brigadeführer und Befehlshaber der Einsatzgruppe D während des Feldzugs gegen die Sowjetunion, stand in Nürnberg zu seinen Taten, was auch das Gericht beeindruckte.[15] Der gutaussehende 40-jährige Ohlendorf hatte nach einer akademischen Laufbahn die meiste Zeit des Krieges als Außenhandelsexperte im Wirtschaftsministerium gearbeitet. Nur ein Jahr, zwischen 1941 und 1942, hatte er die Einsatzgruppe D befehligt. Der neutrale Begriff «Einsatzgruppe» war nichts anderes als ein NS-Euphemismus für Vernichtungskommando. Die Männer unter Ohlendorfs Befehl töteten nicht gleichbewaffnete Gegner in einer Schlacht, sie erschossen im Namen der nationalsozialistischen «Rassen»- und Völkermordpolitik wehrlose Menschen, Juden, Roma, Kommunisten, vermeintliche Partisanen, sogenannte Asoziale, psychisch und physisch Kranke. Die Einsatzgruppen waren anfangs von Heinrich Himmler für Polen aufgestellt worden, wo sie ab 1939 mit Wissen der Wehrmacht über 60 000 Menschen ermordeten, vornehmlich Angehörige staatlicher Eliten. Der deutschen Armee folgend, weiteten sie ihre Mordaktionen auf das Gebiet der Sowjetunion aus.

Am 3. Januar 1946 war Ohlendorf bereits Zeuge im Hauptkriegsverbrecherprozess gewesen, wo seine Aussage allgemeine Erschütterung hervorrief. «Wissen Sie, wie viele Personen durch die Einsatzgruppe D [in der Sowjetunion] liquidiert wurden, und zwar unter Ihrer Führung?», fragte der amerikanische Colonel John Amen Ohlendorf. «90 000», antwortete der SS-Mann ohne Zögern. Amen hakte nach: «Schließt diese Zahl Männer, Frauen und Kinder ein?» Ohlendorfs knappe Antwort: «Jawohl.» Welche Anweisung für Juden und kommunistische Funktionäre in der deutsch besetzten Sowjetunion galt, wollte Colonel Amen weiter wissen. «Liquidieren», antwortete Ohlendorf. Ungläubig fragte Amen nach: «Wenn Sie das Wort ‹liquidieren› verwenden, meinen Sie ‹töten›?» Ohlendorf: «Damit meine ich ‹töten›.» Hermann Göring, der die vernichtende Aussage als Angeklagter verfolgte, schäumte vor Wut. «Was erwartet das Schwein dadurch zu gewinnen?», soll der ehemalige Reichsmarschall in einer Verhandlungspause gesagt haben, «er wird

Otto Ohlendorf beim Einsatzgruppenprozess, 1947

sowieso hängen.» Damit hatte Göring Recht, allerdings musste Ohlendorf erst einmal der Prozess gemacht werden.

Ohlendorf war insofern ein schwieriger Fall für das Gericht, weil er sich während seines eigenen Verfahrens auf Empfehlung seines Anwalts von früheren Aussagen distanzierte. Auch die Mitangeklagten versuchte er für seine Abwehrstrategie zu gewinnen. Das juristische Zauberwort, mit dem er sich zu entlasten trachtete, lautete «Putativnotwehr». Gemeint war damit, dass er davon ausgegangen sei, dass die für Notwehr erforderlichen Voraussetzungen vorlagen. Den Tötungsbefehl habe SS-Personalchef Bruno Streckenbach erteilt, der wiederum einen Befehl Hitlers übermittelt habe. Damit wurde nicht nur der Versuch unternommen, die Verantwortung auf den in sowjetischer Haft sitzenden Streckenbach abzuwälzen. Ohlendorf machte Befehlsnotstand und Gefahr für die Truppe sowie für sein Leben geltend, hätte er dem Führerbefehl zuwidergehandelt. Er gab sich als Befehlsempfänger aus, der selbst unter enormem Druck gestanden habe.

Darüber hinaus versuchte er, die Morde mit Gründen der militärischen Sicherheit zu rechtfertigen. Im Oktober 1948 sprach er vom Auftrag, «den Rücken der Wehrmacht freizuhalten durch Tötung der

Juden, Zigeuner, kommunistischer Funktionäre, aktiver Kommunisten und aller Personen, die die Sicherheit gefährden könnten». Von Erfolg war seine Strategie nicht gekrönt. Otto Ohlendorf wurde im Juni 1951 im Kriegsverbrechergefängnis in Landsberg am Lech hingerichtet, nachdem eine Begnadigungskampagne deutscher Politiker und Kirchenmänner gescheitert war.

Wolfgang Hildesheimer dolmetschte als einer von mehreren Ohlendorfs Worte vom Deutschen ins Englische. Er empfand sie als zutiefst belastend. «Das Material, was man in die Hand bekommt und auch die Zeugenaussagen, die man bei den Ärzte-Prozessen zu hören bekommt, übersteigt manchmal alles Vorstellbare.» An seine Eltern schrieb er am 8. Oktober 1947: «Ich habe heute morgen bei der Vernehmung des Hauptangeklagten Ohlendorf gedolmetscht. Es war furchtbar anstrengend und ich bin immer noch *exhausted*. Aber jetzt habe ich erst mal wieder fünf Tage frei.»[16] Die Dolmetscher in Nürnberg, darunter auch Julia Kerr, die Ehefrau des Schriftstellers Alfred Kerr, waren fast ausnahmslos Juden und europäische Flüchtlinge. Während der Prozesse waren sie mit der Aufgabe betraut, den Beschönigungen, Ausflüchten und Lügen der Täter nicht etwa zu widersprechen, sondern sie mit höchster Präzision und Professionalität zu übersetzen. Emotionen durften keine Rolle spielen. Dass sie nicht immer unterdrückt werden konnten, zeigte sich im Fall von Armand Jacoubovitch, der in der Dolmetscherkabine zusammenbrach. Er hatte fast seine gesamte Familie im Holocaust verloren. Schließlich bat er um Versetzung zu den Übersetzern. Eine seiner Kolleginnen meinte 2005 in einem Interview, sie sei 21 Jahre alt gewesen, als sie ihre Arbeit in Nürnberg begann, und zehn Jahre älter, als sie die Stadt vier Monate später verließ.[17]

Hildesheimer dagegen malte. Die bildende Kunst wurde für ihn Kompensation, Therapie und Damm gegen die vernommenen Schrecken. Bereits im Sommer 1947 vollendete er ein abstraktes Bild in Öl und ein Porträt. Er malte in Öl, Aquarell, mit Federn, Streichhölzern und was auch immer er in die Hand bekam. Für den Frühling 1948 plante er in München eine Ausstellung. Rund 30 Jahre später bemerkte er, er habe sich in Nürnberg ein Atelier eingerichtet, «um mich beim Zeichnen und Malen von dem Schrecken dieser ausführlich rekapitulierten Vorgänge abzulenken, was mir gelang».[18]

Im Alter hatte Hildesheimer eine teilweise streng pessimistische und apokalyptische Weltsicht. Das geplante Nachwort zu seiner fiktiven Biografie *Marbot* (1981), das dann nicht ins Buch übernommen wurde, beginnt mit den Sätzen: «Die Erde geht ihrem Ende entgegen, das Tempo dieses Prozesses potenziert sich von Stunde zu Stunde.»[19] Die Umwelt-, Rüstungs- und Dritte-Welt-Problematik der späten 1970er-Jahre hatte Hildesheimers depressive Grundstimmung verstärkt. Schon lange litt er unter psychischen Problemen und insbesondere, als deren Symptom, unter Schlaflosigkeit. Zu behaupten, seine Erlebnisse als Dolmetscher in Nürnberg wären allein verantwortlich für seine späteren Depressionen gewesen, wäre zu weit gegriffen. Hildesheimers Reaktion auf die innere Erschütterung aber war dieselbe wie damals: Er wandte sich der bildenden Kunst zu.

1984 teilte er mit, er werde wegen der zu erwartenden Umweltkatastrophen das Schreiben einstellen. Viele seiner Erfahrungen waren bereits in sein literarisches Werk eingeflossen, etwa die Schlaflosigkeit und das Entsetzen über die übrig gebliebenen Häscher einer Diktatur (*Tynset*). Nun aber verstummte er, denn, so Hildesheimer in einem Interview für den *Stern*, es sei ihm unverständlich, «wie sich jemand heute noch hinsetzen und eine fiktive Geschichte schreiben» könne.[20] Öffentlich als Prophet des Unheils stigmatisiert und von Schriftstellerkollegen geschnitten, kehrte er zu seinen künstlerischen Anfängen zurück. Er malte vorwiegend Collagen, und wieder wurde die bildende Kunst zu seiner rettenden Gegenwelt.

Die Malerei war auch ein Grund für Hildesheimer, im Dezember 1947 von Schloss Faber-Castell ins Grand Hotel in der Nürnberger Innenstadt zu ziehen. Besagtes Atelier lag im Herzen Nürnbergs und war damit fußläufig vom Hotel erreichbar. Bis dahin hatte Hildesheimer ein angenehmes knappes Jahr im Press Camp verbracht.

Klagten viele Korrespondenten während des Hauptkriegsverbrecherprozesses über die Lebensumstände in der überfüllten Presseunterkunft, fühlte sich Hildesheimer, der Angestellte einer Besatzungsmacht, dort geradezu fürstlich untergebracht. Er hatte ein Einzelzimmer im Schloss. In seiner monatlichen Alkoholration waren drei Flaschen Champagner inbegriffen. «Vorigen Monat hatte ich Veuve Cliquot [sic]. […] es gibt auch Gin», schrieb er seinen Eltern begeistert. Hildesheimer besaß eigene Trinkgläser und Handtücher. «Ich bekomme diese Woche auch Vorhänge und habe mir mein Zimmer mit Bildern und Landkarten tapeziert.» «Beim Zahnarzt war ich längst, und zwar hier. Eine neue Brille habe ich auch. Alles übrigens umsonst. Diese Sachen sind wirklich fantastisch eingerichtet.» Nur in ästhetischer Hinsicht war er von Schloss Faber-Castell enttäuscht. Es sei ein «entsetzlicher alter Kasten, furchtbar geschmacklos, eine Mischung aus Jugendstil und Rokoko. Aber es ist sehr bequem, Riesenzimmer mit Badezimmern, phantastisches Essen, Trinken, Aufenthaltsräume, Autos jederzeit zur Verfügung.»[21]

In der Dolmetscherkabine

Die ersten Wochen in Nürnberg verbrachte Hildesheimer mit Proben. Bevor er als Dolmetscher zum Einsatz kam, musste er für die bevorstehende Aufgabe trainieren. Insbesondere das Simultandolmetschen des Deutschen galt als Herausforderung. Hitlers Dolmetscher Paul Schmidt, der als Zeuge im Zeugenhaus interniert war, bemerkte dazu: «Die Schwierigkeit [...] liegt in der besonderen Satzkonstruktion, durch die sich Deutsch von allen anderen bei internationalen Konferenzen gebräuchlichen Sprachen unterscheidet. Da im Deutschen das Zeitwort oft erst am Ende eines manchmal ziemlich langen und verschachtelten Satzes folgt, bei der französischen oder englischen Wiedergabe aber unmittelbar nach dem Hauptwort gebraucht wird, [...] entstehen hier rein zeitlich fast unüberwindliche Hindernisse.»[22]

Das Simultandolmetschen war eine gänzlich neue Arbeitsweise, als deren Geburtsstunde der Nürnberger Hauptkriegsverbrecherprozess gilt. Geschuldet war dies der Technik. Die Dolmetschanlage ermöglichte durch die Verkabelung aller mit allen ein gleichzeitiges Übersetzen. Vom Saal durch eine Glaskabine getrennt, konnten die Dolmetscher die einzelnen Sprachen durch Drehen einer Einstellscheibe aktivieren. Über eine gelbe Lampe konnte signalisiert werden, dass langsamer gesprochen werden sollte, eine rote Lampe zeigte eine Pause an, etwa bei technischen Problemen. Bis zu diesem Zeitpunkt kannten die Dolmetscher nur das Konsekutivdolmetschen, in der die Übersetzung zeitversetzt nach dem Vortrag des Originals erfolgte. Benutzt wurde dafür eine spezielle Notizentechnik. Für diese Art des Dolmetschens aber hatte man in Nürnberg keine Zeit, da der Prozess sonst unverhältnismäßig verzögert worden wäre.

Die Dolmetscher standen unter enormem Druck, nicht nur zeitlich. In welthistorischen Kriegsverbrecherprozessen mussten sie in aller Eile perfekt übersetzen. Dass dies nicht möglich war, bestätigt Siegried Ramler, Dolmetscherkollege, Vorgesetzter und Freund Hildesheimers, in seiner Autobiografie. Er bemerkt, die wichtigste Fähigkeit eines Simultandolmetschers sei, kein Perfektionist sein zu wollen. Auch die zweit- oder drittbeste Lösung bei der Suche nach einem Wort sei legitim. Die Angeklagten, für die es buchstäblich um Kopf und Kragen ging, sahen dies allerdings anders. Fritz Sauckel, Angeklagter im Hauptkriegsverbrecherprozess, der wegen seines starken fränkischen Dialekts den Dolmetschern Kopfzerbrechen bereitete, glaubte bis zuletzt, er sei wegen eines Übersetzungsfehlers zum Tode verurteilt worden.

Auch die Ankläger waren nicht vor Übersetzungsfehlern geschützt. Robert H. Jackson, dessen Verhör Görings allgemein als gescheitert angesehen wurde, hatte seine ärgerliche Pleite auch der Übersetzung zu verdanken. Zunächst wollte er Göring mit der Planung des Krieges belasten. Er legte dazu ein Dokument vor, in dem von der «Vorbereitung der Befreiung des Rheins» die Rede war («preparation for the liberation of the Rhine»). Göring aber erkannte sofort den Lapsus und wies darauf hin, dass sich dieser Passus nicht auf die 1936 erfolgte militärische Besetzung des entmilitarisierten Rheinlands durch die Wehrmacht bezog. Tatsächlich ging es um die «Freimachung» («clearing») des Rheins von Hindernissen. Das deutsche Wort war fälschlich mit «liberation» übersetzt worden.

In Nürnberg rang man um jedes Wort, und die richtige Wahl konnte von existenzieller Bedeutung sein. Bereits bei der Auswahl der Dolmetscherkandidaten achtete man darauf, dass sie den hohen Anforderungen gerecht wurden. Sie mussten neben herausragenden Sprachkenntnissen über ein breites kulturelles Hintergrundwissen verfügen sowie die Fachterminologie von Recht, Politik und Medizin kennen. Darüber hinaus wurde Stressresistenz verlangt. Ihre Arbeit, die höchste Konzentration erforderte, erledigten sie unter einem permanent hohen Lärmpegel, da die Dolmetscherkabinen über keine Schallisolierung verfügten. Hildesheimer klagte in Briefen immer wieder über die extremen Strapazen. «Du kannst Dir vorstellen, daß das eine etwas nervenzerreibende Tätigkeit ist», schrieb er seiner Schwester. Und im Juli 1947 an die Eltern: «Ich bin ziemlich *run down* und trotz eigentlich stundenmäßig geringer Arbeitszeit sehr angestrengt».[23]

Es gab drei Teams zu je zwölf Dolmetschern, die sich in einem genau festgelegten Rotationsverfahren abwechselten. Wegen der Anstrengung war die Nettoarbeitszeit tatsächlich gering. Hildesheimer musste nur anderthalb Stunden vormittags und anderthalb Stunden nachmittags arbeiten. Den Folgetag bekam er weitgehend frei, lediglich die Abschriften mussten kontrolliert werden. In psychischer Hinsicht war die Arbeit auch deshalb anspruchsvoll, weil die Dolmetscher während ihrer Tätigkeit von den Inhalten fast nichts mitbekamen. Ihr Bewusstsein war aufgrund der Fixierung auf die Übersetzung quasi ausgeschaltet. Erst im Nachhinein, etwa bei der Lektüre der Abschriften oder dem Abgleich der Prozessmitschriften mit den Tonbandaufnahmen, wurde ihnen die Dimension des Gesagten bewusst. Die verdrängten Gefühle forderten zu einem späteren Zeitpunkt ihren Tribut. Mitunter kam es auch zu einer merkwürdigen physischen Identifikation mit den Angeklagten: «Bei den Einsatzgruppen geht es hoch her und das dolmetschen, obwohl ziemlich anstrengend, ist sehr interessant, da man unwillkürlich die Angeklagten nachmacht», bemerkte Hildesheimer. «Ich beherrsche schon das ganze Register von Ironie über Wut zu Tränen; man spielt unwillkürlich Theater.»[24]

Hildesheimers Arbeit war nicht auf das Gericht beschränkt. Hin und wieder musste er auch bei außergerichtlichen Verhören dolmetschen. Eine Dienstreise, die er zu diesem Zweck unternahm, führte ihn 1948 bis nach Kopenhagen. Aufgrund der geringen Arbeitszeit hatte er viel Freizeit, die er immer wieder für Reisen innerhalb Deutschlands, aber auch zu Ausflügen nach Österreich und Italien nutzte. Über das American Red Cross arbeitete er zeitweise an einem Erziehungsprogramm für Kinder mit und lehrte sie zeichnen. Er besuchte Konzerte, Opernaufführungen und Ausstellungen, vor allem aber schuf er ein erstes bildkünstlerisches Œuvre.

Hildesheimer dolmetschte bis zum Ende seiner Tätigkeit in Nürnberg im Jahr 1949, verlagerte aber den Schwerpunkt seiner hauptberuflichen Arbeit zunehmend auf die Erstellung einer Textedition – er wurde Redakteur eines Teils der Dokumentenbände. Denn im Zuge einer Politik der Transparenz und der allgemeinen Verständlichkeit hatten sich die Amerikaner entschlossen, die Nachfolgeprozesse dokumentarisch aufzubereiten. Dabei sollte es sich nicht um eine ungekürzte, unzugängliche und trockene Sammlung der Protokolle handeln. Die 15-bändige Veröffentlichung der US-Regierung mit dem umständlichen Titel *Trials of War Criminals before the Nuernberg Military Tribunals under Control Council Law No. 10* wurde die offizielle Dokumentation der einzelnen Anklagen und Urteile sowie der Verwaltungsmaterialien.

Als Mitarbeiter eines Redaktionsteams musste Hildesheimer für die Bände III (Juristenprozess) und IV (Einsatzgruppenprozess) Texte auswählen, kompilieren, lektorieren und einen Index erstellen. Später bemerkte er, wie wichtig die intensive Beschäftigung mit der Sprache während seiner Dolmetscher- und Redaktionstätigkeit für seine bald einsetzende literarische Arbeit wurde. Er habe die deutsche Sprache eigentlich erst kennengelernt, als er nach Deutschland zurückkam und sie mit anderen Sprachen vergleichen konnte. Dieser Vergleich war es auch, der ihm den Reichtum und die Vorzüglichkeit des Deutschen nahegebracht habe.

Von Otto Ohlendorf hörte Hildesheimer nach Verkündigung des Todesurteils am 10. April 1948 noch einmal indirekt. Wie der Dolmetscher Peter Uiberall berichtet, erhielten die Dolmetscher einen Brief, der ausdrücklich an sie adressiert war. Darin drückte Ohlendorf seine Dankbarkeit aus, dass er dank ihrer Arbeit die faire Gelegenheit gehabt habe, gehört zu werden.[25]

Nach Beendigung seiner Tätigkeit als Redakteur zog Hildesheimer im Oktober 1949 nach Ambach am Starnberger See. 1957 kehrte er Deutschland den Rücken und siedelte in die Schweiz um, wo er bis zum seinem Tod 1991 zurückgezogen lebte. Der Grund hing indirekt mit seinen traumatischen Erlebnissen in Nürnberg zusammen – das zumindest behauptet Henry A. Lea, ein Dolmetscherkollege in Nürnberg. Lea, der später als Germanist in den USA arbeitete und sich wissenschaftlich mit Hildesheimers Werk befasste, machte das restaurative politische Klima im Nachkriegsdeutschland und eine verschleppte Phobie vor antisemitischen Tendenzen als Ursachen für den Umzug aus. Lea hatte sich mit Hildesheimer viele Sitzungstage im Einsatzgruppenprozess geteilt und dessen Reaktion aus nächster Nähe beobachtet. «When he was asked in 1964 why he didn't live in Germany he replied: Ich bin Jud. Zwei Drittel aller Deutschen sind Antisemiten. Sie waren es immer, und sie werden es immer bleiben.» Diese Sätze, die der einstige Kollege protokollierte, waren für Hermann Kestens Sammelband *Ich lebe nicht in der Bundesrepublik* bestimmt. In einem Interview bestätigte Hildesheimer den Antisemitismusvorwurf und bemerkte, der Antisemitismus sei «dem Deutschen inhärent, er wird niemals ganz auszurotten sein».[26]

Es war dann ausgerechnet der Sohn eines Nürnberger Angeklagten, dessen politische Haltung Hildesheimer ein Jahr vor seinem Tod Hoffnung gab. Bundespräsident Richard von Weizsäcker, dem Hildesheimer allem Anschein nach bereits in Nürnberg begegnet war, als der seinen Vater Ernst von Weizsäcker im sogenannten Wilhelmstraßen-Prozess verteidigte, lud Hildesheimer 1990 wenige Monate nach dem Fall der Mauer zu einer Lesung nach Schloss Bellevue ein. Es war eine Veranstaltung zu einem symbolischen Zeitpunkt der deutschen Geschichte vor zahlreichen Persönlichkeiten aus Kultur und Politik. Hildesheimer las aus *Marbot*. Dass man mit ihm einen jüdischen Autor zu dieser Wiedervereinigungsveranstaltung einlud, der Deutschland nicht zuletzt wegen des Antisemitismus dort verlassen hatte, war eine Genugtuung für Hildesheimer, aber auch ein Fingerzeig.

Richard von Weizsäcker und seiner Frau war es ein persönliches Anliegen, Hildesheimer ein Forum zu bieten. Lange hatte man um mögliche Termine gerungen. Die Wertschätzung beruhte auf Gegenseitigkeit. Hildesheimer nannte von Weizsäcker «den besten Präsidenten seit Heuss» und bezog sich damit auch auf dessen spektakulärsten öffentlichen Akt: die historische Rede von 1985 zum 40. Jahrestag der Beendigung des Krieges, die der Politiker mit Nachdruck als Befreiung – auch der Deutschen – bezeichnet hatte.[27]

EINE ART NACHWORT: GOLO MANNS EINSATZ FÜR DEN INHAFTIERTEN RUDOLF HESS

«Dass das ganze Dritte Reich eine schändlich
dumme Episode der deutschen Geschichte war,
keineswegs aus Früherem notwendig sich ergebend,
zusammengeflossen aus einer Kette von Zufällen,
Irrtümern, vermeidlichen Stümpereien,
genau dies war auch immer meine Ansicht.»

Golo Mann

Auf Initiative von *United Press* schrieb Thomas Mann am 24. November 1945, wenige Tage nach Auftakt des Prozesses, eine Stellungnahme *Zu den Nürnberger Prozessen*. Gekürzt und inszeniert als Interview erschien der Beitrag am 29. November in den *Daily News*. Mit Bezug auf die kontroversen Diskussionen über die Rechtmäßigkeit des Tribunals erläuterte Thomas Mann, weshalb er das Vorgehen der Alliierten insgesamt für richtig hielt. Die Kritik am Prozess, wonach die zu Gericht sitzenden Mächte selbst nicht schuldlos seien, es sich um bloße Machtausübung, um eine Rechtskomödie handle, nahm er ernst. Doch diese Beanstandungen fielen seiner Meinung nach nicht ins Gewicht. Thomas Mann ging es um Wichtigeres – für ihn war das Tribunal ein moralisches Fanal: «In diesem Prozeß geht es um das, was sein soll und was in hohem Grade geistige und moralische Wirklichkeit hatte, als der Faschismus sich lästerlich dagegen erhob. Er spielt auf der Schwelle der Zukunft.» Der Prozess sei als eine politisch-moralische Demonstration mit weittragenden pädagogischen Absichten gedacht.[1]

Auch Erika Mann bezog Stellung zur Kritik am Tribunal, wobei sie dieses noch uneingeschränkter verteidigte als ihr Vater. Den Vorwurf, dass es keine deutschen Richter in Nürnberg gab, entkräftete sie. Denn von Deutschen ausgetragene Verfahren wie der Weißenburger Pogromprozess bewiesen, dass man «den Deutschen nicht zutrauen kann, sich angemessen um ihre eigenen Kriegsverbrecher zu kümmern».[2] Unbelehrbare Nazis, die noch immer in deutschen Gerichten zu finden seien, könnten nicht über Altnazis richten. Als der amerikanische Senator Robert A. Taft im Oktober 1946 Kritik am Nürnberger Prozess übte, nahm Erika Mann dies zum Anlass, in den USA öffentlich gegen dessen Verurteilung zu sprechen.[3]

Eine deutlich kritischere Sicht auf den Prozess hatte ihr Bruder Golo. Golo Mann (1909–1994), das dritte Kind der Manns, der später als Historiker, Publizist und Büchner-Preisträger Berühmtheit erlangte, hatte nach eigener Aussage sein Leben lang an der Last des Vaters und der jung berühmt gewordenen Geschwister Erika und Klaus zu tragen. Er wusste, dass er nicht zu den Lieblingskindern seines Vaters zählte. Als er im Alter die Druckfahnen von Thomas Manns Tagebüchern korrigierte, durfte er unter dem 24. Januar 1920 lesen: «Golo, mehr und mehr problematische Natur, verlogen, unreinlich und hysterisch.» Auch wenn sich das Verhältnis beider im Lauf der Jahre besserte und Thomas Mann dem Sohn für dessen historische Schriften Respekt zollte, war Golo Manns geistige Entwicklung ein beharrlicher Emanzipationsprozess vom Vater. Früh wurde er zu einem Einzelgänger, familiär wie intellektuell. Von Teilen der Historikerzunft wurde er aufgrund seiner narrativen Geschichtsschreibung ausgegrenzt, die ihn dem ungerechtfertigten Verdacht aussetzte, Populärwissenschaft zu betreiben – seine Wallenstein-Biografie enthält sogar einen fiktiven inneren Monolog des Feldherrn. Sich politisch von links nach rechts bewegend, blieb er zeitlebens ein Individualist, der sich allen Etikettierungen entzog. Und er kultivierte dieses Image. Bezeichnend wurde sein Wunsch, zwar auf dem Friedhof in Kilchberg beerdigt zu werden, aber doch abseits des Familiengrabs, wo Thomas Mann und seine Frau Katia sowie ihre Töchter Erika, Monika und Elisabeth und der Sohn Michael bestattet wurden.

Golo Mann hatte im Herbst 1945 eine Tätigkeit als verantwortlicher Zensor und Programmmacher für Radio Frankfurt in Bad Nauheim

Golo Mann bei Radio Frankfurt, 1945/46

aufgenommen. Zuvor hatte er als US-Soldat in London bei der American Broadcasting Station als Kommentator der deutschsprachigen Abteilung gearbeitet. Nach einem kurzen Aufenthalt in Luxemburg, wo er sich am Ätherkrieg beteiligte, wollte er nun beim Aufbau eines freien deutschen Rundfunksenders mitwirken. Die amerikanische Militärregierung hatte für den Rundfunk eine Art gesteuerten Pluralismus vorgesehen. Mit Ausnahme von ehemaligen Nationalsozialisten sollten unter den Redakteuren alle politischen Richtungen vertreten sein. So konnten auch Hans Mayer und Stephan Hermlin für den Sender gewonnen werden, die sich offen zum Kommunismus bekannten. Golo Mann wurde die Aufgabe übertragen, ihre Beiträge und die ihrer Kollegen zu kontrollieren. Dies ging, wie alle drei später bekannten, zwar oft mit Zähneknirschen, aber fair vonstatten.

Mehrfach fuhr Golo Mann nach Nürnberg, einmal, im Dezember 1945, wurde er auf der Rückreise in dichtem Nebel in einen Autounfall verwickelt, der ihm eine Beinverletzung und einen mehrwöchigen

Krankenhausaufenthalt einbrachte. Ob er während seiner Aufenthalte in Franken im Press Camp nächtigte oder dort zu Besuch war, lässt sich nicht mit Sicherheit sagen, da der größte Teil seiner privaten Korrespondenz aus den Jahren 1944 bis 1946 verloren ging. In einem Schreiben an seine Mutter Katia vom 6. Dezember 1945 bemerkte er, er hoffe, in Nürnberg Erika zu sehen, was einen Besuch im Presselager wahrscheinlich macht, zumal dort neben seiner Schwester auch alte Bekannte logierten. Einlass hätte man Golo Mann gewährt – er war amerikanischer Staatsbürger. Seine Hoffnung mit Blick auf Erika erfüllte sich. Er traf sie und führte am 9. Dezember ein 14-minütiges Rundfunkinterview mit ihr, in dem Erika über ihren Besuch in Bad Mondorf, die juristischen Besonderheiten des Prozesses und dessen welthistorische Bedeutung sprach.[4]

Was Golo Mann aber auf der Pressetribüne im Gerichtssaal mitbekam, stimmte ihn skeptisch. Da der 36-Jährige als Kontrolloffizier an Direktiven seiner amerikanischen Vorgesetzten gebunden war, konnte er erst in späteren Jahren seine Meinung frei äußern. Nach einem dreiviertel Jahr sei er der Siegerrolle überdrüssig geworden, bekannte er in einem Interview. Sein Hass gegen Deutschland «verging eigentlich wie Schnee an der Maisonne». Während Erika Mann von der Kollektivschuld der Deutschen überzeugt war und auch Thomas Mann nicht mehr an die Möglichkeit einer inneren Umkehr Deutschlands glaubte, lehnte Golo Mann den Begriff «Kollektivschuld» ab, da dieser das vielschichtige Phänomen des geschichtlichen Versagens seiner Meinung nach nicht fasste. Ihm gefiel die Lösung seines Lehrers Karl Jaspers, «Kollektiv-Haftung», besser. Denn «Haftung und Schuld – verbrecherische Schuld – das sind zwei wesentlich verschiedene Begriffe», schrieb Golo Mann 1987, «und dann waren die Alliierten nach dem Sieg wie schon während des Krieges wahrlich keine Engel».[5] Die Kriegsverbrechen der Sieger habe man in Nürnberg mit keinem Wort erwähnen dürfen. Golo Mann benannte sie in seiner privaten Korrespondenz unverblümt als «die Taten dieses Siegergesindels», ohne die Schuld der Nazis in irgendeiner Weise zu relativieren.

Seine Kritik am Nürnberger Prozess richtete sich nicht gegen die Bestrafung der NS-Täter, sondern gegen die Willkür der Strafmaßnahmen. In einem Interview zum 40. Jahrestag des Kriegsendes erklärte er, dass man die Angeklagten lediglich hätte verhören und dann nicht verurteilen, sondern «durch ein Dekret der Sieger erschießen lassen sollen».[6] Privat war er um vieles nachsichtiger. Der Witwe des zum Tode verurteilten Generaloberststs Alfred Jodl schrieb er, dass es reine Willkür und Zufall gewesen sei, ob ein Angeklagter hingerichtet wurde oder nicht. «Der eine wurde hingerichtet, der andere durfte mitmachen beim Aufbau der Bundeswehr – ich übertreibe da nur ein klein wenig. [...] Am besten wäre es gewesen, die Militärs überhaupt aus dem Spiel zu lassen.»[7]

Der Letzte von Spandau

Aus der Deckung privater Korrespondenz traute sich Golo Mann spätestens Ende der 60er-Jahre, als er öffentlich für die Freilassung von Rudolf Heß eintrat, jenes Nürnberger Hauptkriegsverbrechers, der bereits seit 1941 inhaftiert war.

1941 war Heß, der «Stellvertreter des Führers» in Parteiangelegenheiten, ohne Hitlers Wissen nach Schottland geflogen, um über den Herzog von Hamilton die britische Regierung zu erreichen. Ihr wollte er ein Friedensangebot unterbreiten. Doch sein Flug endete anders für ihn als geplant. Von den Briten hatte er die Erfüllung aller ehrgeizigen Träume Hitlers gefordert einschließlich der Rückgabe der Kolonien an Deutschland, die nach dem Ersten Weltkrieg verlorengegangen waren. Seiner Forderung nach Festlegung der beiderseitigen Einflusssphären entsprechend sollte Deutschland freie Hand in Europa haben, die Briten dagegen im Empire. Heß, der erste Herold des Personenkults um Hitler, prahlte, drohte seinen Gastgebern gleichzeitig mit der militärischen Überlegenheit Deutschlands und erklärte ultimativ, die amtierende Regierung Churchill müsse zurücktreten, sollte Frieden geschlossen werden. «Kein Mensch mit durchschnittlicher Intelligenz hätte diese Aufgabe ungeschickter, unorientierter und weltfremder durchführen können» als Heß, schrieb der für die BBC tätige Prozessbeobachter Karl Anders. «Entweder war Heß wirklich bereits geistesgestört, [...] oder der Stellvertreter des Führers war dumm.»[8] Karl Anders vertrat damit eine Meinung, die unter den Prozessbeobachtern in Nürnberg verbreitet war.

Heß war Fehlinformationen aus England aufgesessen, die einen Stimmungswandel zugunsten eines Friedensschlusses mit dem Deutschen Reich verhießen hatten, und er fürchtete einen Zweifrontenkrieg, da Hitler in diesen Tagen den Zeitpunkt für den Überfall auf die Sowjetunion festzulegen beabsichtigte. Heß' geheime Friedensmission war aber wohl auch eine Art Übersprungshandlung in Folge seines Machtverlusts, mit der er Hitler beeindrucken wollte. Dem Intrigenspiel in dessen Umgebung war er nicht gewachsen. Heß wurde schließlich von den Briten interniert und nach dem Krieg nach Nürnberg überstellt.

Für Thomas und Erika Mann war Heß' spektakulärer Flug mitten im Krieg ein Hoffnungsschimmer. Sie sahen in seiner Tat eine Niederlage für den «Führer» und einen Schock für die Deutschen. Hitlers Umfeld sei bei weitem nicht so stabil wie nach außen dargestellt. Den Deutschen werde es die Augen öffnen, dass so ein wichtiger Mann «den Schutz der Engländer» gesucht habe, vertraute Thomas Mann seinem Tagebuch an.[9] Erika Mann plante sogar, ein Buch über Heß zu schreiben. Doch ähnlich wie im Fall von *Alien Homeland* gelangte dieses Buch nie zur Ausführung. Die Verwirklichung scheiterte wohl auch an den englischen Behörden, die Erika Mann nicht mit Dokumenten versorgen wollten.[10]

Heß, der 1941 so viel Aufmerksamkeit auf sich gezogen hatte, wirkte während der Nürnberger Gerichtsverhandlung verwirrt, seltsam deplatziert und trotzig. Während über die schlimmsten Verbrechen verhandelt wurde, las er demonstrativ Groschenromane wie *Loisl, die Geschichte eines Mädchens*. Sein eigener Anwalt zweifelte an seiner Zurechnungsfähigkeit. Göring, peinlich berührt über den Geisteszustand seines Nebensitzers, fiel ihm während seiner Aussagen immer wieder ins Wort und mahnte ihn, nicht zu lang zu sprechen. Am 1. Dezember 1945 erklärte Heß jedoch, er habe lediglich aus taktischen Gründen Gedächtnisschwund simuliert. Sein Gedächtnis stehe von nun an wieder zur Verfügung, er trage die volle Verantwortung für alles, was er getan, unterschrieben oder mitunterschrieben habe. Uneinsichtig blieb er über den gesamten Prozess hinweg. Er bereue nichts, betonte er in seinem Schlusswort. Hitler sei der «größte Sohn, den mein Volk in seiner tau-

Rudolf Heß (Mitte) auf der Anklagebank, 1946. Links Hermann Göring, rechts Joachim von Ribbentrop

sendjährigen Geschichte hervorgebracht hat». Heß wurde in den Anklagepunkten «Verschwörung gegen den Frieden» und «Entfesselung eines Angriffskriegs» für schuldig befunden und zu lebenslanger Haft im Militärgefängnis Berlin-Spandau verurteilt.

Es war dann die wörtlich genommene lebenslange Haft, die viele Deutsche Jahrzehnte nach seiner Inhaftierung Partei für Heß ergreifen ließ. Nachdem seine beiden Mithäftlinge Baldur von Schirach und Albert Speer 1966 aus dem Kriegsverbrechergefängnis entlassen worden waren, begannen erste Bemühungen um die Freilassung des «Letzten von Spandau». Ein Jahr später gründete Heß' Sohn Wolf Rüdiger den Verein «Hilfsgemeinschaft Freiheit für Rudolf Heß e. V.», der eine Unterschriftenkampagne startete, die zahlreiche prominente Unterstützer fand, darunter den britischen Chefankläger im Hauptkriegsverbrecherprozess Sir Hartley Shawcross, Pastor Niemöller, Carl Zuckmayer, Richard von Weizsäcker und auch Golo Mann. Humanitäre

Gründe spielten für die Unterzeichner eine wichtige Rolle. Sie erklärten, dass «dieser Gefangene das Maß persönlichen Leidens, das ihm auferlegt wurde, reichlich erfüllt hat».

Heß, mittlerweile 72 Jahre alt, war wie erwähnt bereits seit 1941 inhaftiert. Es war offensichtlich, dass er im Zuge des Kalten Krieges zu machtpolitischen Zwecken missbraucht wurde. Freilassungsgesuche scheiterten regelmäßig an einem Veto der Sowjets. Das Militärgefängnis in Spandau war ein historisches Kuriosum: Die für 600 Insassen konzipierte Haftanstalt war der einzige Ort auf der Welt, an dem die Alliierten des Zweiten Weltkriegs noch zusammenarbeiteten. Ein einzelner Gefangener, der im Monatsturnus abwechselnd von Soldaten der vier Siegermächte bewacht wurde und in dessen Dienst Köche, Hausverwaltung und Reinigungskräfte arbeiteten, verursachte jährlich Kosten in Millionenhöhe.

Ein Vorwort mit Konsequenzen

Golo Mann, der hohe Achtung vor den Bemühungen von Wolf Rüdiger Heß hatte und mit ihm in Verbindung stand, fand klare Worte für den Fall. Er hielt Rudolf Heß für den bei weitem unschuldigsten aller Nazi-Führer, für einen im «tiefsten Grunde harmlosen Menschen», der «rein gar nichts Bösartiges an sich» habe. Heß sei letztlich ein Romantiker und Naturverehrer gewesen, kein «Mann des Krieges». Lebenslängliche Haft müsse immer eine Chance auf spätere Freilassung beinhalten, auch für Heß, ansonsten sei die Strafe härter als die Todesstrafe. Seine anhaltende Inhaftierung sei die «grausam in die Länge gestreckte Vollziehung eines Justizmords».[11]

Diese Worte entstammen einem Text, den Golo Mann 1985 verfasste und 1994 Wolf Rüdiger Heß für eine Neuauflage von dessen Buch *Rudolf Heß: «Ich bereue nichts»* zur Verfügung stellte. Auch wenn sich Golo Mann darin explizit von den historischen Perspektiven des Buches distanziert, wurde seine Stellungnahme pro Rudolf Heß zum Politikum. Als Büchner-Preisträger, Historiker und Publizist längst selbst berühmt, hatte sich Golo Mann in seinem politischen Engagement von einem Unterstützer Willy Brandts nach rechts bewegt. Die Studentenunruhen, vor allem aber der RAF-Terrorismus der 70er-Jahre, für den er effizientere Antiterrormaßnahmen forderte, hatten ihn zu einem Befürworter der Politik von Franz Josef Strauß werden lassen. 1979 betätigte er sich als Wahlkampfhelfer für den CSU-Kanzlerkandidaten.

Für viele war Golo Mann damit zur Persona non grata geworden, gehörte es sich damals doch für einen Intellektuellen, links zu sein. Bekanntschaften gingen zu Bruch; einige wurden zu regelrechten Feindschaften. Seit 1963 stand Golo Mann im Austausch mit dem Dramatiker Rolf Hochhuth, dessen Stück *Der Stellvertreter* er in einer Rezension gelobt hatte. Hochhuth, der seinerseits Manns Wallenstein-Biografie schätzte, war dem Älteren dankbar, fühlte sich geschmeichelt und konsultierte ihn in historischen Fragen. Schließlich kam es wegen des Streits um den Baden-Württembergischen Ministerpräsidenten Hans Filbinger zum Bruch. 1978 hatte Hochhuth Filbinger in einem Beitrag für *Die Zeit* einen «furchtbaren Juristen» genannt, weil dieser als Marinerichter während des «Dritten Reichs» Todesurteile gefällt hatte. Im August 1978 musste Filbinger zurücktreten. Golo Mann war damit nicht einverstanden und gab gegenüber Hochhuth, der die Affäre angestoßen hatte, seinem Zorn Ausdruck. «I was always for the underdog; und Filbinger war der underdog in diesen Wochen», schrieb er Hochhuth einen Monat später. «Übrigens kenne ich ihn nicht, ich habe ihn ein oder zwei Mal gesehen, und da war er mir nicht sympathisch [...]. Trotzdem tat er mir leid, und es bleibt meine Überzeugung, dass ihm Unrecht getan wurde. Das haben Sie, zufällig oder unzufällig, angefangen; danach war es Kettenreaktion.»[12]

Golo Mann hatte einen Hang zu unbedingter Sympathie und Antipathie, und er hatte einen stark ausgeprägten Gerechtigkeitssinn. Letzterer war es auch, der ihn in den 80er-Jahren wieder für den inhaftierten Rudolf Heß Partei ergreifen ließ, der noch immer, trotz zahlreicher Interventionen, in Haft war. Allerdings hatte Golo Mann unterschätzt, wie sehr Heß inzwischen zu einer Integrationsfigur der extremen Rechten geworden war. War es Naivität, war es Verdrängung? 1985 ließ sich Golo Mann für eine Podiumsdiskussion der nationalistischen «Konservativen Aktion» zum Fall Heß einspannen. In Unkenntnis des politischen Charakters der Veranstaltung erklärte er sich zu einem Geleitwort bereit, das als Videobotschaft gezeigt wurde und später als Vorwort in Wolf Rüdiger Heß' Publikation erschien. Nach dem Selbstmord von Rudolf Heß 1987 wurde in einer von den «Deutschen Konservativen» geschalteten Todesanzeige aus dem Geleitwort zitiert – ohne Manns Wissen. Sein wütender Protest dagegen und seine Verlautbarungen, wonach er niemals eine Organisation unterstützen würde, die nicht nur die Grenzen von 1937, sondern sogar jene von 1914 wiederherstellen wolle, nützten nichts.[13] Seine politische Apostasie war offenkundig geworden. Golo Mann wurde als reaktionär und als militanter Rechtskonservativer medial in die Ecke gedrängt. Frustriert schrieb er dem Freiherrn von Müllenheim-Rechberg: «Vermutlich hat auch Hochhuth die [Todes-]Anzeige gesehen und wird mich nun als öffentlich nachgewiesenen Neonazi charakterisieren. Die Welt ist einmal so.»

Was Golo Mann aber von den meisten Unterstützern unterschied, war eine gewisse Dankbarkeit gegenüber Rudolf Heß. Dieser hatte während des «Dritten Reichs» seine schützende Hand über Alfred Pringsheim gehalten, Golo Manns Großvater mütterlicherseits, der wegen seiner jüdischen Herkunft bedroht war. Der Münchner Mathematiker hatte einen guten Freund, den Professor der Geopolitik Karl Haushofer, der wiederum auch ein naher Freund von Rudolf Heß war. Der «Stellvertreter des Führers» hatte bei Haushofer studiert und war zeitweise dessen Assistent gewesen. «Und immer wieder, dank der Vermittlung Haushofers», so Golo Mann in seinem Vorwort, «hielt Rudolf Heß seine schützende Hand über Alfred Pringsheim, ersparte er ihm jene Demütigungen, deren Opfer die deutschen Juden schon in den dreißiger Jahren wurden, lange vor dem ersten, eigentlichen Pogrom. Diese Tatsache darf der Enkel nicht vergessen.»

Tatsächlich war Golo Mann aber der Einzige in seiner Familie, der Heß' Hilfeleistung in Rechnung zu stellen bereit war. Erika Mann erwähnte sie nie, im Gegenteil. Wenn sie über Heß schrieb, charakterisierte sie ihn als ebenso fanatischen wie törichten Hitler-Adepten. In ihrem Nachlass befindet sich eine *Erinnerung an Rudolf Hess und seinen Preisaufsatz im November 1921*. Der fiktionalisierte Bericht handelt davon, wie Heß 1921 einen von einem anonymen Spender initiierten Schreibwettbewerb der Universität München gewann. Essayistisch sollte die Frage beantwortet werden: «Wie wird der Mann beschaffen sein, der Deutschland wieder zur Höhe bringt?» Heß schildert in seinem Aufsatz einen Diktator voller Leidenschaft, Kälte und Selbstlosigkeit, der eindeutig an den von ihm bewunderten Hitler erinnert. Sein preisgekrönter Text, der Hitler – verhüllt – in den höchsten Tönen lobt, hätte kaum hagiografischer ausfallen können. Erika Mann zitiert aus Heß' «abstoßender Schilderung» mit Spott und bezeichnet ihn als «Halbirren», «töricht im Blick» mit «eisigen Augen». Für sie war er eine jener Figuren, die Hitler erst ermöglicht hatten. Harmlos im Sinne Golo Manns, gar ein Romantiker, war er für sie keineswegs.

Gnadenlos begegnete sie während des Nürnberger Prozesses auch Ilse Heß, die sie als überaus einfältig schilderte, und ohne Gnade begegnete sie besagtem Karl Haushofer. Den Freund des Großvaters besuchte sie nach dem Krieg zu Interviewzwecken. Haushofers Sohn Albrecht war am Attentat vom 20. Juli 1944 auf Adolf Hitler beteiligt gewesen und wurde nach dessen Fehlschlagen zunächst inhaftiert. Beim Einmarsch der Russen in Berlin wurde er schließlich von einer SS-Einheit erschossen. Karl Haushofer, der bereits nach Heß' Flug nach Schottland im Visier der Gestapo gestanden hatte, wurde nach dem Attentat interniert und verbrachte einen Monat im Konzentrationslager Dachau. Seelisch gebrochen, lebte er bis zum Kriegsende zurückgezogen. Im März 1946 beging er mit seiner Frau Selbstmord.

Erika Mann interviewte ihn wenige Monate davor im September 1945. Ihr Essay *Besuch beim Karl Haushofer* ist bitter, fast gehässig. Ausdrücklich betont sie, dass die Beziehung zwischen Vater und Sohn schlecht war. Der Geopolitiker und ehemalige Offizier Karl Haushofer war ein Vordenker der nazistischen Lebensraum-Politik gewesen. Viele gingen so weit, ihn das «Hirn Hitlers» zu nennen, den er über Besuche im Landsberger Gefängnis bei Rudolf Heß persönlich kannte. Den «Lebensraum» galt es Haushofers Meinung nach für die Deutschen zu vergrößern, womit er Hitlers aggressive Expansionspolitik mit pseudowissenschaftlichen Argumenten stützte. So sah er etwa eine europäisch-afrikanische Panregion unter deutscher Führung vor. Kleinere Völker mussten seiner Ansicht nach zwangsläufig untergehen. Erika Mann aber prangerte weniger Haushofers geopolitische Vorstellungen an, für sie war er Vertreter und Symptom einer untätigen deutschen Elite, die sich manipulieren ließ: «Schämte er sich für das Martyrium seines Sohnes?» Dass er sich spätestens nach Heß' Schottland-Flug von den Nationalsozialisten distanziert hatte, selbst von ihnen verfolgt worden war und seinen Sohn im Widerstand gegen Hitler verloren hatte, hielt sie ihm nicht zugute. Haushofers Hilfe zum Schutz der Großeltern ignorierte sie.

In Erika Manns «unversöhnlichem Hass» (Tilmann Lahme) und Golo Manns Bemühung um Milde standen sich zwei Positionen diametral gegenüber. Sie sollten repräsentativ werden für Teile der deutschen Nachkriegsgesellschaft. 1968 galt Erika Manns ganze Sympathie den Studenten der 68er-Bewegung und deren Widerstand gegen die Verdrängung der jüngsten Geschichte. Die bisweilen gnadenlose Radikalität, mit der die 68er ihre Elterngeneration für die Vergangenheit zur Rechenschaft zogen, hätte die 1969 gestorbene Erika Mann ihrer Biografin Irmela von der Lühe zufolge «wohl gebilligt und bekräftigt».[14] Golo Mann hingegen sympathisierte im Lauf der 70er-Jahre wie erwähnt zunehmend mit den politischen Vorstellungen von Franz Josef Strauß, der den Antritt der Regierung Brandt als einen linken Staatsstreich bezeichnet hatte. Es waren jedoch auch die anhaltenden Beschuldigungen und die «ungeheure Hetze» gegen den Kanzlerkandidaten, die Golo Mann zu dem Entschluss brachten, Strauß zu unterstützen.[15] Einer von dessen wichtigsten politischen Wegbegleitern, Alfred Seidl, war 1977 zum Staatsminister des Inneren in Bayern ernannt worden. Er war niemand anderes als der Verteidiger von Rudolf Heß während des Nürnberger Hauptkriegsverbrecherprozesses.

Liest man vor dem Hintergrund der Nachkriegsdebatte um Rudolf Heß die Stellungnahmen zum Prozess, fällt auf, dass die zeitgenössische Perspektive keinen Spielraum für Golo Manns Milde ließ. Hartley Shawcross, der später wie Golo Mann und Alfred Seidl für die Freilassung von Rudolf Heß eintrat, sprach sich in seinem Schlussplädoyer vor Gericht noch dafür aus, alle Angeklagten als Mörder zu verurteilen.[16] «Personen, die in Verletzung der Gesetze ihr eigenes Land sowie fremde Länder aggressiv in einen Krieg stürzen, [tun] dies letztlich mit einem Strick um den Hals.» Für die sowjetischen Berichterstatter stand ausnahmslos fest, dass Heß die Todesstrafe verdient hatte. Auch Karl

Anders schrieb, dass Heß' Name unter zahllosen Befehlen stehe, «die selbst ein Todesurteil gerechtfertigt hätten».

Vielen kam Heß rätselhaft und psychisch krank vor, selbst nachdem er vor Gericht eingestanden hatte, er habe seinen Gedächtnisschwund nur vorgetäuscht. «Verrückt wie ein Hutmacher» sei er, schrieb die Malerin Laura Knight ihrem Mann aus Nürnberg, dazu asketisch, krank und von merkwürdig dunkelgrüner Hautfarbe. Knights Charakterisierung fand Niederschlag in ihrem Gemälde *The Nuremberg Trial*, auf dem man einen in sich zusammengesunkenen Rudolf Heß sieht (vgl. Abb. S. 32). Knight hob in ihrer bildlichen Darstellung dessen Scheitelglatze hervor, die sie an eine Tonsur erinnerte.[17] Das mönchische Haaropfer als Zeichen der Hingabe zu Gott erschien ihr im Fall von Heß wie ein Erkennungszeichen für dessen «Führer»-Kult.

Die wohl aufrichtigste Stellungnahme während des Prozesses stammte von Gregor von Rezzori. Er benannte offen, dass es ihm nicht gelinge, den Menschen Rudolf Heß und seine Taten zu verstehen. Heß, der Rätselhafte, sei wie alle Angeklagten nicht in die rechte Dimension zu bringen. Im Gegensatz zu vielen seiner Kollegen, die klare Urteile fällten, schrieb von Rezzori: «Das Böse will sich nicht fassen lassen.» Die Nachkriegsdebatte zeigte mit Blick auf Heß, dass die meisten an der Diskussion Beteiligten das «Böse» sehr wohl in ihrem Sinne zu fassen wussten, wie auch immer sie es deuteten. Bis auf Gleichgültigkeit, die niemand offen formulierte, reichte die emotionale Bandbreite der Reaktionen von Hass über Milde bis zur Unterstützung – gar bis zur Märtyrerverehrung, wie die zwischen 1988 und 2004 jährlich abgehaltenen rechtsextremistischen Rudolf-Heß-Gedenkmärsche zeigten. Für Milde stand auch die Bundesregierung, die 1984 aus humanitären Gründen ein Gnadengesuch bei den Alliierten für die Freilassung des 90-Jährigen stellte, ohne Erfolg.

ANHANG

ANMERKUNGEN

Vorwort

1 X. Qian, *Vor dem Prozeß*.

2 Heute wird Schloss Faber-Castell vom Unternehmen Faber-Castell vor allem für repräsentative Zwecke genutzt, dient aber auch als Museum, in dem die Firmengeschichte dargestellt wird. Anlässlich des 75. Jahrestags der Nürnberger Prozesse hat Faber-Castell eine multimediale Dauerausstellung zum Thema «Press Camp» im Schloss zusammengestellt.

3 Vgl. R. Boyes, *Der Fetteste überlebt*.

4 Vgl. W. Wagner, *Lebens-Akte*, S. 75.

5 Vgl. Wolfgang Hildesheimer, Brief an die Eltern vom 26. 4. 1947, in: ders., *Die sichtbare Wirklichkeit bedeutet mir nichts*, S. 296.

6 Vgl. S. Kinnebrock, *Frauen und Männer im Journalismus*, S. 122.

7 Vgl. V. Ocampo, *Mein Leben ist mein Werk*, S. 252.

8 Vgl. S. Radlmaier, *Das Bleistiftschloss als Press Camp*, und S. Radlmaier (Hg.), *Der Nürnberger Lernprozess*. Gemeinsam mit dem Filmemacher Reiner Holzemer hat Radlmaier einen Dokumentarfilm über das Press Camp gedreht, *IMT Press Camp*, in dem Zeitzeugen wie Markus Wolf, Ray D'Addario oder die Übersetzerin Simone Herbulot an Originalschauplätzen zu Wort kommen. Der Film ist Teil der multimedialen Dauerausstellung «The IMT Press Camp im Schloss» und kann bei einer Führung im Faberschloss gesehen werden.

Das Presselager im Bleistiftschloss

1 Zitiert aus: A. Diller / W. Mühl-Benninghaus (Hg.), *Berichterstattung über den Nürnberger Prozess gegen die Hauptkriegsverbrecher 1945/46*, S. 11. Vgl. auch B. Mettler, *Demokratisierung und Kalter Krieg*.

2 Vgl. M. Gemählich, *Frankreich und der Nürnberger Prozess gegen die Hauptkriegsverbrecher 1945/46*, S. 170.

3 Vgl. A. Speer, *Erinnerungen*, S. 516.

4 Vgl. T. Taylor, *Die Nürnberger Prozesse*, S. 279.
5 Zitiert aus: P. de Mendelssohn, *Zeitungsstadt Berlin*, S. 607.
6 Zitiert aus: H.-U. Wagner, *Der Nürnberger Hauptkriegsverbrecherprozess als Medienereignis*.
7 Vgl. W. Schaber, *Der Fall Ullmann*, S. 116.
8 Vgl. E. W. Michel, *Promises Kept*, S. 198 f. Nach seiner Auswanderung in die USA nannte sich Ernst Michel Ernest W. Michel.
9 Vgl. A. Weinke, *Die Nürnberger Prozesse*, S. 49.
10 Vgl. L. Jockusch, *Justice at Nuremberg?*, S. 122, 126 f.
11 Vgl. J. Wilke / B. Schenk / A. A. Cohen / T. Zemach, *Holocaust und NS-Prozesse*, S. 64.
12 Vgl. H. Krösche, *Zwischen Vergangenheitsdiskurs und Wiederaufbau*, S. 60 f.
13 Ebd., S. 66.
14 Vgl. R. Tüngel / H. R. Berndorff, *Auf dem Bauche sollst du kriechen*, S. 131 ff.
15 Ernest Cecil Deane, Brief an seine Frau Lois vom 16. 1. 1946.
16 Vgl. R. Weber, *Dateline*.
17 Peter de Mendelssohn, Brief an Hilde Spiel vom 18. 11. 1945 (Übersetzung des Autors).
18 Vgl. W. Brandt, *Links und frei*, S. 403.
19 Vgl. F. Prinz zu Sayn-Wittgenstein, *Schlösser in Franken*, S. 24 f.
20 Vgl. W. Brandt, *Verbrecher und andere Deutsche*, S. 13.
21 Vgl. Wolfgang Hildesheimer, Brief an Eva Teltsch vom Januar 1947, in: ders., *Die sichtbare Wirklichkeit bedeutet mir nichts*, S. 285.
22 Die überlieferten Fotografien stammen zumeist von Ray D'Addario, der im Schloss wohnte und den Prozess als Fotograf der US Army begleitete.
23 Vgl. E. Triolet, *Der Prozess tanzt*, S. 263.
24 Zu Laura Knights Aufenthalt in Nürnberg vgl. L. Feigel, *The Bitter Taste of Victory*, S. 169 ff.
25 William Strickers Nachlass, darunter auch einige Fotos vom Press Camp, findet sich digitalisiert im Internetarchiv des Leo Baeck Institute in New York (William Stricker Collection). Dort befindet sich auch ein digitalisiertes Exemplar des *Nürnberger Extra Blatt*, das 1946 in einer Auflage von 300 Exemplaren als Privatdruck erschien.
26 Ernest Cecil Deane, Brief an seine Frau Lois vom 20. 10. 1945.
27 Vgl. T. Taylor, *Die Nürnberger Prozesse*, S. 263 f.
28 Ernest Cecil Deane, Brief an seine Frau Lois vom 22. 12. 1945.
29 Erika Mann, Brief an ihre Eltern vom 24. 3. 1946.
30 Vgl. H. Krösche, *Zwischen Vergangenheitsdiskurs und Wiederaufbau*, S. 65.
31 Ernest Cecil Deane, Brief an seine Frau Lois vom 14. 5. 1946.
32 Zitiert aus: S. Radlmaier, *Das Bleistiftschloss als Press Camp*, S. 21.
33 Vgl. B. Polewoi, *Nürnberger Tagebuch*, S. 126.

34 Vgl. H. Gaskin (Hg.), *Eyewitnesses at Nuremberg*, S. 26 (Übersetzung des Autors).
35 B. Polewoi, *Nürnberger Tagebuch*, S. 128.
36 Vgl. B. Gribben, *Weighted Scales*, S. 53.
37 Das berichtet Janet Flanner, vgl. dies., *Paris, Germany …*, S. 126.
38 B. Polewoi, *Nürnberger Tagebuch*, S. 127.
39 Ernest Cecil Deane, Brief an seine Frau Lois vom 16. 12. 1945.
40 Ernest Cecil Deane, Brief an seine Frau Lois vom 16. 10. 1945.
41 Vgl. E. Kästner, *Streiflichter aus Nürnberg*, S. 495.
42 Vgl. S. Simon, *La Galerie des monstres*, S. 18. Dt. Übersetzung zitiert aus: M. Gemählich, *Frankreich und der Nürnberger Prozess gegen die Hauptkriegsverbrecher 1945/46*, S. 177.
43 P. Fehl, *Die Geister von Nürnberg*, S. 280.
44 Vgl. H. Gaskin, *Eyewitnesses at Nuremberg*, S. 104 (Übersetzung des Autors).
45 A. Döblin, *Wie das Land 1946 aussieht*, S. 320.
46 Vgl. W. von Koppenfels, *Orwell und die Deutschen*, und L. Feigel, *The Bitter Taste of Victory*, S. 39 ff.
47 Vgl. A. Rückerl, *NS-Verbrechen vor Gericht*, S. 92. Zur Bewertung des Prozesses unter Historikern und Juristen vgl. I. Gutmann / E. Jäckel / P. Longerich / J. H. Schoeps (Hg.), *Enzyklopädie des Holocaust*, Bd. 2, S. 1019–1047.
48 Vgl. W. Brandt, *Links und frei*, S. 404.
49 Vgl. M. Voslensky, *Stalin war mit Nürnberg unzufrieden*. Vgl. auch G. Ueberschär (Hg.), *Der Nationalsozialismus vor Gericht*, S. 52 ff.
50 Vgl. H. Habe, *Die Irrtümer von Nürnberg*, S. 238.
51 Vgl. O. White, *Die Straße des Siegers*, S. 234 f.
52 Vgl. A. Mitscherlich, *Geschichtsschreibung und Psychoanalyse*, zitiert aus: K. Scherpe, *In Deutschland unterwegs*, S. 325.
53 Vgl. G. von Rezzori, *Das Schlusswort von Rudolf Heß*, S. 296 f.
54 Vgl. T. Fitzel, *Eine Zeugin im Nürnberger Prozess*, S. 64 f.
55 Vgl. C. Maier, *Die Reportage in der ersten Hälfte des 20. Jahrhunderts*, S. 106.
56 Vgl. Polewois und von Rezzoris Prozessberichte in: S. Radlmaier (Hg.), *Der Nürnberger Lernprozess*, S. 105, 289.
57 Vgl. M. Lerners Vorwort in: V. H. Bernstein, *Final Judgement. The Story of Nuremberg*, S. 2 (Übersetzung des Autors).

Amerikanische Niederlagen oder die Melancholie des John Dos Passos

1 John Dos Passos, Brief an seine Frau Katy vom 30. 10. 1945, in: ders., *The Fourteenth Chronicle*, S. 556.
2 «In the year of our defeat» liegt in deutscher Übersetzung vor: vgl. J. Dos Passos, *Das Land des Fragebogens*.
3 Zitiert aus: K. McLoughlin, *Martha Gellhorn*, S. 25.
4 Zitiert aus dem Nachwort von N. Kadritzke in: J. Dos Passos, *Das Land des Fragebogens*, S. 134.
5 Ernest Cecil Deane, Brief an seine Frau Lois vom 30. 10. 1945.
6 Vgl. Brief von Ernest Hemingway an Charles Scribner, in: ders., *Selected Letters*, S. 670.
7 Vgl. J. Dos Passos, *Das Land des Fragebogens*, S. 92–95.
8 Zitiert aus: T. Ludington, *John Dos Passos*, S. 427.
9 So äußerten sich Erich Kästner und Peter de Mendelssohn, vgl. C. Maier, *Die Reportage in der ersten Hälfte des 20. Jahrhunderts*, S. 104 f.
10 John Dos Passos, Brief an seine Frau Katy vom 3. 11. 1945, in: ders., *The Fourteenth Chronicle*, S. 558.
11 Vgl. A. Weinke, *Die Nürnberger Prozesse*, S. 41.
12 Ebd.
13 John Dos Passos, Brief an Upton Sinclair vom 30. 12. 1945, in: ders., *The Fourteenth Chronicle*, S. 563.

Gräfin Katharina und der Gestapochef Rudolf Diels

1 Vgl. A. Weinke, *Die Nürnberger Prozesse*, S. 31.
2 Vgl. K. Wallbaum, *Der Überläufer*, S. 261.
3 Ebd., S. 349.
4 Vgl. https://www.faber-castell.de/111-jahre-castell-9000.
5 Vgl. R. Kölbel, *Roland Graf von Faber-Castell*, S. 350.
6 1998 veröffentliche Asta Scheib mit *Eine Zierde in ihrem Hause* eine Romanbiografie der Ottilie Gräfin von Faber-Castell. Der Roman thematisiert auch die spektakuläre Scheidung der Gräfin von Graf Alexander von Faber-Castell. Ottilie, die die Trennung wollte und 1918 schließlich «schuldig geschieden» wurde, musste für die Scheidung mit dem Entzug ihrer Kinder und gesellschaftlicher Ächtung büßen. Sie folgte aber ihrem Herzen und heiratete den Mann, den sie liebte. Nach der Vorlage von Asta Scheibs Roman drehte die ARD den Film *Ottilie von Faber-Castell – eine mutige Frau*, in dem

die Gräfin als frühe Kämpferin für das Selbstbestimmungsrecht der Frau stilisiert wird. Zu den Umständen der Scheidung vgl. auch R. Kölbel, *Roland Graf von Faber-Castell*, S. 352.

7 Zur Geschichte von Roland Graf von Faber-Castell vgl. auch das Interview mit seinem Sohn Anton-Wolfgang in: J. Franzke (Hg.), *Das Bleistiftschloss*, S. 17.

8 Zitiert aus: E. Randol Schoenberg, *Austria Hangs on to Hitler's Vermeer*, in: *La Opus*, 22. 3. 2011, https://www.laopus.com/2011/03/austria-hangs-on-to-hitlers-vermeer.html (Übersetzung des Autors; leider war es dem Autor nicht möglich, die originale Quelle aufzufinden).

9 Vgl. C. Kohl, *Das Zeugenhaus*, S. 133.

10 Ebd.

11 Vgl. R. West, *Gewächshaus mit Alpenveilchen*, S. 51.

12 Vgl. J. Franzke / P. Schafhauser, *Faber-Castell*, S. 351.

13 Für weiterführende Informationen zur Geschichte von Schloss und Familie Faber-Castell danke ich Herrn Peter Schafhauser.

14 Vgl. J. Franzke (Hg.), *Das Bleistiftschloss*, S. 108.

15 Vgl. D. Sprecher, *Abenteurerin zwischen den Welten*, S. 334.

16 Vgl. C. Kohl, *Das Zeugenhaus*, S. 167 ff. Später hatte Gräfin Katharina eine außereheliche Beziehung mit dem Schweizer Milliardär und Musikmäzen Paul Sacher, aus der zwei Kinder hervorgingen. 1969 erfolgte die Scheidung von Roland Graf von Faber-Castell.

17 Vgl. K. Wallbaum, *Der Überläufer*, S. 263.

18 Zitiert aus: ebd.

19 Vgl. J. Franzke (Hg.), *Das Bleistiftschloss*, S. 19.

20 Vgl. K. Wallbaum, *Der Überläufer*, S. 279.

21 Vgl. B. Carter Hett, *«This Story Is about Something Fundamental»*, S. 207.

Erich Kästners gebrochenes Versprechen

1 Peter de Mendelssohn, Brief an Hilde Spiel vom 26. 11. 1945 (Übersetzung des Autors).

2 Vgl. E. Kästner, *Werke*, Bd. 6: *Splitter und Balken*, S. 461.

3 Vgl. S. Hanuschek, *Keiner blickt dir hinter das Gesicht*, S. 323.

4 E. Kästner, *Gesammelte Schriften für Erwachsene*, Bd. 7, S. 76.

5 Vgl. Peter de Mendelssohn, Brief an Erich Kästner vom 28. 3. 1961.

6 Vgl. P. de Mendelssohn, *Unterwegs mit Reiseschatten*, S. 149.

7 Vgl. ebd., S. 148.

8 M. Payk, *Der Geist der Demokratie*, S. 86.

9 Vgl. S. Hanuschek, *Keiner blickt dir hinter das Gesicht*, S. 324.

10 Vgl. P. de Mendelssohn, *Unterwegs mit Reiseschatten*, S. 149.

11 Zitiert aus: F. J. Görtz / H. Sarkowicz, *Erich Kästner*, S. 180.
12 Vgl. P. de Mendelssohn, *Der Geist in der Despotie*, S. 13.
13 Vgl. W. Strickhausen, *Im Zwiespalt zwischen Literatur und Publizistik*, S. 172.
14 Vgl. E. Kästner, *Streiflichter aus Nürnberg*, S. 499.
15 Peter de Mendelssohn, Brief an Hilde Spiel vom 2. 12. 1945 (Übersetzung des Autors).
16 Wo Erich Kästner in Nürnberg während seines Prozessaufenthalts logierte, ist nicht klar. Sein Biograf Sven Hanuschek vermutet, dass er privat unterkam; bei entsprechenden Reisen in dieser Zeit wohnte er gerne bei Freunden (E-Mail von Sven Hanuschek an den Autor vom 19. 11. 2020). Dass Kästner im Press Camp nächtigte, wie u. a. in S. Radlmaier, *Das Bleistiftschloss als Press Camp* behauptet (vgl. S. 32, 41), ist unwahrscheinlich und lässt sich nicht nachweisen.
17 Peter de Mendelssohn, Brief an Hilde Spiel vom 26. 11. 1945 (Übersetzung des Autors).
18 Vgl. E. Kästner, *Streiflichter aus Nürnberg*, S. 493 ff.
19 Zitiert aus: B. Wagener, *Inländische Perspektivierungen*, S. 204.
20 Vgl. G. Reus, *Was Journalisten von Erich Kästner lernen können*.
21 Am 25. November 1945 berichtete Mendelssohn seinen englischen Lesern im *Observer* vom Nürnberger Dokumentenfund, *Overwhelmed by Documents at Nuremberg*.
22 Vgl. P. de Mendelssohn, *Eine schreckliche Stadt*, S. 155.
23 Zitiert aus: M. Payk, *Der Geist der Demokratie*, S. 121 f.
24 Zitiert aus: J. Görtz / H. Sarkowicz, *Erich Kästner*, S. 217.
25 Vgl. K. Beutler, *Erich Kästner*, S. 132.
26 Zitiert aus: S. Hanuschek, *Keiner blickt dir hinter das Gesicht*, S. 335, 346.
27 Ebd., S. 354.
28 Zitiert aus: M. Payk, *Der Geist der Demokratie*, S. 117.
29 Zitiert aus: ebd., S. 122.
30 Zitiert aus: L. Feigel, *The Bitter Taste of Victory*, S. 228.
31 Vgl. B. Wagener, *Inländische Perspektivierungen*, S. 195.
32 Zitiert aus: S. Hanuschek, *Keiner blickt dir hinter das Gesicht*, S. 318.

Erika Mann, ihre «liebe Irrenhäuslerin» und ein unangenehmes Wiedersehen

1 Klaus Mann war während der Pressekonferenz in Augsburg anwesend und stellte Göring eine Frage. Er berichtet darüber in seiner Autobiografie *Der Wendepunkt*, S. 680.
2 J. Flanner, *Brief aus Nürnberg, 17. Dezember 1945*, S. 177 f.

3 Zitiert aus: W. Shirer, *Berliner Tagebuch. Das Ende*, S. 391.
4 Zitiert aus: I. von der Lühe, *The Big 52*, S. 34.
5 Vgl. H. Habe, *Brief nach Kilchberg*, S. 14.
6 E. Mann, *Briefe und Antworten*, Bd. 1, S. 30.
7 Zitiert aus: I. von der Lühe, *Erika Mann*, S. 88.
8 Zitiert aus: I. von der Lühe, *The Big 52*, S. 27 f.
9 Vgl. A. Weiss, *In the Shadow of the Magic Mountain*, S. 202.
10 I. von der Lühe, *Erika Mann*, S. 252.
11 Dies meldete Erika Mann am 1. 6. 1931 aus Rom nach Berlin, vgl. I. von der Lühe, *Erika Mann*, S. 77.
12 Vgl. E. Mann, *Briefe und Antworten*, Bd. 1, S. 66.
13 Vgl. I. von der Lühe, *Erika Mann*, S. 260.
14 Die Briefe Erika Manns, aus denen zitiert wird, sind allesamt auch digital über die Stadtbibliothek München / Monacensia einsehbar, https://www.monacensia-digital.de/nav/classification/41691.
15 Ernest Cecil Deane, Brief an seine Frau Lois vom 18. 3. 1946.
16 Vgl. R. West, *Gewächshaus mit Alpenveilchen*, S. 54.
17 I. von der Lühe, *Erika Mann*, S. 407 f.
18 So sagte sie in einem Rundfunkinterview im Dezember 1945: «[Der Prozess] ist weniger zur Aufregung und Unterhaltung der Gegenwart als zur Bildung für die Zukunft, für die Geschichte gedacht. Und die ungeheuer gewissenhafte, manchmal sogar pedantische Art, in der diese ungeheure Fülle von Tatsachenmaterial ruhig und undramatisch präsentiert ist, hat […] ihre großen Vorzüge im Angesicht der Geschichte». Vgl. E. Mann, *Blitze überm Ozean*, S. 362.
19 Vgl. W. Brandt, *Links und frei*, S. 403.
20 Vgl. I. von der Lühe, *The Big 52*, S. 34.
21 Vgl. E. Mann, *Überraschender Besuch*, in: S. Radlmaier (Hg.), *Der Nürnberger Lernprozess*, S. 143.
22 Vgl. T. Lahme, *Golo Mann*, S. 182.
23 I. von der Lühe, *Erika Mann*, S. 278.
24 Zur Verdrängung des Nationalsozialismus in den Gründerjahren der *Süddeutschen Zeitung* vgl. K. von Harbou, *Als Deutschland seine Seele retten wollte.*
25 Vgl. ebd., S. 82.
26 Vgl. S. Radlmaier (Hg.), *Der Nürnberger Lernprozess*, S. 183.
27 *Süddeutsche Zeitung*, 27. 8. 1946, abgedruckt in: W. E. Süskind, *Die Mächtigen vor Gericht*, S. 161. Vgl. auch R. André, *W. E. Süskind beim Nürnberger Prozess*.
28 Erika Mann, Brief an Alfred Neumann vom 3. 6. 1946.
29 Vgl. H. Kurzke, *Thomas Mann*, S. 530.
30 Vgl. K. von Harbou, *Als Deutschland seine Seele retten wollte*, S. 67.
31 Vgl. E. Mann, *Blitze überm Ozean*, S. 382 f.

32 Während seiner Tätigkeit als Korrespondent bei den Nürnberger Prozessen wohnte Süskind in einem «schlechtgeheizten Stübchen beim Schlossermeisterehepaar Wern» in der Fürther Straße. Im Gericht wurde er von den meist uniformierten Kollegen aus den Ländern der Alliierten streng geschieden. Ohnehin wollten sie, wie er bemerkte, wegen des Fraternisierungsverbots nichts von ihm wissen. Vgl. W. E. Süskind, *Die Mächtigen vor Gericht*, S. 18.

33 Zitiert aus: K. von Harbou, *Als Deutschland seine Seele retten wollte*, S. 85 f.

34 Vgl. W. E. Süskind, *Gekannt, verehrt, geliebt*, S. 51.

35 W. E. Süskind, *Die tänzerische Generation*, S. 593.

36 Vgl. W. E. Süskind, *Die tänzerische Generation*, S. 591. Desweiteren schrieb er: «Niemand sollte in Dancing Girls Künstlerinnen sehen, und ebenso tut der dem Jazz unrecht, der eine Kunst aus ihm machen möchte […].»

37 Vgl. T. Taylor, *Die Nürnberger Prozesse*, S. 575.

38 W. E. Süskind, *Die Mächtigen vor Gericht*, S. 153.

39 Vgl. F. Utley, *The High Cost of Vengeance*, S. 188 f. Zu Betty Knox' Biografie vgl. A. Stafford, *Wilson, Keppel and Betty.*

William Shirer und der gute Wehrmachtsgeneral

1 W. Shirer, *Zustände wie in Sing-Sing*, S. 137.

2 X. Qian, *Vor dem Prozess*, S. 20.

3 B. Polewoi, *Nürnberger Tagebuch*, S. 76. Als Thomas Dodd im September 1945 zu einer Dinner Party ins Schloss eingeladen wurde, hielt er das Essen für «wundervoll». Vgl. T. J. Dodd, *Letters from Nuremberg*, S. 132.

4 Vgl. Ernest Cecil Deane, Brief an seine Frau Lois vom 6. 12. 1945.

5 K. Cuthbertson, *A Complex Fate*, S. 127.

6 Vgl. W. Shirer, *Berliner Tagebuch. Das Ende*, S. 359.

7 Vgl. M. Strobl, *Hitler will Frieden*, in: *Die Zeit*, 2. 8. 2012.

8 Zitiert aus: K. Cuthbertson, *A Complex Fate*, S. 312.

9 Ebd., S. 294 ff., 313.

10 Vgl. das Nachwort von Jürgen Schebera in: W. Shirer, *Berliner Tagebuch. Das Ende*, S. 456.

11 Vgl. W. Brandt, *Links und frei*, S. 353.

12 1950 bat Erika Mann ihren Freund «Bill», wie sie William Shirer nannte, einen Beitrag über ihren verstorbenen Bruder Klaus zu schreiben. Shirer kam dem Wunsch nach und steuerte u. a. ein Nachwort für Klaus Manns Autobiografie *Kinder dieser Zeit* bei.

13 Vgl. W. Shirer, *Berliner Tagebuch. Das Ende*, S. 434 f.

14 Ebd., S. 439.

15 Ebd., S. 357.

16 Vgl. W. Shirer, *Aufstieg und Fall des Dritten Reiches*, S. 89.
17 Vgl. T. Mann, *Deutschland und die Deutschen*, in: ders., *Essays*, Bd. 5: *Deutschland und die Deutschen*, S. 268.
18 W. Shirer, *Aufstieg und Fall des Dritten Reichs*, S. 97.
19 Vgl. C. Kohl, *Das Zeugenhaus*, S. 59.
20 Vgl. W. Shirer, *Berliner Tagebuch. Das Ende*, S. 399 f.
21 Vgl. W. Shirer, *Twentieth Century Journey. The Start*, S. 176.
22 Vgl. W. Shirer, *Twentieth Century Journey. A Native's Return*, S. 26.
23 Vgl. ebd., S. 303.
24 Zur Kritik an Shirers Kapitel über die geistigen Ursprünge des Nationalsozialismus vgl. Golo Manns Vorwort zur deutschen Ausgabe, in: W. Shirer, *Aufstieg und Fall des Dritten Reiches*, S. XVII, und K. Epstein, *Shirer's History of Nazi Germany.*
25 Vgl. M. Fisher, *William Shirer at ‹Journey's› End*, in: *The Washington Post*, 10. 8. 1989.
26 Vgl. W. L. Shirer, *Twentieth Century Journey. A Native's Return*, S. 260.
27 Vgl. G. D. Rosenfeld, *The Reception of William L. Shirer's The Rise and Fall of the Third Reich in the United States and West Germany, 1960–62*, S. 118.
28 Vgl. W. L. Shirer, *Twentieth Century Journey. A Native's Return*, S. 450.
29 Ebd., S. 453 ff.

Alfred Döblins Verschleierung: Von vermeintlichen Gästen auf Schloss Faber-Castell

1 Vgl. H. Fiedeler, *Der Nürnberger Lehrprozess*.
2 A. Döblin, *Autobiographische Schriften und letzte Aufzeichnungen*, S. 491. Zu Döblins *Der Nürnberger Lehrprozess* vgl. auch W. Schoeller, *Döblin*, S. 655 ff.
3 Vgl. dazu das Nachwort von Christina Althen in: A. Döblin, *Kleine Schriften IV*, S. 670.
4 Dass Döblin den Hauptkriegsverbrecherprozess nicht in Nürnberg verfolgte, hat sein Sohn Claude Döblin in einer E-Mail vom 29. 4. 1992 an Christina Althen bestätigt. Der Autor dankt Christina Althen für diesen Hinweis.
5 A. Döblin, *Autobiographische Schriften und letzte Aufzeichnungen*, S. 491.
6 Vgl. https: / / www.faber-castell.de / corporate / historie / press-camp; L. Heid, *German Schrecklichkeit*, in: *Die Zeit*, 19. 11. 2015; *Nürnberger Prozesse. Pressecamp im Schloss des Bleistiftkönigs*, in: *Der Spiegel*, 17. 11. 2005.
7 Die Dokumentation ist weiterhin auf YouTube einsehbar. Döblins vermeintlicher Presseausweis erscheint bei Minute 15:47 auf der Zeitleiste, die Pressezeichnung «Döblin mit Kopfhörer im Gerichtssaal» bei Minute 16:00.
8 E-Mail von Peter Hartl an den Autor vom 23. 2. 2021.

Janet Flanners provokante Kritik
an Hermann Görings Verhör

1 «I wanted beauty, with a capital B.» Zitiert aus: Z. P. Lesinska, *Perspectives of Four Women Writers on the Second World War*, S. 55 (Übersetzung des Autors).
2 Dt. Übersetzung zitiert aus dem Nachwort von Klaus Blanc in: J. Flanner, *Paris, Germany* …, S. 222.
3 Ebd., S. 224.
4 Vgl. J. Flanner, *Paris, Germany* …, S. 13.
5 Vgl. J. Flanner, *Führer*, in: dies., *Janet Flanner's World*, S. 6–28, hier: S. 14 (Übersetzung des Autors).
6 Vgl. A. Weiss, *Paris war eine Frau*, S. 200.
7 Vgl. J. Flanner, *Darlinghissima*, S. 50, 63 f. Eine deutsche Teilübersetzung des Bandes liegt vor, vgl. J. Flanner, *Darlinghissima. Briefe an eine Freundin*, hg. von N. Danesi Murray, München 1995. Die Übersetzung der Zitate findet sich auf S. 86, 105.
8 Janet Flanner, Brief an Natalia Murray vom 12. 3. 1946, vgl. dies., *Darlinghissima*, S. 73.
9 Vgl. B. Wineapple, *Genêt*, S. 197 f.
10 Zitiert aus: E. Benda, *Der Nürnberger Prozeß*, S. 342.
11 Flanners Nürnberg-Reportagen finden sich in J. Flanner, *Paris, Germany* …, S. 111 ff.
12 Vgl. ebd., S. 138.
13 Vgl. J. Flanner, *Darlinghissima*, S. 106.
14 Vgl. C. Rollyson, *Reporting Nuremberg.*
15 Ein Großteil von Rebecca Wests Artikelserie zum Nürnberger Tribunal erschien 1955 zusammengefasst und leicht modifiziert unter dem Titel *Greenhouse with Cyclamens* in ihrem Buch *A Train of Powder.* Die deutsche Ausgabe, aus der zitiert wird, erschien 1995, vgl. R. West, *Gewächshaus mit Alpenveilchen*, hier: S. 35, 12, 34. Wests Artikel für den *New Yorker* vom 26. 10. 1946 findet sich in deutscher Übersetzung in: S. Radlmaier (Hg.), *Der Nürnberger Lernprozess*, S. 325–328.
16 Vgl. B. Wineapple, *Genêt*, S. 200.
17 Vgl. Flanners Bericht über Berlin für den *New Yorker* vom 12. 7. 1947, in: J. Flanner, *Paris, Germany* …, S. 176.
18 Vgl. B. Wolbring, *Nationales Stigma und persönliche Schuld*, S. 346.
19 Zitiert aus dem Nachwort von Klaus Blanc in: J. Flanner, *Paris, Germany* …, S. 232.

Stalinismus auf Französisch: Elsa Triolet

1 Zitiert aus: U. Hörner, *Elsa Triolet und Louis Aragon*, S. 171.
2 Zitiert aus: S. Nadolny, *Elsa Triolet*, S. 54.
3 Vgl. D. Schostakowitsch, *Die Memoiren*, S. 367.
4 Vgl. T. Balachova, *Le Double Destin d'Elsa Triolet en Russie*.
5 Vgl. A. Vaksberg / R. Gerra, *Sem' dnej v marte. Besedy ob emigracii*, S. 176.
6 Vgl. R. Nestmeyer, *Französische Dichter und ihre Häuser*, S. 122.
7 Zitiert aus: U. Hörner, *Die realen Frauen der Surrealisten*, S. 184.
8 Vgl. M. Stemberger, *Zwischen Surrealismus und Sozrealismus*, S. 84.
9 Vgl. M. Delranc-Gaudric, *«La Valse des juges»*.
10 Zitiert aus: E. Triolet, *Der Prozess tanzt*, S. 257 f.
11 Vgl. P. Daix, *Avec Elsa Triolet*, S. 35.
12 Vgl. M. Delranc-Gaudric, *«La Valse des juges»*.
13 An welchen Tagen Triolet in Nürnberg war, ist nicht klar. Viele Jahre später gab sie in einem Romanvorwort an, bereits 1945 dort gewesen zu sein, vgl. M. Delranc-Gaudric, *«La Valse des juges»*. Triolet schildert allerdings das Verhör von Baldur von Schirach, das am 23., 24. und 27. 5. 1946 stattfand, so detailliert, dass allgemein angenommen wird, sie sei dabei gewesen.
14 Zitiert aus: F. Raddatz, *Traum und Vernunft*, S. 114 f.
15 Vgl. I. Ehrenburg, *In Nürnberg*, S. 169 f.
16 Vgl. S. Radlmaier (Hg.), *Der Nürnberger Lernprozess*, S. 200.
17 U. Hörner, *Die realen Frauen der Surrealisten*, S. 202.
18 U. Hörner, *Louis Aragon und Elsa Triolet*, S. 129.
19 Vgl. S. Nadolny, *Elsa Triolet*, S. 130.
20 Ebd., S. 204.
21 Vgl. M.-T. Eychart, *L'Allemagne entre mythe et réalité*.
22 M. Gaudric-Delfranc (Hg.), *Elsa Triolet*, S. 210.

Willy Brandt, Markus Wolf und der Massenmord von Katyn

1 Zitiert aus: A. Reichenbach, *Chef der Spione*, S. 112 f.
2 Zitiert aus: M. Wolf, *Spionagechef im geheimen Krieg*, S. 496.
3 Vgl. W. Brandt, *Verbrecher und andere Deutsche*, S. 12.
4 Vgl. P. Merseburger, *Willy Brandt*, S. 227.
5 Vgl. A. Reichenbach, *Chef der Spione*, S. 29.
6 Ebd., S. 49.
7 Ebd., S. 31.

8 Vgl. M. Wolf, *Nürnberger Sakuska*, S. 89.

9 Der Journalist Joachim Siegerist veröffentlichte Ende der 80er-Jahre das Buch *Verbrecher und andere Deutsche. Das Skandal-Buch Willy Brandts*, Bremen 1989.

10 Vgl. die Einleitung von Einhart Lorenz in: W. Brandt, *Verbrecher und andere Deutsche*, S. 11.

11 Vgl. W. Brandt, *Links und frei*, S. 405.

12 Vgl. J. Oltmann, *Seine Königliche Hoheit der Obergruppenführer*, in: *Die Zeit*, 18. 1. 2001, https://www.zeit.de/2001/04/Seine_Koenigliche_Hoheit_der_Obergruppenfuehrer/komplettansicht?utm_referrer=https%3A%2F%2Fde.wikipedia.org%2F.

13 W. Brandt, *Verbrecher und andere Deutsche*, S. 13.

14 W. Brandt, *Nürnberger Verbrecher-Revue*, S. 129 ff.

15 W. Brandt, *Erinnerungen*, S. 145.

16 Brandt arbeitete 1946 noch an zwei weiteren Broschüren: *Norden i Nürnberg* (*Der Norden in Nürnberg*) und *Nürnberg – Norge – dommen* (Nürnberg – Norwegen – das Urteil), die 1946 in Stockholm und Oslo erschienen. Vgl. A. Bourguignon, *Willy Brandt et le procès de Nuremberg*.

17 Zitiert aus: R. Behring, *Normalisierung auf Umwegen*, S. 48.

18 Ebd., S. 47.

19 Ebd., S. 49.

20 Vgl. C. Kohl, *Das Zeugenhaus*, S. 164.

21 Vgl. A. Diller / W. Mühl-Benninghaus (Hg.), *Berichterstattung über den Nürnberger Prozess gegen die Hauptkriegsverbrecher*, S. 185.

22 Vgl. M. Wolf, *Göring versuchte noch, den Chef zu spielen*, in: *Der Tagesspiegel*, 1. 11. 2005, https://www.tagesspiegel.de/kultur/goering-versuchte-noch-den-chef-zu-spielen/655412.html.

23 Vgl. C. Bartlitz, *Von «gewöhnlichen Ganoven» und «erbärmlichen Kreaturen»*, S. 87.

24 Vgl. H. Krösche, *Zwischen Vergangenheitsdiskurs und Wiederaufbau*, S. 62.

25 Zitiert aus: C. Bartlitz, *Von «gewöhnlichen Ganoven» und «erbärmlichen Kreaturen»*, S. 69.

26 Zitiert aus: A. Reichenbach, *Chef der Spione*, S. 41.

27 Vgl. P. Merseburger, *Willy Brandt*, S. 227.

28 Vgl. R. Behring, *Normalisierung auf Umwegen*, S. 40.

29 P. Merseburger, *Willy Brandt*, S. 282.

30 M. Wolf, *Spionagechef im geheimen Krieg*, S. 294.

Rebecca Wests Affäre mit dem Richter

1 Vgl. L. Jockusch, *Justice at Nuremberg?*, S. 131 (Übersetzung des Autors).
2 Zitiert aus: L. Feigel, *The Bitter Taste of Victory*, S. 187 f.
3 Vgl. T. J. Dodd, *Letters from Nuremberg*, S. 202, 215, 310. Dodd bemerkte weiter, Biddle sei ein «sehr unsicherer Mann, [...] ein Opportunist», ein «ass of a man». John Dos Passos wiederum nannte Biddle «scheinheilig». Vgl. J. Dos Passos, *Das Land des Fragebogens*, S. 85.
4 Vgl. L. Feigel, *The Bitter Taste of Victory*, S. 171.
5 Vgl. T. Taylor, *Die Nürnberger Prozesse*, S. 271.
6 Die Frau von Geoffrey Lawrence schrieb, dass sie nicht verstehe, weshalb in Nürnberg so viel Aufhebens um Rebecca West gemacht werde («I don't see why all this fuss is being made over her»). Vgl. C. Rollyson, *Rebecca West*, S. 248.
7 Vgl. R. West, *Gewächshaus mit Alpenveilchen*, S. 18.
8 Vgl. C. Rollyson, *Rebecca West*, 248.
9 Ebd., S. 28.
10 Vgl. G. von Rezzori, *Mir auf der Spur*, S. 287.
11 Vgl. Rebecca West, Brief an Emanie Arling vom 13. 8. 1946, in: dies., *Selected Letters*, S. 214.
12 Vgl. Anneke de Rudder, *Ein Prozess der Männer*, S. 53.
13 Vgl. R. West, *Gewächshaus mit Alpenveilchen*, S. 12 f.
14 Zitiert aus: *Faber-Castell. Zum Jubiläum 1761–2011*, Stein 2011, S. 107.
15 Ebd., S. 104.
16 Das «busenreiche und goldüberzogene Fresko» im Esszimmer etwa, das, wie Rebecca West schreibt, «die Phasen im Leben der deutschen Frau darstellte», hatte der aus Milwaukee stammende Maler Carl von Marr gemalt, die Stillleben der in Sofia geborene Lazar Binenbaum. Vgl. auch K. Kuehl, *Das Schloss Faber-Castell in Stein*.
17 Zitiert aus dem Nachwort von Niels Kadritzke in: J. Dos Passos, *Das Land des Fragebogens*, S. 139.
18 Zititert aus: L. Feigel, *The Bitter Taste of Victory*, S. 190 (Übersetzung des Autors).
19 Zitiert aus: A. Hastings, *Special Peoples*, S. 382.
20 Vgl. ebd., S. 383, 385; A. Knezevic, *Inhabitants of the Proud Bosnia*, S. 134.
21 Vgl. R. West, *Gewächshaus mit Alpenveilchen*, S. 10.
22 Vgl. L. Feigel, *The Bitter Taste of Victory*, S. 190. Negativ besetzt in diesem Sinne ist auch die deutsche Protagonistin Gerda in *Schwarzes Lamm und grauer Falke*.
23 R. West, *Gewächshaus mit Alpenveilchen*, S. 53.

24 Ebd., S. 53 f.
25 Zitiert aus: T. Taylor, *Die Nürnberger Prozesse*, S. 689.
26 R. West, *Gewächshaus mit Alpenveilchen*, S. 124.
27 Vgl. L. Feigel, *The Bitter Taste of Victory*, S. 208.
28 R. West, *Gewächshaus mit Alpenveilchen*, S. 28.
29 R. West, *Selected Letters*, S. 216.
30 Zitiert aus: T. Taylor, *Die Nürnberger Prozesse*, S. 631.
31 Vgl. R. West, *Gewächshaus mit Alpenveilchen*, S. 28.

Martha Gellhorn, Hemingways Schatten und der Schock von Dachau

1 Vgl. M. Gellhorn, *Reisen mit mir und ihm*, S. 72.
2 Martha Gellhorn, Brief an Max Perkins vom 17. 10. 1941, in: dies., *Selected Letters*, S. 118 (Übersetzung des Autors).
3 Dass Gellhorn in ihren Artikeln der «objektiven» Beobachtung stets ihre subjektive Wertung beifügte, verschwieg sie gerne. Zu Gellhorns problematischem Verhältnis zur Objektivität vgl. auch K. McLoughlin, *Martha Gellhorn*, S. 59.
4 Vgl. M. Gellhorn, *Die Gotenlinie*, S. 234.
5 Vgl. C. Rollyson, *Beautiful Exile*, S. 176.
6 Vgl. Martha Gellhorn, Brief an Sandy Gellhorn vom 5. 9. 1969, in: dies., *Selected Letters of Martha Gellhorn*, S. 350.
7 M. Gellhorn / V. Cowles, *Love Goes to Press*, S. 19.
8 C. Rollyson, *Nothing Ever Happens to the Brave*, S. 208.
9 Von Hemingway ist ein Ausspruch überliefert, wonach Gellhorn ehrgeiziger als Napoleon gewesen sei. Vgl. C. Moorehead, *Martha Gellhorn*, S. 305.
10 Vgl. C. M. Edy, *The Woman War Correspondent, the U. S. Military, and the Press.*
11 Vgl. G. Mellinger / J. Ferré (Hg.), *Journalism's Ethical Progressions*, S. 123.
12 Vgl. K. McLoughlin, *Martha Gellhorn*, S. 149.
13 Zitiert aus: S. Radlmaier, *Das Bleistiftschloss als Press Camp*, S. 17.
14 Vgl. Martha Gellhorn, Brief an Victoria Glendenning vom 22. 9. 1987, in: dies., *Selected Letters*, S. 467.
15 Vgl. M. Gellhorn, *Selected Letters*, S. 170.
16 Vgl. M. Gellhorn, *Dachau*, S. 316.
17 Vgl. L. Feigel, *The Bitter Taste of Victory*, S. 202.
18 Vgl. C. Rollyson, *Nothing Ever Happens to the Brave*, S. 223.
19 Vgl. Martha Gellhorn, Brief an Ernest Hemingway vom 1. 12. 1943, in: dies., *Selected Letters*, S. 155.
20 Vgl. Martha Gellhorn, Brief an Adlai Stevenson vom 26. 12. 1962, in: dies., *Selected Letters*, S. 297.

21 Vgl. M. Gellhorn, *Ohne mich.*
22 Vgl. ebd., S. 206.

Malen, um dem Grauen zu entfliehen: Wolfgang Hildesheimer beim Einsatzgruppenprozess

1 Zu Roman Karmens Aufenthalt im Press Camp vgl. F. Hirsch, *Soviet Judgement at Nuremberg*, S. 136.
2 Vgl. etwa Richard Tüngel, Mitbegründer der Wochenzeitung *Die Zeit*, Harold Kurtz, der später ein renommierter Biograf wurde, oder den Historiker und Hochschullehrer Paul G. Fried.
3 Vgl. Directory of the Nuremberg Military Tribunals' Personnel in January 1948, vgl. http://www.rijo.homepage.t-online.de/pdf/EN_NU_45_occwc.pdf.
4 Vgl. S. Braese, *Jenseits der Pässe*, S. 152.
5 Wolfgang Hildesheimer, Brief an Heinrich Böll vom 7.9.1953, in: ders., *Briefe*, S. 39.
6 Vgl. A. Merritt / R. L. Merritt (Hg.), *Public Opinion in Occupied Germany*, S. 160 ff.
7 K. Jaspers, *Die Schuldfrage*, S. 19.
8 Vgl. H. Arendt / K. Jaspers, *Briefwechsel, 1926–1969*.
9 Vgl. W. Hildesheimer, *Die sichtbare Wirklichkeit bedeutet mir nichts*, S. 292, 332 f.
10 Ebd., S. 486.
11 Vgl. L. Feigel, *The Bitter Taste of Victory*, S. 237.
12 Zitiert aus: S. Bräse, *Jenseits der Pässe*, S. 463 f.
13 Hildesheimer skizzierte sein Selbstverständnis als Jude in dem Rundfunkessay *Mein Judentum* von 1978 und 1984 anlässlich des 9. Internationalen Joyce-Symposiums in Frankfurt in seiner Rede *The Jewishness of Mr. Bloom*. Vgl. auch W. Hirsch, *Zwischen Wirklichkeit und erfundener Biographie*, S. 107 f.
14 Vgl. W. Hildesheimer, *Gesammelte Werke in sieben Bänden*, Bd. VII: *Vermischte Schriften*, S. 163.
15 Zum Einsatzgruppenprozess vgl. R. Ogorreck / V. Ries, *Fall 9: Der Einsatzgruppenprozess (gegen Otto Ohlendorf und andere)*.
16 Vgl. W. Hildesheimer, *Die sichtbare Wirklichkeit bedeutet mir nichts*, S. 278, 341.
17 Vgl. *Wissenswertes über die Dolmetscher und ihre Arbeit. Begleitinformation zur* BDÜ Fotoausstellung Dolmetscher und Übersetzer beim Nürnberger Prozess 1945/46, https://he.bdue.de/fileadmin/verbaende/he/Dateien/PDF-Dateien/fotoausstellung/BDUE_Fotoausstellung_Frankfurt_Begleitheft_Web.pdf.
18 Zitiert aus: S. Bräse, *Jenseits der Pässe*, S. 145.

19 Vgl. W. Hirsch, *Zwischen Wirklichkeit und erfundener Biographie*, S. 261.
20 Zitiert aus: S. Bräse, *Jenseits der Pässe*, S. 518.
21 Vgl. W. Hildesheimer, *Die sichtbare Wirklichkeit bedeutet mir nichts*, S. 285, 288, 295.
22 P. Schmidt, *Der Statist auf der Galerie*, S. 45.
23 Zitiert aus: S. Bräse, *Jenseits der Pässe*, S. 138.
24 Vgl. W. Hildesheimer, *Die sichtbare Wirklichkeit bedeutet mir nichts*, S. 344.
25 Ebd., S. 342.
26 Zitiert aus: W. Hirsch, *Zwischen Wirklichkeit und erfundener Biographie*, S. 112. Vgl. auch H. A. Lea, *Wolfgang Hildesheimers Weg als Jude und Deutscher*.
27 Vgl. S. Bräse, *Jenseits der Pässe*, S. 546 ff.

Eine Art Nachwort: Golo Manns Einsatz für den inhaftierten Rudolf Heß

1 Vgl. T. Mann, *Zu den Nürnberger Prozessen*, S. 832 f.
2 Vgl. E. Mann, *Alien Homeland*, Kap. 21, S. 7.
3 Thomas Mann erwähnt dies in einer Tagebuchaufzeichnung, vgl. T. Mann, *Tagebücher 1946–1948*, S. 49.
4 Golo Mann war nachweislich am 6. und 9. 12. 1945 sowie am 16. 1. 1946 in Nürnberg. Der Wortlaut seines Briefes an die Mutter ist nachzulesen in: T. Mann, *Tagebücher 1944–1946*, S. 771.
5 Vgl. G. Mann, *Briefe 1932–1992*, S. 306.
6 *Professor Golo Mann erinnert sich. Mehr Scham als Freude*, Interview mit Klaus Lieber, in: *Brückenbauer*, Nr. 18, 1. 5. 1985, S. 14.
7 Zitiert aus: U. Bitterli, *Golo Mann*, S. 222.
8 Vgl. K. Anders, *Im Nürnberger Irrgarten*, S. 23.
9 T. Mann, *Tagebücher 1940–1943*, S. 1051.
10 Vgl. I. von der Lühe, *Erika Mann*, S. 412.
11 Vgl. das Vorwort von Golo Mann in: W. R. Heß, *Rudolf Heß: «Ich bereue nichts»*, S. 9–13.
12 Zitiert aus: U. Bitterli, *Golo Mann*, S. 213.
13 Vgl. G. Mann, *Briefe 1932–1992*, S. 470.
14 Vgl. I. von der Lühe, *Erika Mann*, S. 364.
15 J. Koch, *Golo Mann*, S. 346.
16 Vgl. T. Taylor, *Die Nürnberger Prozesse*, S. 712.
17 Vgl. D. Zwar, *Talking to Rudolf Hess*, S. 36.

LITERATURVERZEICHNIS

Primärliteratur

Anders, K., *Im Nürnberger Irrgarten*, Nürnberg 1948.

Arendt, H. / **Jaspers**, K., *Briefwechsel, 1926–1969*, hg. von L. Köhler und H. Saner, München 1985.

Bernstein, V. H., *Final Judgement. The Story of Nuremberg*, New York 1947.

Brandt, W., *Erinnerungen*, Berlin 1989.

Brandt, W., *Links und frei. Mein Weg 1930–1950*, Hamburg 1982.

Brandt, W., *Nürnberger Verbrecher-Revue*, in: S. Radlmaier (Hg.), *Der Nürnberger Lernprozess*, S. 129–133.

Brandt, W., *Verbrecher und andere Deutsche. Ein Bericht aus Deutschland 1946*, Bonn 2007.

D'Addario, R., *Der Nürnberger Prozeß. Das Verfahren gegen die Hauptkriegsverbrecher 1945–1946*, Text: Klaus Kastner, Nürnberg 1994.

Daix, P., *Avec Elsa Triolet*, Paris 2010.

Deane, E. C., *Letters*, Reel 1, Hoover Institution Library & Archives.

Der Nürnberger Prozeß. Das Protokoll des Prozesses gegen die Hauptkriegsverbrecher vor dem Internationalen Militärgerichtshof 14. November 1945–1. Oktober 1946, 42 Bde., Nürnberg 1947–1949 (auf CD-ROM: Digitale Bibliothek, Bd. 20, Berlin 1999).

Diller, A. / **Mühl-Benninghaus**, W. (Hg.), *Berichterstattung über den Nürnberger Prozess gegen die Hauptkriegsverbrecher 1945/46. Edition und Dokumentation ausgewählter Rundfunkquellen*, Potsdam 1998.

Dodd, T. J., *Letters from Nuremberg. My Father's Narrative of a Quest for Justice*, hg. von C. J. Dodd, New York 2007.

Döblin, A., *Autobiographische Schriften und letzte Aufzeichnungen*, Olten und Freiburg i. B. 1977.

Döblin, A., *Wie das Land 1946 aussieht*, in: ders., *Schicksalsreise. Bericht und Bekenntnis*, Solothurn und Düsseldorf 1993, S. 312–322.

Döblin, A. (erschienen unter dem Pseudonym Hans Fiedeler), *Der Nürnberger Lehrprozess*, Baden-Baden 1946; abgedruckt auch in: A. Döblin, *Kleine Schriften IV*, hg. von A. W. Riley und C. Althen, Düsseldorf 2005, S. 170–216.

Dos Passos, J., *Das Land des Fragebogens. 1945: Reportagen aus dem besiegten Deutschland*, Hamburg 1999.

Dos Passos, J., *The Fourteenth Chronicle. Letters and Diaries of John Dos Passos*, hg. von T. Ludington, Boston 1973.

Ehrenburg, I., *In Nürnberg*, in: S. Radlmaier (Hg.), *Der Nürnberger Lernprozess*, S. 160–172.

Fehl, P., *Die Geister von Nürnberg*, in: *Sinn und Form*, 51.2, 1999, S. 275–298.

Flanner, J., *Brief aus Nürnberg, 17. Dezember 1945*, in: S. Radlmaier (Hg.), *Der Nürnberger Lernprozess*, S. 174–180.

Flanner, J., *Darlinghissima. Letters to a Friend*, hg. von N. Danesi Murray, New York 1985.

Flanner, J., *Janet Flanner's World. Uncollected Writings 1932–1975*, hg. von I. Drutman, New York 1979.

Flanner, J., *Paris, Germany … Reportagen aus Europa 1931–1950*, München 1992.

Gaskin, H. (Hg.), *Eyewitnesses at Nuremberg*, London 1990.

Gellhorn, M. / **Cowles**, V., *Love Goes to Press*, hg. von S. Spanier, Lincoln und London 1995.

Gellhorn, M., *Dachau*, in: dies., *Das Gesicht des Krieges*, S. 316 ff.

Gellhorn, M., *Das Gesicht des Krieges. Reportagen 1937–1987*, Zürich 2012.

Gellhorn, M., *Die Gotenlinie. September 1944*, in: dies., *Das Gesicht des Krieges*, S. 225–238.

Gellhorn, M., *Ohne mich. Why I Shall Never Return to Germany*, in: *Granta*, Dezember 1992, S. 201–208.

Gellhorn, M., *Reisen mit mir und ihm. Berichte*, Hamburg 1990.

Gellhorn, M., *Selected Letters*, hg. von G. Moorehead, New York 2006.

Gilbert, G. M., *Nürnberger Tagebuch, Gespräche der Angeklagten mit dem Gerichtspsychologen*, Frankfurt a. M. 1962.

Habe, H., *Brief nach Kilchberg. Zum 60. Geburtstag von Erika Mann*, in: *Aufbau*, New York, 5. 11. 1965.

Habe, H., *Die Irrtümer von Nürnberg*, in: S. Radlmaier (Hg.), *Der Nürnberger Lernprozess*, S. 236–240.

Hemingway, E., *Selected Letters (1917–1961)*, hg. von C. Baker, New York 1981.

Hildesheimer, W., *Briefe*, hg. von S. Braese und D. Pleyer, Frankfurt a. M. 1999.

Hildesheimer, W., *Die sichtbare Wirklichkeit bedeutet mir nichts. Die Briefe an die Eltern 1937–1962*, Bd. 1, hg. von V. Jehle, Berlin 2016.

Hildesheimer, W., *Gesammelte Werke in sieben Bänden*, Bd. VII: *Vermischte Schriften*, hg. von V. Jehle und C. L. Hart Nibbrig, Frankfurt a. M. 1991.

Jaspers, K., *Die Schuldfrage. Von der politischen Haftung Deutschlands*, München 1987.

Kästner, E., *Gesammelte Schriften für Erwachsene*, Bd. 7, Köln 1959.

Kästner, E., *Streiflichter aus Nürnberg*, in: ders., *Werke*, Bd. 6: *Splitter und Balken. Publizistik*, hg. von. H. Sarkowicz und F. J. Görtz, München 1998.

Kempner, R. M. W., *Ankläger einer Epoche. Lebenserinnerungen*, in Zusammenarbeit mit J. Friedrich, Frankfurt a. M. und Berlin 1983.

Mann, E., *Alien Homeland*, Stadtbibliothek München / Monacensia, Nachlass Erika Mann, https: / / www.monacensia-digital.de / mann / content / titleinfo / 3326 9.

Mann, E., *Blitze überm Ozean. Aufsätze, Reden, Reportagen*, hg. von I. von der Lühe und U. Neumann, Hamburg 2000.

Mann, E., Briefe, Stadtbibliothek München / Monacensia, Nachlass Erika Mann, https: / / www.monacensia-digital.de / nav / classification / 41691.

Mann, E., *Briefe und Antworten*, hg. von A. Zanco Prestel, 2 Bde., München 1984.

Mann, G., *Briefe 1932–1992*, hg. von T. Lahme und K. Lüssi, Göttingen 2007.

Mann, K., *Der Wendepunkt. Ein Lebensbericht*, Hamburg 2005.

Mann, T., *Essays*, Bd. 5, *Deutschland und die Deutschen. 1938–1945*, hg. von H. Kurzke und S. Stachorski, Frankfurt a. M. 1996.

Mann, T., *Tagebücher 1940–1943*, hg. von P. de Mendelssohn, Frankfurt a. M. 2003.

Mann, T., *Tagebücher 1946–1948*, hg. von I. Jens, Frankfurt a. M. 2003.

Mann, T., *Zu den Nürnberger Prozessen*, in: ders., *Tagebücher 1944–1946*, hg. von I. Jens, Frankfurt a. M. 2003, S. 832 f.

Mendelssohn, P. de, Briefe, Stadtbibliothek München / Monacensia, Nachlass Peter de Mendelssohn, B 134 und B 59.

Mendelssohn, P. de, *Eine schreckliche Stadt*, in: S. Radlmaier (Hg.), *Der Nürnberger Lernprozess*, S. 153–160.

Mendelssohn, P. de, *Unterwegs mit Reiseschatten*, Frankfurt a. M. 1977.

Michel, E. W., *Promises Kept. Ein Lebensweg gegen alle Wahrscheinlichkeiten*, Mannheim 2013.

Ocampo, V., *Mein Leben ist mein Werk. Eine Biographie in Selbstzeugnissen*, hg. von R. Kroll, Berlin 2010.

Orwell, G., *As I Please*, in: *Tribune*, 12. Januar 1945.

Polewoi, B., *Nürnberger Tagebuch*, Berlin 1971.

Qian, X., *Vor dem Prozess*, in: S. Radlmaier (Hg.), *Der Nürnberger Lernprozess*, S. 19–24.

Radlmaier, S. (Hg.), *Der Nürnberger Lernprozess. Von Kriegsverbrechern und Starreportern*, Frankfurt a. M. 2001.

Rezzori, G. von, *Das Schlusswort von Rudolf Heß*, in: S. Radlmaier (Hg.), *Der Nürnberger Lernprozess*, S. 287–300.

Rezzori, G. von, *Mir auf der Spur*, München 1999.

Scherpe, K. (Hg.), *In Deutschland unterwegs. Reportagen, Skizzen, Berichte 1945–1948*, Stuttgart 1982.

Schmidt, P., *Der Statist auf der Galerie 1945–50. Erlebnisse, Kommentare, Vergleiche*, Bonn 1951.

Schostakowitsch, D., *Die Memoiren*, hg. von S. Wolkow, Berlin 2000.

Shirer, W., *Berliner Tagebuch. Das Ende. 1944–45*, Köln 1994.

Shirer, W., *Twentieth Century Journey: The Start, 1904–1930; The Nightmare Years, 1930–1940; A Native's Return, 1945–1988*, 3 Bde., New York 2020.

Shirer, W., *Zustände wie in Sing-Sing*, in: S. Radlmaier (Hg.), *Der Nürnberger Lernprozess*, S. 137–140.

Simon, S., *La Galerie des monstres. À Nuremberg dans les coulisses du plus grand procès de l'histoire*, Nancy 1946.

Speer, A., *Erinnerungen*, Berlin 1969.

Süskind, W. E., *Die Mächtigen vor Gericht. Nürnberg 1945/46 an Ort und Stelle erlebt*, München 1963.

Süskind, W. E., *Die tänzerische Generation*, in: *Der deutsche Merkur*, 8. Jg., Bd. II, April–September 1925, S. 586–597.

Süskind, W. E., *Gekannt, verehrt, geliebt. 50 Nekrologe aus unserer Zeit*, München 1969.

Triolet, E., *Der Prozess tanzt*, in: S. Radlmaier (Hg.), *Der Nürnberger Lernprozess*, S. 251–267.

Voslensky, M., *Stalin war mit Nürnberg unzufrieden*, in: *Der Spiegel*, 41/1986, https://www.spiegel.de/politik/stalin-war-mit-nuernberg-unzufrieden-a-6defab2d-0002–0001–0000–000013519365.

Wagner, W., *Lebens-Akte*, München 1994.

West, R., *Gewächshaus mit Alpenveilchen. Im Herzen des Weltfeindes. Nürnberg, Berlin 1946*, Berlin 1995.

West, R., *Selected Letters*, hg. von B. Kime Scott, New Haven 2000.

White, O., *Die Straße des Siegers. Eine Reportage aus Deutschland 1945*, München 2006.

Wolf, M., *Nürnberger Sakuska*, in: S. Radlmaier (Hg.), *Der Nürnberger Lernprozess*, S. 87–89.

Wolf, M., *Spionagechef im geheimen Krieg. Erinnerungen*, Berlin 1997.

Zuckmayer, C., *Als wär's ein Stück von mir. Horen der Freundschaft*, Wien 1966.

Sekundärliteratur

André, R., *W. E. Süskind beim Nürnberger Prozess*, in: S. Braese (Hg.), *Rechenschaften. Juristischer und literarischer Diskurs in der Auseinandersetzung mit den NS-Massenverbrechen*, Göttingen 2004, S. 25–46.

Balachova, T., *Le Double Destin d'Elsa Triolet en Russie (Documents des Archives moscovites)*, in: M. Gaudric-Delfranc (Hg.), *Elsa Triolet*, S. 93–101.

Bartlitz, C., *Von «gewöhnlichen Ganoven» und «erbärmlichen Kreaturen». Täterbilder in der Berichterstattung des Berliner Rundfunks über den Nürnberger Prozess 1945/46*, in: U. Weckel / E. Wolfrum (Hg.), *Bestien und Befehlsempfänger*, S. 66–91.

Behr, M. / **Corpataux**, M., *Die Nürnberger Prozesse. Zur Bedeutung der Dolmetscher für die Prozesse und der Prozesse für die Dolmetscher*, München 2006.

Behring, R., *Normalisierung auf Umwegen. Polen in den politischen Konzeptionen Willy Brandts, 1939–1966*, in: *Vierteljahreshefte für Zeitgeschichte*, 58 / 1, 2010, S. 35–68.

Benda, E., *Der Nürnberger Prozeß. Grundlage eines neuen Völkerrechts?*, in: U. Schultz (Hg.), *Große Prozesse. Recht und Gerechtigkeit in der Geschichte*, München 1996, S. 340–350.

Beutler, K., *Erich Kästner. Eine literaturpädagogische Untersuchung*, Weinheim 1967.

Bitterli, U., *Golo Mann. Instanz und Außenseiter*, Zürich 2004.

Bourguignon, A., *Willy Brandt et le procès de Nuremberg*, in: *Guerres mondiales et conflits contemporains*, 2013, 4 (252), S. 95–112.

Boyes, R., *Der Fetteste überlebt*, in: *Der Tagesspiegel*, 17. 4. 2010, www.tagesspiegel.de / meinung / my-berlin-der-fetteste-ueberlebt / 1803114. html.

Braese, S., *Jenseits der Pässe: Wolfgang Hildesheimer. Eine Biographie*, Göttingen 2016.

Carter Hett, B., *«This Story Is about Something Fundamental». Nazi Criminals, History, Memory, and the Reichstag Fire*, in: *Central European History*, vol. 48 / 2, 2015, S. 199–224.

Cuthbertson, K., *A Complex Fate. William L. Shirer and the American Century*, Montreal 2015.

Delranc-Gaudric, M., *«La Valse des juges». Elsa Triolet au procès de Nuremberg*, in: *Recherches croisées Aragon – Elsa Triolet*, Nr. 12, Straßburg 2009, online unter: https: / / books. openedition.org / pus / 7674?lang=de.

Edy, C. M., *The Woman War Correspondent, the U. S. Military and the Press. 1846–1947*, Lanham 2017.

Epstein, K., *Shirer's History of Nazi Germany*, in: *The Review of Politics*, vol. 23, no. 2, April 1961, S. 230–245.

Eychart, M.-T., *L'Allemagne entre mythe et réalité*, in: M. Gaudric-Delranc (Hg.), *Elsa Triolet*, S. 65–82.

Feigel, L., *The Bitter Taste of Victory. Life, Love and Art in the Ruins of the Reich*, London 2016.

Fitzel, T., *Eine Zeugin im Nürnberger Prozess*, in: G. Ueberschär (Hg.), *Der Nationalsozialismus vor Gericht*, S. 60–72.

Franzke, J. (Hg.), *Das Bleistiftschloss. Familie und Unternehmen Faber-Castell in Stein*, Ausstellungskatalog, München 1986.

Franzke, J. / **Schafhauser**, P., *Faber-Castell – Die Bleistiftdynastie*, in: H. Petroski, *Der Bleistift. Die Geschichte eines Gebrauchsgegenstands*, Basel 1995, S. 331 ff.

Frei, N., *«Wir waren blind, ungläubig und langsam». Buchenwald, Dachau und die amerikanischen Medien im Frühjahr 1945*, in: *Vierteljahreshefte für Zeitgeschichte*, 1987 / 3, S. 385–401.

Gaudric-Delfranc, M., (Hg.), *Elsa Triolet. Un écrivain dans le siècle*, Paris 2000.

Gemählich, M., *Frankreich und der Nürnberger Prozess gegen die Hauptkriegsverbrecher 1945/46*, Berlin u. a. 2018.

Görtz, F. J. / **Sarkowicz**, H., *Erich Kästner. Eine Biographie*, München 1998.

Gribben, B., *Weighted Scales. American Newspaper Coverage of the Trial of the Major War Criminals at Nuremberg*, Masterarbeit, 2010, https://scholars.fhsu.edu/cgi/viewcontent.cgi?article=1169&context=theses.

Gutmann, I. / **Jäckel**, E. / **Longerich**, P. / **Schoeps**, J. H., (Hg.), *Enzyklopädie des Holocaust. Die Verfolgung und Ermordung der europäischen Juden*, 3 Bde., Berlin 1993.

Hanuschek, S., *Keiner blickt dir hinter das Gesicht. Das Leben Erich Kästners*, München 1999.

Harbou, K. von, *Als Deutschland seine Seele retten wollte. Die Süddeutsche Zeitung in den Gründerjahren nach 1945*, München 2015.

Hastings, A., *Special Peoples*, in: *Nations and Nationalism*, vol. 5, issue 3, Juli 1999, S. 381–396.

Heß, W. R., *Rudolf Heß: «Ich bereue nichts»*, Graz und Stuttgart 1994.

Hirsch, F., *Soviet Judgement at Nuremberg. A New History of the International Military Tribunal after World War II*, Oxford 2020.

Hirsch, W., *Zwischen Wirklichkeit und erfundener Biographie. Zum Künstlerbild bei Wolfgang Hildesheimer*, Hamburg 1997.

Hörner, U., *Die realen Frauen der Surrealisten*, Mannheim 1996.

Hörner, U., *Elsa Triolet und Louis Aragon. Die Liebenden des Jahrhunderts*, Berlin 1998.

Jockusch, L., *Justice at Nuremberg? Jewish Responses to Nazi War-Crime Trials in Allied-Occupied Germany*, in: *Jewish Social Studies*, 19, 2012, S. 107–147.

Kastner, K., *Von den Siegern zur Rechenschaft gezogen. Die Nürnberger Prozesse*, Nürnberg 2001.

Kinnebrock, S., *Frauen und Männer im Journalismus. Eine historische Betrachtung*, in: M. Thiele (Hg.), *Konkurrenz der Wirklichkeiten. Wilfried Scharf zum 60. Geburtstag*, Göttingen 2005, S. 101–132.

Knezevic, A., *Inhabitants of the Proud Bosnia. The Identity of the European Native Muslims*, in: *Islamic Studies*, 40, 1, 2001, S. 133–177.

Koch, J., *Golo Mann und die deutsche Geschichte. Eine intellektuelle Biographie*, Paderborn 1998.

Kölbel, R., *Roland Graf von Faber-Castell*, in: *Fränkische Lebensbilder*, Bd. 21, hg. im Auftrag der Gesellschaft für fränkische Geschichte, Würzburg 2006, S. 349–372.

Kohl, C., *Das Zeugenhaus. Nürnberg 1945: Als Täter und Opfer unter einem Dach zusammenlebten*, München 2005.

Koppenfels, W. von, *Orwell und die Deutschen*, in: *Deutsche Viertelsjahrsschrift für Literaturwissenschaft und Geistesgeschichte*, 58, 4, 1984, S. 658–678.

Krösche, H., *Nürnberg und kein Interesse? Der Prozess gegen die Hauptkriegsver-*

brecher 1945/46 und die Nürnberger Nachkriegsöffentlichkeit, in: *Mitteilungen des Vereins für Geschichte der Stadt Nürnberg*, 93, 2006, S. 299–318.

Krösche, H., *Zwischen Vergangenheitsdiskurs und Wiederaufbau. Die Reaktion der deutschen Öffentlichkeit auf den Nürnberger Prozess gegen die Hauptkriegsverbrecher 1945/46, den Ulmer Einsatzgruppenprozess und den Sommer-Prozess 1958*, Oldenburg 2009.

Kuehl, K., *Das Schloss Faber-Castell in Stein. Zur Bau- und Kulturgeschichte eines Unternehmer-Wohnsitzes*, in: J. Franzke (Hg.), *Das Bleistiftschloss*, S. 32–65.

Kurzke, H., *Thomas Mann. Das Leben als Kunstwerk*, München 1999.

Lahme, T., *Golo Mann. Biographie*, Frankfurt a. M. 2009.

Lea, H. A., *Wolfgang Hildesheimers Weg als Jude und Deutscher*, Stuttgart 1997.

Lentner, B., *Propaganda für die Alliierten oder Aufarbeitung des Faschismus? Die Berichterstattung über den Nürnberger Prozeß gegen die Hauptkriegsverbrecher in den deutschen Nachkriegszeitungen*, Eichstätt 1997.

Lesinska, Z. P., *Perspectives of Four Women Writers on the Second World War. Gertrude Stein, Janet Flanner, Kay Boyle and Rebecca West*, New York 2002.

Ludington, T., *John Dos Passos. A Twentieth Century Odyssey*, New York 1980.

Lühe, I. von der, *Erika Mann, Eine Biographie*, Frankfurt a. M. 1996.

Lühe, I. von der, *The Big 52. Erika Manns Nürnberger Reportagen*, in: U. Weckel / E. Wolfrum (Hg.), *Bestien und Befehlsempfänger*, S. 25–37.

Maier, C., *Die Reportage in der ersten Hälfte des 20. Jahrhunderts*, in: G. Gerber / R. Leucht / K. Wagner (Hg.), *Transatlantische Verwerfungen. Transatlantische Verdichtungen. Kulturtransfer in Literatur und Wissenschaft 1945–1989*, Göttingen 2012, S. 87–109.

McLoughlin, K., *Martha Gellhorn. The War Writer in the Field and in the Text*, Manchester 2007.

Mellinger, G. / **Ferré**, J. (Hg.), *Journalism's Ethical Progressions. A Twentieth-Century Journey*, Lanham 2020.

Mendelssohn, P. de, *Der Geist in der Despotie*, Frankfurt a. M. 1987.

Mendelssohn, P. de, *Zeitungsstadt Berlin. Menschen und Mächte in der Geschichte der deutschen Presse*, Berlin 2017.

Merritt, A. / **Merritt**, R. L. (Hg.), *Public Opinion in Occupied Germany. The* OMGUS Surveys, 1945–1949, Urbana, Chicago und London 1970.

Merseburger, P., *Willy Brandt, 1913–1992. Visionär und Realist*, München 2013.

Mettler, B., *Demokratisierung und Kalter Krieg. Zur amerikanischen Informations- und Rundfunkpolitik in Westdeutschland 1945–1949*, Berlin 1975.

Mitscherlich, A., *Geschichtsschreibung und Psychoanalyse. Bemerkungen zum Nürnberger Prozess (1945)*, in: *Psyche*, 36 (12), 1982, S. 1082–1093.

Moorehead, C., *Martha Gellhorn. A Life*, London 2003.

Nadolny, S., *Elsa Triolet*, Dortmund 2000.

Nestmeyer, R., *Französische Dichter und ihre Häuser*, Berlin 2005.

Ogorreck, R. / **Ries**, V., *Fall 9: Der Einsatzgruppenprozess (gegen Otto Ohlendorf und andere)*, in: G. Ueberschär (Hg.), *Der Nationalsozialismus vor Gericht*, S. 164–175.

Payk, M., *Der Geist der Demokratie. Intellektuelle Orientierungsversuche im Feuilleton der frühen Bundesrepublik: Karl Korn und Peter de Mendelssohn*, München 2008.

Raddatz, F., *Traum und Vernunft. Louis Aragon*, in: ders., *Essays 2: Eros und Tod. Literarische Portraits*, Hamburg 1990.

Radlmaier, S., *Das Bleistiftschloss als Press Camp*, Stein bei Nürnberg 2015.

Reichenbach, A., *Chef der Spione. Die Markus-Wolf-Story*, Stuttgart 1992.

Reus, G., *Was Journalisten von Erich Kästner lernen können*, in: *Journalistik*, 1 / 2018, S. 26–46.

Rollyson, C., *Nothing Ever Happens to the Brave. The Story of Martha Gellhorn*, New York 1990.

Rollyson, C., *Rebecca West. A Life*, New York 1996.

Rollyson, C., *Reporting Nuremberg. Martha Gellhorn, Janet Flanner, Rebecca West and the Nuremberg Trials*, in: *The New Criterion*, September 1998, online unter: https: / / newcriterion.com / issues / 1998 / 9 / reporting-nuremberg.

Rosenfeld, G. D., *The Reception of William L. Shirer's The Rise and Fall of the Third Reich in the United States and West Germany, 1960–62*, in: *Journal of Contemporary History*, vol. 29, no. 1, 1994, S. 95–128.

Ross, A., *The Rest is Noise*, München 2007.

Rudder, A. de, *Ein Prozess der Männer. Geschlechterbilder in der Berichterstattung zum Nürnberger Hauptkriegsverbrecherprozess 1945 / 46*, in: U. Weckel / E. Wolfrum (Hg.), *Bestien und Befehlsempfänger*, S. 38–65.

Rückerl, A., *NS-Verbrechen vor Gericht. Versuch einer Vergangenheitsbewältigung*, Heidelberg 1984.

Sayn-Wittgenstein, F. Prinz zu, *Schlösser in Franken. Residenzen, Burgen und Landsitze im Fränkischen*, 3., durchges. Aufl., München 1984.

Schaber, W., *Der Fall Ullmann – Lherman – Oulmàn*, in: *Exilforschung*, 7, 1989, S. 107–118.

Schoeller, W., *Döblin. Eine Biographie*, München 2011.

Shirer, W., *Aufstieg und Fall des Dritten Reiches*, Köln 1961.

Sprecher, D., *Abenteurerin zwischen den Welten. Das aufregende Leben der Katharina «Nina» Sprecher von Bernegg (1917–1993)*, in: *Bündner Monatsblatt*, 3, 2016, S. 333–342.

Stafford, A., *Wilson, Keppel and Betty. Too Naked for the Nazis*, London 2015.

Stemberger, M., *Zwischen Surrealismus und Sozrealismus. Ambivalenzen der Avantgarde am Beispiel Elsa Triolet*, in: S. Bung / S. Zepp (Hg.), *Migration und Avantgarde. Paris 1917–1962*, Berlin und Boston 2020, S. 71–117, online unter: https: / / www.degruyter.com / document / doi / 10.1515 / 9783110679366-005 / html.

Strickhausen, W., *Im Zwiespalt zwischen Literatur und Publizistik. Deutungsversuch* *zum Gattungswechsel im Werk der Exilautorin Hilde Spiel*, in: T. Koebner / W. Koepke / C.-D. Krohn / S. Schneider (Hg.), *Exilforschung*, Bd. 7, 1989, S. 166–183.

Taylor, T., *Die Nürnberger Prozesse. Hintergründe, Analysen und Erkenntnisse aus heutiger Sicht*, München 1994.

Tüngel, R. / **Berndorff**, H. R., *Auf dem Bauche sollst du kriechen. Deutschland unter den Besatzungsmächten*, Hamburg 1958.

Ueberschär, G. (Hg.), *Der Nationalsozialismus vor Gericht. Die alliierten Prozesse gegen Kriegsverbrecher und Soldaten 1943–1952*, Frankfurt a. M. 1999.

Utley, F., *The High Cost of Vengeance*, Chicago 1949.

Vaksberg, A. / **Gerra**, R., *Sem' dnej v marte. Besedy ob emigracii*, St. Petersburg 2010.

Wagener, B., *Inländische Perspektivierungen. Erich Kästner als Feuilletonist der Neuen Zeitung*, in: B. Blöbaum / S. Neuhaus (Hg.), *Literatur und Journalismus. Theorie, Kontexte, Fallstudien*, Wiesbaden 2003, S. 195–226.

Wagner, H.-U., *Der Nürnberger Hauptkriegsverbrecherprozess als Medienereignis. Die Berichterstattung durch die Rundfunksender in den westalliierten Besatzungszonen 1945/46*, in: https://zeitgeschichte-online.de/geschichtskultur/der-nuernberger-hauptkriegsverbrecherprozess-als-medienereignis.

Wallbaum, K., *Der Überläufer. Rudolf Diels (1900–1957) – der erste Gestapo-Chef des Hitler-Regimes*, Frankfurt a. M. 2010.

Weber, R., *Dateline – Liberated Paris. The Hotel Scribe and the Invasion of the Press*, Lanham 2019.

Weckel, U. / **Wolfrum**, E. (Hg.), *Bestien und Befehlsempfänger. Frauen und Männer in NS-Prozessen nach 1945*, Göttingen 2003.

Weinke, A., *Die Nürnberger Prozesse*, München 2019.

Weiss, A., *In the Shadow of the Magic Mountain. The Erika and Klaus Mann Story*, Chicago 2008.

Weiss, A., *Paris war eine Frau. Die Frauen von der Left Bank*, Reinbek 1998.

Wilke, J. / **Schenk**, B. / **Cohen**, A. A. / **Zemach**, T., *Holocaust und NS-Prozesse. Die Presseberichterstattung in Israel und Deutschland zwischen Aneignung und Abwehr*, Köln 1995.

Wineapple, B., *Genêt. A Biography of Janet Flanner*, New York 1989.

Wolbring, B., *Nationales Stigma und persönliche Schuld. Die Debatte über die Kollektivschuld in der Nachkriegszeit*, in: *Historische Zeitschrift*, 289, 2009, S. 325–364.

Zwar, D., *Talking to Rudolf Hess*, Cheltenham 2010.

BILDNACHWEIS

S. 11 (AP / B. I. Sanders), S. 257 (dpa): picture alliance
S. 19: Foto Jewgeni Chaldej. Sammlung Ernst Volland und Heinz Krimmer
S. 27, 42, 91: Stadtarchiv Nürnberg / Foto: Ray D'Addario. Mit freundlicher Genehmigung von Helmut Beer, Leiter des Bildarchivs
S. 32: © IWM Art. IWM Art LD 5798
S. 33: Erben Günter Peis
S. 58: akg-images / Mondadori Portfolio
S. 66 (Jewgeni Chaldej), S. 72 (ullstein bild), S. 141 (ullstein bild), S. 152 (glasshouse images), S. 157 (Voller Ernst / Jewgeni Chaldej), S. 166 (ullstein bild), S. 223 (Pictures from History), S. 247 (ullstein bild), S. 261 (ullstein bild): ullstein bild
S. 85, 209 (Rue des Archives / Tallandier): SZ-Photo
S. 106: courtesy National Archives, photo no. 26-G-3422
S. 119: © Münchner Stadtbibliothek / Monacensia / EMF 125
S. 129: Underwood Archives / Archive Photos / Getty Images
S. 134: SZ Photo
S. 177: BNF (Gallica)
S. 186: Willy-Brandt-Archiv im Archiv der sozialen Demokratie der Friedrich-Ebert-Stiftung, Bonn
S. 189: Wolf, M., *Spionagechef im geheimen Krieg. Erinnerungen*, München 1997 (Foto: privat / Familienbesitz)
S. 205: © Madame Yevonde, Mary Evans Picture Library
S. 215: Carol M. Highsmith Archive, Library of Congress, Prints and Photographs Division (digital ID highsm.02847), © Erben George Biddle
S. 227: McLoughlin, K., *Martha Gellhorn. The War Writer in the Field and the Text*, New York 2007
S. 240: Hildesheimer, W., *Die sichtbare Wirklichkeit bedeutet mir nichts. Die Briefe an die Eltern 1937–1962*, Bd. 1, hg. von V. Jehle, Berlin 2016

Leider war es nicht in allen Fällen möglich, die Inhaber der Rechte zu ermitteln. Wir bitten deshalb gegebenenfalls um Mitteilung. Der Verlag ist bereit, berechtigte Ansprüche abzugelten.

PERSONENREGISTER